DISCARD

上线

一个

传销“领袖”的

内幕手记

UPPER LIMIT

诚然/著

光明日报出版社

◎ 作 者 像

◎ 作者近照

◎ 作者近照

我们再想一想，我们的生命是怎样诞生的。母亲怀着我们，经受了辛劳的痛苦，用自己的生命做成了养育了我们。怕我们饿了，怕我们渴了，怕我们冷又怕我们热……可我们长大成人了，我们又为父母做了些什么？我们什么时候关怀过自己的父母，我们总为自己着想，又为父母想过什么多少呢？

我们该想一想了，我们的良心知道有吗，我们的良知沉睡了，该唤醒了。

父去关怀一下母亲，去真心诚意的说声谢谢，说一声妈妈孩子爱你！

我们要拼命去挣钱，挣好多钱去孝敬父母，每个人都应该有感恩的心，我们的成长，我们的进步凝聚了多少人的心血，曾经有多少人帮助过我们，我们不该忘记他们，忘了就

上线

一个传销"领袖"的内幕手记

诚 然 著

光明日报出版社

图书在版编目(CIP)数据

上线:一个“传销领袖”的内幕手记/诚然著. -北京:光明日报出版社,2002.9

ISBN 7-80145-592-4

Ⅰ.上… Ⅱ.诚… Ⅲ.长篇小说-中国-当代 Ⅳ.I1247.5

中国版本图书馆CIP数据核字(2002)第069489号

☆

光明日报出版社出版发行

(北京永安路106号)

邮政编码:100050

新华书店首都发行所经销

北京秋豪印刷有限责任公司印刷

※

880×1230 1/32 印张13.75 插图8 字数280千字

2002年9月第1版 2003年8月第2版第1次印刷

ISBN 7-80145-592-4/I·

定价:24.00元

内容提要

这是一部详尽描写一九九六至一九九八年发生在中国北部某市传销活动的高层内幕故事，并涉及到被政府取缔后的一些地下非法传销现状，本书以主要人物富成为主线，并以“我”的切身经历讲述了一系列鲜为人知的故事，如激励人加盟传销的OPP课堂，NDO心理调整洗脑，封闭式潜能开发和残酷的魔鬼训练。

富成是市机关干部，由于经济上发生暂时的窘困，偶然接触到传销，并利用亲友和庞大的社会关系网，采取各种手段，很快吸引了数万名下线，成为了总上线，并被称为传销领袖，在他发展传销网络的起始过程中，生动地呈现出与总公司、分公司的各种利益争夺；与漂亮女人、冰怡、来临三个女人的性爱；与若干下线端木木、上官兰、欧阳凤、司马欣的勾心斗角；与妻子、女儿去省城，赴东南亚几国免费旅游；与非法传销机构交易，并上当受骗等，淋漓尽致地将各种传销者的最终结局和命运展现出来，如富成从负债累累到腰缠万贯，最终又落得妻离子散，被精简下岗，两手空空地离家出走。还有诸如女收发员的走火入魔，精神失常，总公司、分公司经理携款潜逃等等。

本书侧重将各种人物放置在一个金钱至上的环境中，充分揭示了人性的弱点，发人深省。同时本书回答了为什么有些人对传销如此痴迷和疯狂的原因，深刻地揭示了传销的奥秘和蒙在传销上的神秘面纱。这是一部反映中国传销现状的长篇小说，是一篇名副其实的一个“传销领袖”的生活亲历。

目　录

引　篇

我曾在我的另外一篇小说提到过这部《上线》。其实，那时候这部小说还是个线条很粗的提纲式的初稿。

写不写这部小说，心里很矛盾。一年又过去了，我终于下定了决心，不管怎样，我都要写出来。

这段传销生活是我亲历的，当年我在做传销时还和别人戏说，等我体验完这段生活，说不定能写出一部书来。这事真被我言中了。

一九九六年，我加盟了一家传销公司。成为经销商后，我以十分惊人的速度发展了无数名下线，设立了代理机构和供货站，被称为“传销领袖”。

一九九八年初，传销被明令禁止后，我撤出了这家公司，后来又有好多公司派员来让我重新启动我的“体系”再做下去，我没有做。因为我知道，传销已被取缔变成了非法，即使再去做，也不会再有那么多人跟随，更不可能再出现像那时的辉煌了。但我也知道，传销在中国大陆不会在短时间内真正消亡。

那么，这是为什么？

我不想简单的去说教或者批判，那都是苍白的。只有当我用我的亲历揭开蒙在传销上面的迷彩，才能真正使人们看清其深层的奥秘。我想我正在这样做。

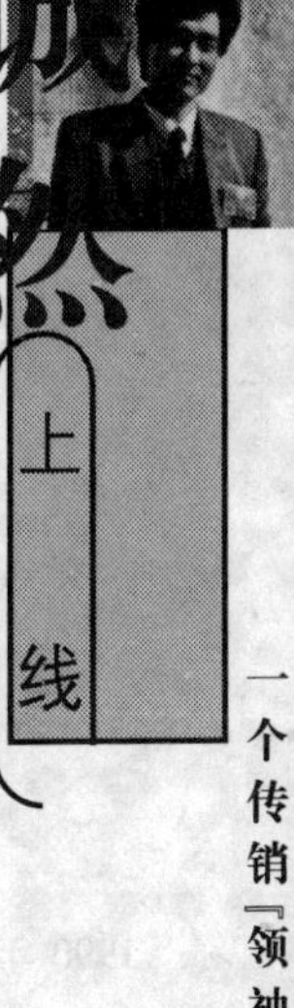

第 一 章

1. 奇怪的连锁信

这同样是一个很好的季节里的很好的一个早晨，我怀着一种很好的心情走进机关办公楼。我已经很习惯的以这样的一种心情每天来办公了，这成了我生活的一种定式。

当我经过一楼的收发室的时候，女收发员媚着脸说："哎，大秘书，有你一封信。"

我停下脚步，冲着小窗口里面打趣的说："又在和我开玩笑是吧，你要是想和我聊天就直说，我肯定会给你面子，再说了，哪个男人不愿和漂亮女人聊天，是不是呀？"其实她长的并不漂亮，我只是这么说着，让她高兴。

她很认真地说："我没和你开玩笑，真有你的一封信。"

我问："现在还有谁写信了，信是哪寄来的？"

她说："没写地址，你自己看吧。"

我接过信看了看，果然是一封没有发信人地址的信。我便说:“这肯定是一封求爱信,所以才不好意思注明地址。”

她说:“这就麻烦了,你家的小孩都四五岁了吧,看来这封信来的太晚了。”

我说:“或许是迟来的爱呢!”

她说:“别想美事了,谁能和你迟来的爱?”

我和她说笑着,我慢慢沿着楼梯走上三楼。我的办公室在三楼,和市领导在同一层,这样工作起来方便。我边走边想,是谁给我来的信。我知道求爱信是不可能了,只是都在一个大楼里工作,相互开两句玩笑,活跃一下气氛,这样可以落个好人缘,说不定年终评先进工作者什么的可以增加一些选票。但我想不出谁会给我写信。好像有几年没与别人通信了,和外地的朋友有什么事情打个电话挺方便的,这时候要是收到信,觉得有些怪怪的。

1990 年夏在大连通往天津新港的船上。

不知为什么,我内心里真的很希望有个女人给我写一封信。最好

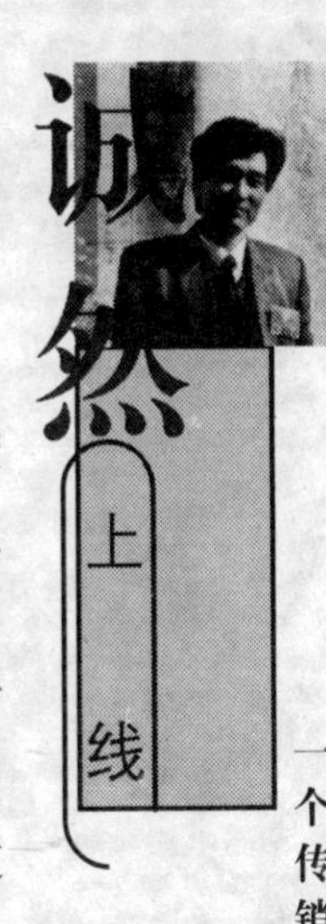

是外地很遥远的一个女人。哪怕只是通一通信，也不需要见面或发生什么。我可能是在这么一个边远的地方生活得太久了，太沉闷了。想寻找一些激情或是冲动。

这样沉闷的生活，虽然平静，但这种平静会使一个人衰老，整日重复着一种单调的生活，太没有意思了。我潜意识里肯定有一种不安分的东西，我总想寻找一种新奇的生活，哪怕是受苦受累都比这样的生活有意义。但我又说不清我需要什么样的生活。只是觉得不满足。

又静下来一想，这都是不可能的事情，人还得满足，在这不大不小的城市里，自己也算过得不错。在市机关里，虽不是什么重要人物，可每天在市领导身边工作，也算威风、狐假虎威的，人们也都不敢轻视。生活上也算衣食无忧。和过得不好的人相比，要强许多，就这么过吧，想的越高，苦恼就越多，不去想了。

我坐到办公桌前，先是沏了一杯茶，见没有领导交办什么文件和事情，就翻开报纸浏览了一下，见没什么特殊需要裁剪的资料，就把报纸一合，继续喝茶。这成了我的一种工作定式，机关干部嘛，也就这点优越感。

这时，我突然想起那封没有地址的信，就拆开了看。当我把信展开时，立刻有一种说不出赖的感觉。信是打印的，全文如下：

某某你好！

当你接到这封信的时候，幸运就从天上降临到了你的身上！这封信会给你带来你意想不到的好运。你要想得到这些好运气,就必须按信上所说的做。第一,你必须在三天里按信的原文一字不漏的抄写或复印二十份。第二,你必须寄给你最要好的二十位朋友。第三,你不能中断此信,一旦中断此信或不按要求去做,就有大灾难马上降临到你的头上……

在某某市有一个人,接到信后没有在规定的时间内写二十封信,结果患了精神病……某某乡一个农民不相信此事,没有将这种连锁信寄出去,结果自家的耕牛被偷走了……某某工厂的一个工人中断了此信,结果在高空作业时掉下来摔死了……

所以说,请你务必按信上的要求去做,不然你将遭到一个悲惨的结局,切切!

我把这封信又读了一遍,全身有些颤抖。我搞不清这究竟是一封什么信。我一时不知道如何是好。我首先想到的是,我必须搞清楚这是谁给寄来的,弄清了是谁之后,我就可以问明白这是什么意思。但信是打印稿,只有我的名字和信封上的收信人地址是手写的,我看着这封信,想不出这种笔体是我认识的那个人写的,甚至看不出这种笔体是男性还是女性的笔体。通常男人和女人的笔体很容易识别的,男性的字一般比较坚硬,而女性的字就柔软得多。而面前信封上的字既不坚硬又不柔软,很中性。莫非是一个中性人写给我的,我心里这么想了一下,然后忍不住笑了,但我还是希望这封信是一个女人写来的。而且我希望在这封信之后,这个给我写信的女人再来一封手写的信。在信中告诉我她这么做的原因。她对我说,她生活得太枯燥,太没意思了,就写这种信寻求一种好玩的东西。

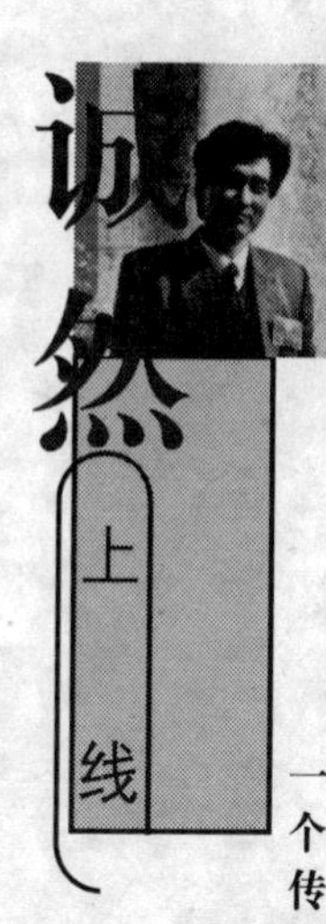

这样，我就可以和她通信进行交流。我很渴望与一个女人交流,这倒不是有什么非分之想,我需要向她倾述。我要把自己工作生活中的苦闷告诉她,并得到一丝慰藉。因为有好些事情既不能和自己的妻子说,又不能和同事说。最好是找一个相互没有任何利害,没有关系的人去说。最好是异性,异性会充分的体量理解自己。

也可能正是由于人普遍存在这种心理，许多年后便雨后春笋般的出现了网吧和网上聊天室。人们在一种虚拟中向对方倾述,宣泄心中的苦闷。

也正是这种想象,我才重视起这封信来,我要把这种信想象成我心中的人寄来的。我虽然觉得这封信有些好笑,但我没有笑下去,因为这种信的内容无法叫人愉快起来。于是,我又想到邮局的印鉴,当我找到信封背面时,印鉴上十分模糊,根本无法看清寄信的地址。

最后一丝希望也没有了，这使我无法猜出这封信是从哪里寄来的。我外地有好多熟人,工作过的单位又多,要想想出哪一个人寄来的信,就像大海捞针一样。我索性不去想这些,顺手把这封信扔进了废纸篋里。我想,一忙别的事情,就会把这封信忘了。而这一个上午,什么事情也没有,既没有领导叫我陪同下去检查工作,更没有交办我的公文。我就又不由自主的想到这封幸运与灾难的信。

我又从纸篋里捡出那封被我揉皱的信,重又展开,一遍遍的看着。我想,当今的人做事情目的性是很强的,每做一件事情应该渴望有一种回报或者结果。而这封信,连同写这封信的人想做什么呢?我要搞清楚这封信要达到一个什么目的,我才能决定自己如何去做。我首先想到的可能是一个我的熟人，闲着太无聊了，搞这么一个恶作剧捉弄我。可是，要想捉弄人根本就不用费这么大的劲。又是打字，又是寄信的，太麻烦了。因为，捉弄者的付出一旦超过了被捉弄者，捉弄的意义也就不存在了，就像是一个人，背着一块大石头，走了十几里的路，为的是扔在一个人身边，吓一吓这个人一样，这个人并没有害怕，而背石者却累弯了腰。我又想第二种可能，也是我臆想出来的。可能有一个间谍或特务组织，为了传递情报，在这种信里加入了暗语，只有他们内部组织里的人能看懂，通过大众进行传播。我细细想了想，觉得自己很可笑，可能是这几天我读反间谍作品读多了，竟把这封信和间谍特务又联系在了一起。这不可能，暂不说有没有间谍特务，就说这种方法也太笨了些。这可能是一千年以前的间谍使用的方法。我又想，这可能是一种破坏邮政通讯的行为，让全国人民都写这种信，造成邮政系统梗阻。又觉得这并不是什么坏事，大家都寄信，邮政部门是有好处的。就这样我想了几种目的性和结果。最终都使人觉得理由不充分而被我否定了。

面对着这封莫名其妙的来信，我做出了一种选择，那就是按信中要求的去做。这样做并不是我怕自己遭到信中所说的什么不测，首先我家没有牛，我不怕偷，我也不在高空作业，每天也就是到三层楼上办公，而且楼梯坡度很缓，至于患精神病，我也不太可能，我这人整天不知道什么是忧愁，工作愉快，生活幸福，忧愁什么？

我虽然想把这种信继续的传下去，但我觉得这信写的并不怎么有水平，我认为信的前半部分内容还不错，寄给朋友一

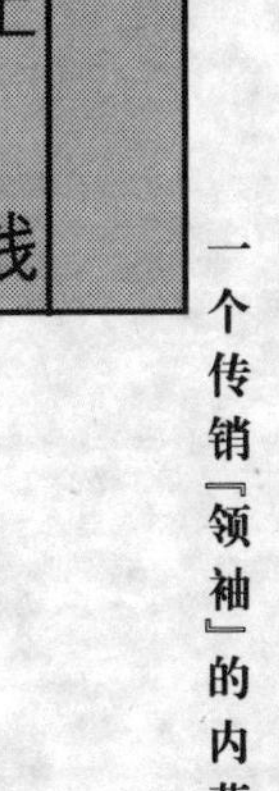

份问候或祝福,也是一种沟通感情的方式,而后半部分就令人不快了,什么患病、丢牛、摔死的,太不吉利。这要寄给那些想不开的人,时间长了说不定真会闹出精神病来,于是我就把患病丢牛摔死,改成了提职、晋职称和走桃花运。我想这几件事对大多数人来说都求之不得的,只是最后的走桃花运一条有些不妥,也是为了幽默一下,走桃花,虽然大都被认为是贬义,我觉得这其实没什么不好。我就渴望能有朝一日走桃花运。我自己在心里想,并没有告诉别人。当然,这种事人们都是在心里想,不会有谁讲出来。要是有人讲出来倒是不可思议了。要是有个人逢人便说,我现在想走桃花运。这人准会被送到精神病院里去。因为这不是说出来的事。

虽然人们都不说,想的和去做的确并不一定少。比如机关大楼里有一个漂亮女人,人们会经常发现她和男人有亲密接触。她的这种接触也不一定是和人发生男女两性关系,只是人们这么感觉,也没有谁见到过她有实际的事情发生。当然,就是有什么事情发生,这对于她,严格的讲也不算是走桃花运。桃花通常是指女人,她充其量是让男人走了桃花运。

在走桃花运的问题上我想得很开。我遇不上没有办法,这只能说我运气不好,但只要让我遇上,我是不管什么三七是不是二十一的,照走没商量。爱谁谁。起初,我没想在第三条上写走桃花运的,我开始想写能发大财,后来一想,要是在第三条上写发财,我觉得多少有些俗。我对于发财并不热衷,我一直以为钱这东西虽然有些用途,但有很多东西是不能够用钱买到的,比如知识,比如尊严,还有爱情什么的,所以我总闻到金钱里常散发出一种异味。

当我把信做了一番修改后,内容就改变成了这个样子。

某某您好!

您可能不会想到我给您写信,这是因为大家习惯了使用更现代的通讯工具联络。这就使信这一古老的通讯方式显得更充满了人情味,于是这封信就带着幸运从天降临到了您的身上!

也许我们都渴望得到幸运之神的抚摸,那就请按信上说的做,就当是大家又回到了儿时,做一回游戏。第一,您可以在清闲或无聊的时候,按原文或把原文修改更加精彩,抄写或复印二十份。第二,您可以把这些信寄给您的好朋友。第三,您不必中断此信,因为这是一种很有意思的游戏。

因为,在过去的游戏中,出现过一些有趣的现象。某某市有一个人,接到信后在一定时间内写了二十封信后,很快被提职了。原因是他发出的信中,其中有一封发给他多年没有联系的同学,而这个同学恰巧能决定他的升迁……某某县有一个人按时寄出了这些信后,很快晋升了职称,原因是被他们领导发现了他的写作才华,被调到地方志办公室修志了,自然要晋职称的。更有趣的是某某乡的一个人把此信寄出后,不久就走了桃花运,因为他把这二十封信分别寄给他高中和大学时候的二十个女同学,而这二十个女同学当中有两个刚刚和丈夫离了婚,正需要别人关怀和慰藉的时候,接到了这种信,于是一个美丽的故事发生了……

所以说,请您按要求去做,因为我不忍心让这么些美好的东西从您身边悄然而逝,让我们过得更快乐吧!

看完我自己修改后的信,我忍不住哈哈大笑。我很佩服自己这种文学天才和超人的想象力。我就想,我本不该当什么机关干部,我应该当作家,可是命运却偏偏不安排我当作家,就像大学高考投档一样,投到哪所大学就只能去那所大学就读了。

我起初是作着作家梦的,可生活阴差阳错的让我当了秘书。当秘书整天和没有生气的公文打交道。点灯熬油的给领导写讲话稿、写报告。

这在精神上倒是挺过瘾。在给领导写讲话稿的时候,自己就假装是市长,站在全市的高度来说话,而且让领导怎么说,领导就很听话的怎么说。

有时候,我也忙里偷闲的写点什么东西给市报社,写的都

1987 年在平房家中。

是些言论。那些消息什么的我才不会去写，好像是通讯报道员似的，那不符合我身份，我写就写言论。有一次我心血来潮，写了一篇言论，那也是想配合反腐倡廉才写的。我写的题目是《整治腐败得先从实权机关整起》，为了显示我的才华，我古今中外的引用了好些实例，比如说到了商朝的君王"酒池肉林"什么的。没想到，见报后，有个市领导把我找到他的办公室，很不客气地问我，你说的实权机关指哪个机关，你不是在说市政府吗？还有比市政府更有权的机关了吗？你本身就在市政府，一言一行都要十分注意，这样容易让群众产生错觉，群众还以为腐败的是市政府呢……当然了，我这样说不是给你扣帽子，我更不可能打棍子，我主要是觉得你很有希望，很有前途，这都是为你自身发展进步着想，我是怕影响你的前途，不然，我才不说这些呢……

自从领导和我谈话之后，我才觉得我所处的这个位置不同寻常。所以之后，我就没敢乱写东西。这实际上极大的扼杀了我的创造才能，这回终于有了让我展示才能的机会了。

我很快的把这些信打印出来，写好信封，在下班的时候到了收发室。

我对女收发员说："把这些文件寄出去。"

收发员说："大秘书工作效率挺高吗，一上午发这么多文件……怎么？咱们往下发文还发给外地？怎么收文的不是单位名而是个人名呢？"

我说："别喊，小声点，这是一种特殊公文，是和外地联谊性质的，是领导交办的，不该问就别问，听话，快去办吧。"于是，女收发员就认真的去办了。

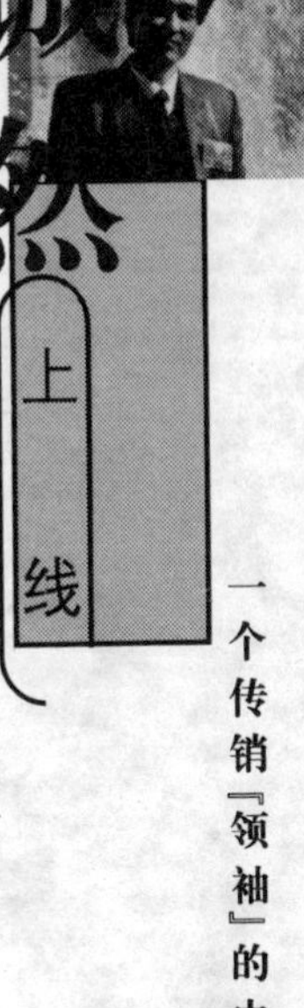

事情似乎就这样悄然的过去了。但是，令我没有想到的是，其后不久，在收发室里，突然冒出了无数封来自各地的连锁信，转来转去的又有许多封信寄给我。我拆开一看，都是我修订的那种文本。我就奇怪，传递了那么多人，内容怎么没有改动呢。我想大概是我修订的文本是别人无法再修改的，换句话说，也就是接到信的那些人里面再没有比我更有文采的人了。想到这，看着机关大楼里日渐增多的出自我之手的信，让我很是开心了一回，这就像众多读者同时都在读一个作家的作品一样，我是一直向往自己能成为一名作家的，这就算是我发表的作品吧。

后来，也不知为什么，这种信就消失了。我想，可能人们经过了一段的实践检验之后发现，写了信后既没有提职也没有晋职称，更不能走桃花运。因为光凭写信就能获得这些东西，那不是天方夜谭吗？且不说一个人的提职与晋职称需要具备一定的硬件，就是有了硬件也需要有些软件的。就更不要指靠写信就能走桃花运了。走桃花运是有条件的，一是开花是有固定季节的。二是花开的时候是野外还是在人家果园里。三是赏花要付出代价的，上哪去找不要门票的花园呀！

由于以上种种原因，连锁信没有连上锁，中断了连锁信也没有见丢牛的和死人的增加，精神病患者就更难见到了，患精神病一般都是遇上什么事想不开，这光景还有谁会为一些事情想不开，人们都想得开，看透了，这世界是多么的精彩呀。

我又想，我当初如果按着那封连锁信本来的口气寄出去，说不定这种信会流传很久呢。人们也许更加恐惧灾难。这使我想起，中国历史上有好多发动群众的事情都是用类似将要有什么灾难发生作敲门砖的。比如一些落后的农村的巫婆们就很会利用人这么愚昧的心理。巫婆要是想吃鸡了，就到人家去说，你家最近要有血光之灾，我给你破破吧，不过得煮只鸡。当事者就真当要发生什么灾难，就煮只鸡。巫婆胡乱弄一气之后，把鸡吃了，自己吃了还不说是自己吃了，还说是让神吃了。当事者赔了鸡，落个心静。

这事没让我遇上，巫婆要是跟我来这套，别说是要鸡，我给她弄头牛，找张纸先画头牛，烧了给神仙吃，我让巫婆白在地上折腾。消耗她体力让她回家费自家粮食。

但是，像我这么厉害的人毕竟太少，都愿意随风倒，宁可信其有，也不信其无。这也许是在此之后，我能够用金锁链和传销达到我成功的原因，这样看来，那个给我写连锁信的人要比我更了解大众心理，要比我更厉害。于是，我就开始不再认为我是世界上最聪明的人了。而这时候，女收发员却变得尤为聪明了。有一天，下班的铃声响过很久了，我才忙完了手上的工作走下楼来。她站在楼梯边上抬着脸朝我笑。

我说："你这是干什么？是不是看这大楼里只剩下咱们俩个人就想勾引我！"

她说："别自作多情，我勾引你还不如勾引个领导，像漂亮女人似的，你看领导们对她多好，你能帮我做什么呀……我问你，那些连锁信是不是你搞的，自从我帮你寄出了那些信后，我这收发室里就每天收到一大堆信，再说，那信写的那么好，肯定是你写的……"

我见她发现了，就小声对她说："你小声点，别瞎说漂亮女人的事，让领导听见还不让你下岗，别管这信是不是我写的，

又不是什么坏事,不许对别人说,来,我奖励你一个吻!"

她马上躲闪开,捂着自己的嘴说:"我不要,我不要,你奖励给别人去吧,这么没正经的。"

我又说:"如果你再提这事,我见着你就奖励你,看你还敢不敢提了。"

她说:"我不说还不行吗,你快走吧,让人家看见了多不好。"

于是,我就坏笑着走出了机关大楼。

2. 神秘的金锁链

我照旧每天在这座机关大楼里上班下班。每当经过一楼收发室的时候,我都冲着窗户向里面打声招呼。这种行为几乎形成了一种习惯。

就在我和女收发员打过招呼之后,她叫住我说:"常务秘书,有你一封信!"女收发员这样称呼我是由于我成了常务秘书,其实,常务秘书和秘书没什么区别,不像副县长副市长前边加上个常务就比从前的位置重要了一些,就可以进入常委了。

我说:"又是哪来的求爱信?"

她笑了笑说:"还这么没正经的,孩子都十岁了吧,现在倒时兴婚外恋,看看这是那个女的要和你恋……这种没地址的信好几年没见了!"

我接过信，边上楼边拆开来读。读着读着我停在了楼梯上。有人迎面对我说：“看什么这么专心！”我忙陪着笑脸，打着哈哈走进我的办公室。

我之所以感到信的惊异是因为这是一封可以让我在两个月内就可以获得几十万财富的信。如果说这信只写你马上会获得几十万元，我会一笑了之的，或者正赶上我心情好，我会再次修改一下文本，让其再传播下去。问题是，这封信非常明确的告诉我，采用什么样的方法，按步骤一笔笔获得。而信中所告之的方法底确可行。

信的主要内容是送给你一笔生意，你可以在这笔生意里获得你想都想不到的巨大的财富，而你花费的代价是十元钱。信上有四个人的姓名、地址、收信人，只要给信上的四个人每人寄去两元钱，然后将两元钱和四张两元钱的汇款收据寄到这家公司，这家公司会给寄回一张同样的信，信上重新编了号码，但信中那四个人的姓名、地址，自然上推，第一排人去掉了，后面三个自然升位，而我就被排在了第四位。再将这信复印二十到三十份信寄给几十个朋友，让大家都这样遵守规则运作，用倍增的原理两个月后，就会接到像雪花一样来自四面八方的两元钱的汇款单，而最终获得几十万元。

这时候，我的脑子有些乱。我把这封信塞进抽屉里，让自己冷静的思考一下。因为这封信毕竟不同于几年前那种游戏的信件，这封信涉及到财富。这时候我开始觉得金钱没有什么不好，甚至觉得我一旦拥有很多金钱的话，我会去做好多事情，比如去进修学习，还可以去旅游什么的。

而这时候，办公室里琐碎事情又很多，在办公室里一直没

能静下心来认真的想一想这封信的问题。以至于在我下班经过收发室时竟没和女收发员打招呼。

女收发员便在我身后喊："常务秘书，怎么不理人啦？思考什么大事呢？"

我忙说："没有，没有，光想领导讲话稿的事了，忘了和你说话，再见、再见。"

一路上我骑着自行车，反复想着这件事情。有好几次险些和别人撞车。我真的在想关于钱的问题，现在社会上有钱的人越来越多了，有钱的人的钱也是越来越多，而我呢？

我除了自己有个很好听的工作单位之外，再就什么也没有了。有一次，市政府接待了一个台商，我具体安排这个台商的吃住事宜。这个台商六十岁左右，却领着个三十岁的女人。人们都以为是他的秘书，但我知道他们住在一起，宾馆是我去安排的，在安排他们的房间时，宾馆的服务员不敢把他们两个人安排在一起住，说是没有结婚证。我找了宾馆经理才解决此事，台商对我说，这是很笑话的事，住宾馆还要什么结婚证。为了表示对我的感谢，台商送给我一条"长寿"牌香烟，还给了我一百美金。我当时不敢要，台商就说，没有关系，我走了好多国家，也经常送美金给各种人，哪里都一样，赚钱大家花嘛……

看着他们的生活，自己才觉得自己太穷了。要是有了钱，日子会过成另外一个样子，也会让人尊重，他们要是没有钱，市府会这样的接待我们吗，当然也不排除其他一一些原因。但欢迎这些来考察投资的人规格是不一样的……

我一进家门，妻子就问："你这是怎么啦，心事忡忡的！"

我说："我倒不是有什么心事，而是有件事很犯难，你帮我想一想，咱们一下子得了几十万元怎么花？”

妻子说：“你没病吧，怎么烧的直说胡话，就你还能发财？你这一辈子也别想发财了，也就那么点工资过清贫日子吧，我出门都没有件像样的衣服，就别说金银首饰了，我当时怎么就嫁给你了呢……”

我说：“你嫁我还不是看我有才，能写会画的，当今社会上像我这样的人比大熊猫还少呢，你也别把话说绝了，说不上什么时候老天爷有眼就让我发财，到时候你想买什么就买什么……”

1990 年参加加格达奇区政协会议。

妻子说：“算了吧你，就知道穷欢乐。”

我说：“人活着快乐就行，还图什么……不过，我不是和你开玩笑，我刚才说的是真事……咱俩研究研究这封信……”

我和妻子又研究了一番那封信。妻子说：“我研究不懂，你自己研究吧。”说完就去做晚饭了。

我一直研究到很晚，终于研究明白了，简单地说就是后边的

人给前边的人凑钱,以此循环。

这种金锁链有一定科学道理,只要大家都遵守规则,最终的结果无疑是每个人获利几十万元。但问题有两个,一是这家公司是否合法,乍一看,公司只在每个人身上获得两元钱,还寄一张重新编排名次和号码的信,但众多的两元钱汇集起来数字就可观了。另外,等这个金锁链传到最后一批人手中的时候,无法连续了,这众多的最下一层人,就白白花去了十元钱……而做的最先就最得利。千百年来就有这么一句话,先下手为强,后下手遭殃。我就管不了那么许多了,我要加入这种金锁链的挣钱游戏。

这一夜我没有睡。我在反复的类推这封金锁链信。这条链子真是金的,而且纯度会高的让人心惊胆颤。在这里我不但掌握了金锁链的要意,而且我还发现了这个制度的漏洞。这个公司要求寄去两元钱和四个两元钱的汇款收据。也就是说,公司无法掌握这四个两元钱寄到了哪里。第二天,我把四个两元钱寄给了我自己,然后把收据和另外两元钱寄到那了家公司,我就开始等待好消息了。

十天之后,公司果然给我寄来了一封信,这封信的编码和人名的排列真的发生了上升移位,我被排在了第四位上。

我对此十分欣喜。我马上将信复印了二十份,信复印出来了,就在我寄给谁的问题上犹豫不决了。我马上意识到,我是机关工作人员,这封信上又有我的姓名和地址,一旦寄给身边的人,马上就会被人知道。而被人知道我在做这种商业性的事情,这在机关里是犯忌的。

这件事很让我伤脑筋。寄给当兵时的那些战友们吧,那些外地的战友大都是农村兵。虽然农村人不排斥金钱,可他们未必能相信会有这等好事等着他们。寄给外地的一些同学吧,又大多数没有联系了。最后我想到了省秘书培训班的人。我参加那期秘书培训班里,都是各地市的秘书,秘书当然不能呆头呆脑,大多数都精灵鬼怪的。记得在省秘书培训班的时候,我们这些秘书们下课凑在一起,大讲各地领导的私事。有一个秘书讲,说他跟的那个领导每年过年的时候都让他帮着给上级送礼,送成桶的豆油和成麻袋的猪肉粉条。

大家就说,这没什么新奇,又有秘书说,他跟的那个领导和女人握手的时候老不愿意松开……。大家又说也没意思。

最后有一个秘书说,我说的事大家可不能外传,要是让我们领导知道了,我这饭碗就得砸了。他说,我们领导那才叫好色,他办公室专门有一个套间,里面有床被,一到星期日就约女人来。有一次我正加班写材料,见来了个女人,我就躲到楼下去了。谁知我呆的楼下的办公室是领导套间的楼下,没多一会就听见楼上发出嗵嗵的响声,接着就是那个女人的喊叫。我当是也不太懂这事,以为发生了什么事,拿出钥匙打开领导的门,进去一看,吓了我一跳……这事之后,我的眼睛就红肿了……

大家说,那是因为你看见了不该看的事。

当时,我没讲我们领导的私事,我也没发现领导这些事情。

我们在那个班里无所不谈,相处的都挺好,我决定寄给他们,寄给他们首先他们能够看明白,其次是他们会有无数熟人,再次是秘书都会对此感兴趣,至于为什么,我不想在这里

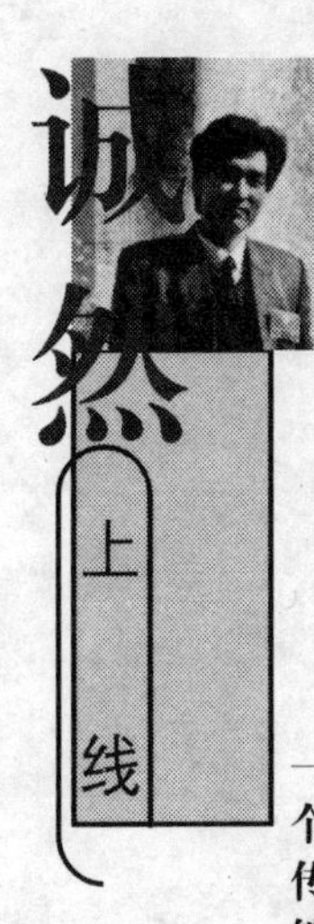

一、二、三的解释，这可能是由于我工作中经常写公文的关系，在写小说时仍改不掉一、二、三，首先，其次，再次这样的毛病。从现在起，我将全力克服这种不良的叙述习惯，尽量使叙述充满文学色彩。

我怀着一种近乎探险和犯罪的心情，骑着我那辆已经锈渍斑驳的自行车行进在通往邮局的街道上。落日的余晖将自己最灿烂的一瞬间投给大地，顷刻便换来一片昏暗的朦胧。在越走越暗的黑夜里，我摸索着邮局门前已看不清颜色的硕大邮筒的方孔，投入一封封可以换来金钱的信。既而，连同我也消失在这个巨大的黑洞里。

日子还是这样朝夕的过着。我已经感到了一张张两元的汇款单从四面八方雪片似的飘来，而这时却是繁花似锦的夏日。

第一张汇款单真的如期而至。女收发员叫住我时，正值我上班的时候。我听到她的叫声，马上意识到雪片飞来了。

我快速走进收发室里，对她说："别声张！"她以为我又要奖励她吻呢，就往后退。我问："我是不是有两元两元的汇款单，快拿来……"她很不解的把汇款单递给我，然后说："收到两块钱至于这么紧张吗，又不是两千万。"

我说："我求求你了，千万别对别人说，从现在起，你把所有汇款单藏起来，不要让任何人看见，悄悄给我……"

她更不解地问："谁会天天给你汇款？难道你真走桃花运啦？"

我说："何止桃花运呀，我走财运了。"说完我就把汇款单揣进口袋里，快步走上楼去。

在办公室里，我关严门，掏出汇款单反复的看着，想像着大雪纷飞的情景。

第二天早上，我特意提前几分钟来到办公楼，当我走进收发室时，收发员惊讶的将一迭汇款单交给我。并百思不得其解的问："这是怎么回事？怎么像那几年的连锁信一样，难道……"

我说："你猜对了，我本来想说这是稿费，你既然猜到了，我就实话告诉你，这就像过去的连锁信一样，多帮我留意，我会给你好处的。"

她问："你能给我什么好处？"

我说："我会奖励你一个吻。"

她马上说："去你的吧，又不正经，那算什么好处，分明占我便宜。"

我说："开玩笑，我中午请你吃饭怎么样？"

我不知道我怎么会在嘴里冒出一句请她吃饭的话。这时候的机关大楼里的男女还没怎么开放，还带有一些男女授受不亲的意味，机关不同于商场，也不同于社会，有些事情还是很保守的，至少很隐蔽，没有谁做一些公开和异性亲密接触的事情，这样做是会影响进步和个人前途的。我能提出请异性吃饭，这其实是很超前了。但说过我又有些后悔，因为女收发员不是那种很有心计的女人，她一旦真的答应了，话就收不回来了，她这人的脾气性格，要是说请她而没请，她会每天在你上下班经过她的收发室时追着要求请客的。

为了冲淡我刚才说过的那句话，我有意地把话岔开，我说："这机里不同社会上，想怎么做就怎么做，在机关里做什么

事情都得先考虑好，不然容易惹来麻烦，从表面上看，大家相互都打着哈哈，而背地里都各揣各的心思，平时不说什么，一旦有了什么好事，涉及到个人利益的时候，什么事情都翻出来了，机关里的人如果都平平庸庸的相安无事，一旦谁要提拔了，谁得了什么好处，大家的眼睛都红了……"

说过这番话我又看了看她，等她表态。

她说："不好，让人看见会说闲话的，我不能单独和你吃饭。"

我放心的对她说："你说的也对，咱俩单独在一起吃饭是不合适，让人看见，人家还以为你引诱我呢……别生气，跟你开个玩笑，这样吧，为了表示你给我保密的谢意，我也给你发一封信，我教你怎么做，至于你有没有那么多朋友，人家按不按你说的做我就无能为力了，但你只花几元钱就行了……"

很快，女收发员也收到了汇款，只是她接到的很少，而我接到的更多。由于女收发员的介入，问题出现了。她外地朋友很少，发出的信几乎都是机关大楼里的人，金锁链在机关大楼里很快的蔓延开来，而且有我的名字的信不停的出现在各个办公室里。我一时不知所措。好些人来到我办公室问这家公司情况和我的收入，在无奈之中，我告诉他们不要再继续汇款了，这都是骗人的。大楼里的人很快都不做了。我这样做的目的很简单，我是怕这条金锁链一旦中断，而链的尾部上的人是机关大楼里的，我会遭受责难的。

女收发员对此很不解。她很生气的找到我说："你这么做我还上哪挣钱去？你怎么这样？"

我说："谁叫你不寄到外地，让外地人做，也不和我商量就

1996 年夏在北戴河。

把信发到各科室了，你以为这是会议通知呢，到处发，你知道后果吗？一旦出了问题你就得被开除……”

她说：“你别吓唬我，你怎么不怕开除呢？你一个常务秘书都不怕，我一个收发员怕什么？”

我说：“你就别老是常务常务的了，叫秘书就完了呗。听着怎么这么别扭，好像我比其他秘书高半格似的……我告诉你，首先党政干部不让经商，而且这种活动带有一种不正当性，至于犯了哪条我说不清，反正不正当，打个比方，就像我和你本来不是夫妻，要是睡在一张床上，就不正当了，听明白了吗？”

她说：“常务秘书，你怎么总是说不正经的，打什么比方不好，非得说睡在一张床上？”

我说：“我不是怕你听不懂吗，不管怎么说，你别做了，以后再有这种好事，我再找你。来，让我奖励你一下！”

我说着话，真的把她搂过来吻了她一下。她接受了，这时

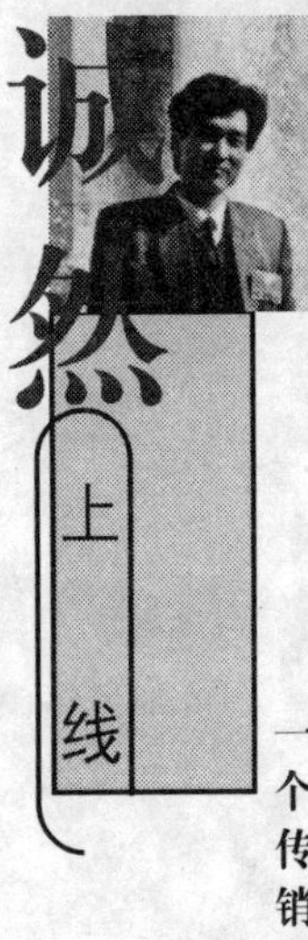

我有些冲动，我没想到吻一个女人竟这么的容易，这在我过去的生活经历中是没有的。我说过，在这么偏远的地区，尤其是在机关里，这方面是很保守的，我几乎都不敢相信，和一个不是自己妻子的女人接吻，我用力抱着她，狠狠的吻着，虽然并不太明白吻女人的技术，但这种形式我大概还知道。

这时候，我马上又想，这样吻过后，下一步应该怎么办，因为从书中和电影中看到，吻只是做某件很重要的事情的前奏，绝不是结束。

我吻着她，并且手忙脚乱的到处摸着什么，但什么也没有摸到，正在我还想继续的往下做，但马上停住了，并且顿时出了一身的冷汗。我忙把她推开，然后退了几步，看看门外和窗外有没有人看见，幸好这时没人，我十分后怕，因为，这种事情要是被别人知道了，会断送我前程的，我马上跑出收发室一连几天也没敢往收发室里看。

她当时并不相信我的话。没过多久，报上就开始披露这件事情。而且把金锁链说成是非法集资和诈骗。

女收发员说："果真像你说的那样，多亏咱们早就不干了，不然真会被开除的。"

我说："怎么样，又感谢我了吧，亲我一口吧！"

她说："我不干，你亲、我亲都是我吃亏，你怎么这么坏呢？"

我说："这是智慧，怎么叫坏呢，我以后真不能再和你开玩笑了，时间长了容易出事，好了，我开始一本正经了。"

她说："你这种人呀，得了人家便宜你就没事了，又跟人家一本正经了……"

我说:“你快给我闭嘴,你这不是想要我的命吗,我好不容易熬到常务秘书,市长们又挺器重我,要是让领导们知道我干这种事,那我就没法活了……”

她说:“看把你吓的,我又没说什么,我再不说还不行吗!”

我说:“这就对了,咱们这地方不像南方那些开放城市,男人和女人发生点什么事, 人们都没人理会, 咱们这可不行……”

我把女收发员安抚好了, 我再经过收发室时也不和她开玩笑了。

我又一本正经的上起班来。回想金锁链的事情也真令人不解。按理说,我做这种金钱游戏计划的已经很周密了,可最后还是被机关大楼里的人们知道了。知道了也没什么大事情,无非是说我好玩游戏,没什么大碍。问题是我没赚到像我想象的那么多钱,我算了算,也只收到一千多个汇款单。这些钱也算是够多了,我一年的工资也不过如此。可能在这些玩金锁链的人当中,像我这样给自己寄钱的人太多了。所以我没得到几十万元。

我拿着这些钱对妻子说:“咱们全家出去旅游吧, 正好孩子放暑假。”

妻子说:“是不是把钱存起来,留着有个什么急用,不要乱花钱吧。”

我说:“存什么存,有钱就得消费,人活一生才有意义。”

于是, 我带着妻子和孩子就去了沿海城市去过有意义的生活了。半个月后,花光了所有的钱才回来。

也正是这次,我平生第一次见到了大海。过去,只是听说大海有多宽广，这回一见才知道海真的太大了，大得一眼望不到边。我不但尝了一些海鲜，还买了几件很时兴的衣服。

上班的时候穿着，机关的同事们都用异样的眼光看着我。我心里想，都没见过什么世面，我这种衣服在外边都属于过时的，根本算不上最新潮。

女收发员又叫住我说：“你穿的这叫什么衣服，花里胡哨的，也不怕领导批评你……你也不给我买点什么东西回来。”

我说：“我妻子一直跟着我，我就有这种想法也不敢买。”

她说：“我是跟你开玩笑，谁稀罕让你买东西……再说咱俩非亲非故的，你就是给我买了，我也不能要。”

我说：“我知道你不能要，我才没给你买。”

这次旅行，很让我开阔眼界，外面的世界真是很精彩。

3. 突如其来的窘困

生活总是在人们不经意的时候，给人们设置一些意想不到的事情，然后把人推到一个临界点。

也许是由于我参加过连锁信和金锁链这种游戏，我就更清楚一种循环的链条一旦断裂脱节，后果是什么样子的。我万万没有想到，在我的生活中真的发生了一次断裂和脱节。

人总是这样的，当事情还没有浮出水面的时候，始终处于被遮蔽状态，而一旦有事情摆在面前，便开始措手不及。

而这个措手不及是机关里开始分住宅楼了。我结婚后一

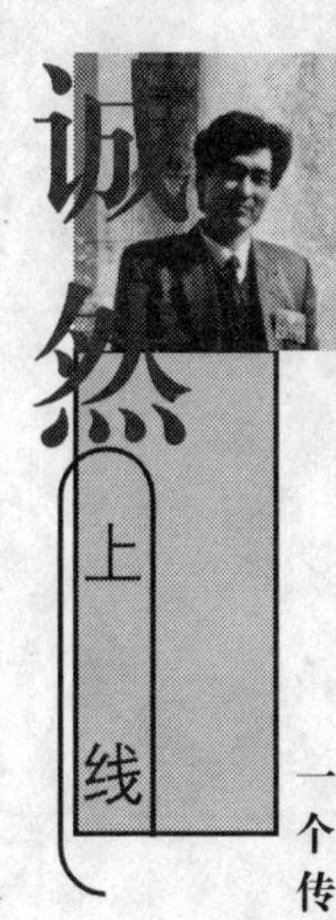

直和父母住在一起,我家的房子是自家盖的,我父亲虽在建筑单位工作,但人十分老实。单位里分房总是轮不到他。再加上我家有一个在当时来讲还算很大的一个房子,所以每到分房人家都说,他家有那么大个房子住,还要什么房子。时间久了,父亲就不再提要房子的事了。

我结婚几年之后,我的弟弟和妹妹都长大了,房子开始不够住了,我有几次和市长渗透此事。市长说等这栋住宅楼盖好后,给你串一户平房先住着,你年龄不大,直接进楼群众会说这是搞特殊。还有那么多老干部没住上楼。

那年,政府的楼盖好后,领导果然给我串了一户平房。这个平房是一个单身女处长倒出的。这个女处长快退休了,一直独身,当时领导这么决定时,女处长同意这样串。当时,楼房完工是冬天。女处长找到我说,你别急,大冬天的没法搬家,等春暖花开的时候,我就把平房倒出来。

不料想,春天的时候,女处长那个平房刚好要动迁,也要在那建楼。平房一动迁,能得到好大一笔动迁费。女处长就决定不交平房了。

我找到相关领导,领导说,这事你找具体分管的同志,她资历挺老,又要退休了,而且精神上还有问题,组织上不好强迫,万一她犯了精神病,她连个亲人都没有,政府的麻烦可就大了……

我很生气,这明明是不公平的事,却没人管。女处长独身一人有了楼房还要平房,这太过分了。但我属于年轻干部也无法和她直接发生冲突。我越想这事越是生气,我父亲搞了一辈子建筑,不知道盖了多少房子,到头来都没得到公房,到我这又遇上这事。我一气之下搬进了办公室住下来。

这下惹火了领导，领导们最后又是批评我，又是教育我，我才搬了出去。正是由于此事，真的影响到了我个人的进步。房子成了我的一块心病。

我当然希望分到一户楼房，如果分到楼房我就不用整天为借房犯难，也用不着整天骑着那辆锈渍斑驳的自行车走很远的路上下班了。

这座住宅楼的位置离办公楼很近，而且设计很漂亮，很宽敞。并起了个很人文关怀的名字。叫“安居楼”。起初，我并不知道这名字背后的意思，只是从安居乐业来理解的。而这个分楼方案出台后，其条件十分宽松，也就是说这座办公大楼里的机关干部只要想要，都能够得到。

我兴高采烈的得了一户。

但是，另外的问题出现了。这个分房方案还附有一条，也是最重要的一条。这就是需要申请要楼者预先交付建楼款，也就是说，这次分楼已是住房改革后的办法了，再不像过去那样得到的是白住的福利楼了。而且要在十五天内交足几万元预付款，否则就不分给。妻子说：“我早就说攒点钱，你就是不听，别说几万，咱家就连几千都筹不够……”

我便一本正经的对妻子说：“毛主席教导我们说，‘我们的同志在困难的时候，要看到光明，要看到成绩，要提高我们的勇气’，懂了吗？”

妻子说：“你拉倒吧。”

我嘴上虽然这么说，可心里却不知所措了。

一连几天，我近乎是在神智的迷惘中度过的。而且夜里总

是做稀奇古怪的梦。

我梦见自己急切地想去卖淫，我还在心里想虽然我是男性，但我坚信我长的很帅，是女人非常喜欢的那种男人。我就不信，女人可以做，我为什么不能？

我一想到这，在我面前一下子就出现了一个叫“伊甸园”的咖啡厅。我都没注意，这个咖啡厅是怎样一下子出现在我面前的，我觉得这名字取的很好，最早的伊甸园就是男女偷吃禁果的地方。但我不知道这个咖啡厅是不是可以卖淫，这时就又隐隐的出现了另一个模糊的牌子，在昏暗的灯光映衬下看出一行字：欢迎男女来饮食，伊甸园是您理想的买卖场所！

我心里一阵兴奋，我觉得这些话写的好，饮食男女当然要来饮食了，还有场所就更好了，但马上意识到这是不是个圈套，怎么明目张胆地挂着牌子呢，我悄悄地环视一下四周，咖啡厅的周围没有任何建筑，没有街道，连一个行人都没有。这很好，不用怕被人认出，人们进这种场所什么都不怕，就怕被别人认出来，要是被别人认出来，那可就丢不起那人了。我放松下来。这时我又想起一件事，我要打扮一下的，进这种烟花柳巷必须要涂脂抹粉的，我忙掏出小镜子，照了照自己的脸，发现脸出奇的白，又扑了一下粉，涂了涂唇膏，就扭着屁股走进去了。

伊甸园果然特别，不像我平时看过的舞厅。这里像个山洞，漆黑的，还有些冷，但从外面投射进来的一柱光，隐约见到头顶上挂着一柱柱的钟乳石，猛然一看果然像女人的丰乳，很形象。怪不得叫乳石。

这时候一下子不知从什么地方冒出一个戴着面具的人

来，那是只狼的面具，狼向我点了一下头，伸手示意我进了另一个小洞。这时我开始害怕，不知接下来会发生什么事情。等我坐到那，狼点了一只蜡烛，摆上几盘干果，然后用听不出是男人还是女人的声音问："先生，您喜欢什么样的，出来选一下。"

这时候我还管是什么样的，就说："随便，只要多给钱。"

狼犹豫了一下，说了句："先生真特别，不挑小姐长相，还多给钱。"

我马上反驳："你说什么？我多给钱，是多给我钱！"

狼退出小洞，很快领来一个戴虎面具的人，那人指着我的鼻子好像在说："你他妈活腻了，想闹我这厅子？"

我马上不高兴了："我闹什么，你们外面的牌子不是写得很清楚吗？就这样欢迎买卖呀，我来卖淫，你们抽点费就是了。"

虎哈哈大笑，然后对我说："你他妈想的挺美，玩小姐还想挣钱，上哪找这好事，你告诉我、我去，你他妈还卖淫，就你这德性，买淫都懒得卖给你，滚！"

我说："你们这是什么服务态度，找地方评理去。"

虎说："你还敢评理去，咱上派出所，办你个卖淫罪……"

我一听派出所，吓的拔腿就跑，跑尤其轻快，一迈就飘出很远，几步就跑得无影无踪了……

咖啡厅从眼前消失了，又出现了高楼大厦。人群涌动着，我被挤来挤去的，心里很窝火，难道挣钱这么难吗？我就不信挣不到钱，我贩毒去，贩毒挣钱，哪有毒品呢?我看着身边这些人，都不说话，也没人吸毒，我拉住一个人问："请问，哪有毒品？”那人异样的眼光看着我摇头。我想我也写个牌子做个广告，反正现在什么都能打广告，贩毒打广告惟独我一份，准行，我一伸手，一个牌子写好了，我没发现谁帮我写的，上面写着：收购、批发毒品。这牌子写得好，我又不会种，当然先收购，再批发零售，我给它掺假、涨价，准挣钱。我转了一圈，见有一些人手里拿着刷墙刷子的，铁锹的、还有家教的，我也挤了个地方，蹲在哪，把牌子摆我前边，左顾右盼的等顾客上门，我心里想，这时候千万可别先来个买毒品的，因为我还没有收购上来，我卖什么。

面前走过一些行人，都麻木着脸，目不斜视的朝前走，我故意的咳了几声，想引起路人注意，但仍没人和我搭讪。我又一想，准是由于这个地区偏远，经济不够发达，连吸烟草都困难，哪有闲钱吸毒，那不是吃饱没事干嘛。

1996年夏在北戴河休养所。

又过了一会儿，见没人理我，我实在忍不住了，就大声吆喝起来，买卖大烟、毒品摇头丸喽。这时候几乎所有人都一齐大声的说话了，说的都是什么孩子上学花钱太多，老公在外地招

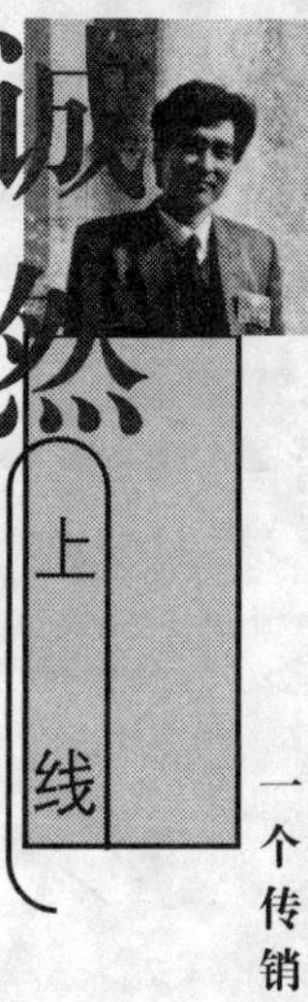

花惹草,太太整天打麻将,银行利息太低……

这些说话声出奇的大,把我的声音全部盖住了,任我再大的声音也听不见了,我什么都喊叫不出来了。我一气之下,踢翻了自己的牌子,一甩袖子走了。我心想,费这么大的力气,又没人理睬,我抢银行去,不就是想弄钱么,还有比抢银行更省事的事了么。银行里的钱多的是,我随便抢一些就够我用的了。

我只一转身,果然出现了一家银行,真是天遂人愿,这时候好像天刚刚透亮,说不准是白天还是黑夜,而且雾气很浓重,也没听见什么声音,一辆运钞车开过来了。车没有门也没有窗户,像块黑石头,还慢慢的变换形状,一会儿像元宝,一会儿又像个子弹头,最后竟然像一只绣花鞋。这时候不知从什么地方出现了一群人,手里抱着那种很短的冲锋枪,呼啦啦的围住了车身,有人从银行里抬着笨重的箱子往车上装。我想,这些箱子里准是装的钱,不然不能这么沉重,钱这东西太重了,压得我喘不出气来。我往前跑了两步,那些持枪的人立即把黑洞洞的枪口对准我,我当即傻了,我知道枪这东西不好惹,就停住脚步,我忙举起双手,嘴里连连说我投降,我投降,我知道一举手说投降对方就不会开枪了,我又往后退了几步,转身寻找武器,我要和他们决一死战,我当年当兵上过战场,我怕谁呀。

我找遍了四周,也没找到什么好用的武器,只找到一块石头,是那种有些风化的石头,用手握着还往地下掉渣,等我又跑回来一看,那个运钞车被我吓跑了。

我毫无目的地追赶着,心想,等我追上你,车给你砸瘪了,看你还跑不跑，竟敢连我都不放在眼里。

不知道怎么搞的，我追着追着，就来到一家银行储蓄所的门前，我心想，这家伙准是钻进储蓄所里去了，我就在这等着你，看你出不出来。等了好半天，我都等得有些累了，运钞车还没出来，我实在忍无可忍了，咣的一脚踢开门，举着石头冲了进去，嘴里还大声喊着："你给我出来，不然没你好果子吃。"

等我冲进大厅里，被一排铁栅栏挡住了，我就举着石头冲着栅栏后面的人喊："把手举起来，把钱扔出来。"

里面一个男人缓慢地抬起头来，并没理会我，还在忙自己的事情。我急了，又大喊："不举手我可扔炸药包啦。"

这时候，又站起一个人来，冲我笑了笑，我当时以为他故作镇定，细一看是在那很自然的笑，他笑过说："你小子能不能别在我单位闹，我上班呢，人家该说我这战友怎么这么没正经的。"

我仔细一看，这家伙果然是我当兵时的一个战友，这家伙在战场上比我勇敢，他有个绰号"虎×"，通俗点解释就是母老虎的生殖器，我说他怎么不害怕我呢。我被弄的有些不好意思似的扔了石头说："战友战友亲如兄弟，帮帮我忙我想抢点钱，我急需钱用……"

于是，战友把金柜打开，一捆一捆的扔到我怀里，我连忙说："够了，够了，我都抱不动了……"

这时候，我一下醒了。

我这是在做梦，我怎么会做这样的一个梦。我的下意识里怎么会有这么多的犯罪想法，真是太可怕了。

我静下来一会儿，又提醒自己，别再想钱的事了，犯多大

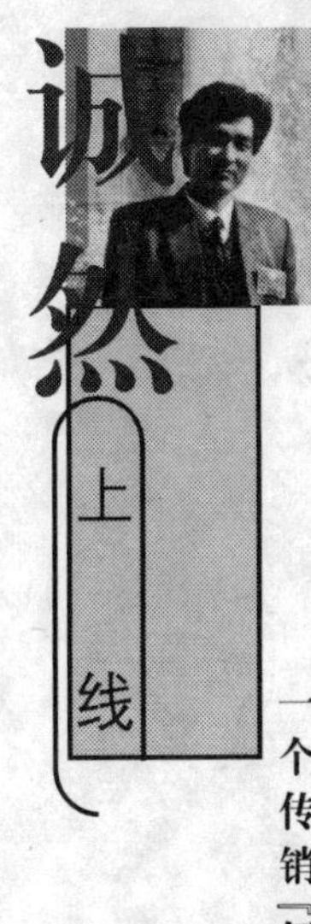

的愁也没用,天上也不能掉馅饼,车到山前再找路吧。其实我根本没什么路可找。自从那次住办公室那件事领导就不让我再呆在办公室给领导当秘书了,但不管怎么说,也为领导服务一回。领导就把我安排在了一个什么权力都没有的办公室。从表面上是提职了,实际上还不如当秘书。当秘书还有人送烟送美金呢,现在人家都懒得和我说句话。人要是没有点权利,又没有钱,那就算不上什么人了。我此时对此深有体会。

如果像平时,没什么难事,各自过自己的日子,别人在不在意自己倒无所谓。在意和不在意都是相互的,你不在意我,我也不在意你,有什么了不起。问题是我遇到了困难。如果是别的困难还好办,惟独钱这问题不好办。

在我认识的人当中,几乎都没有钱,这不怪别人,只能怪我。我总是看不起那些有钱的人,总说有钱的人狗屁不是。我不可能去和狗屁不是的人去交往。现在想找狗屁不是的人都找不到了。我很犯愁。

我照例苦着脸来到办公室,刚坐下,办公楼里那个很漂亮的女人冲着我说:"干嘛苦着脸,还为你那房钱发愁呢?我知道,这事难不倒你,我就说没有你办不成的事。"

我没理她,犯愁的时候,多漂亮的女人我都不愿理她们,漂不漂亮的顶个屁用,也不能当钱花。除非把她卖了,这种女人一般人又敢买,买回家干什么?让她往家里倒腾绿帽子呀。

我无论如何没有想到,我会让钱这东西难成这个样子,我从前是从不拿钱当钱的,钱算什么东西,有了就花,没了就挣,我才懒得在怀里放着。没想到预分了一套房子,预分就是还没盖起来,但要预交购房款,借了几个地方,还差两万元。这两万元是我三四年的全部工资。参加工作快二十年了,好不容易预分到房子,又拿不出钱来。

没分到房子的时候,整天做梦想房子,分到了又买不起。我真是恨透了房子,这个叫房子的家伙,真是害人。害的我,到处搬家,东借西借的,像三毛那只歌唱的一样:流浪,流浪,那房子就是我心中的那棵橄榄树,酸酸甜甜的,叫我好难受。

就在我好难受的时候,那个漂亮女人又凑过来说:"你怎么不去银行贷款呢,可以用工资担保的"。

我说:"我想去银行去抢款"。她听了我这么说,就又回到她的办公室去了。

这个漂亮女人是我被提拔到后边办公楼之后认识的。她见到我第一句话就说:"欢迎你来我们大楼办公……你不认识我,可我早就认识你,我和你们楼的收发员关系好,那回搞金锁链不就是你传给她,她又传给了我,我还给你寄了两块钱呢,我当时真想直接把钱交给你,可是不行,真有趣,前后楼办公还得通过邮局汇款……"

我打趣的说:"是呀,前后楼办公还得通过收发员才认识!"说完,我和她不由的笑了。

其实说起来大家都认识,至少都知道大家都在机关工作,只是平时遇见不说话罢了。我对自己的表现感到有些奇怪。我平时对不熟悉的人是不苟言笑的,见到这个漂亮女人怎么也说笑起来。我想,一是由于她先和我打招呼,二是因为她长的很漂亮。我承认再坚强的男人,对漂亮女人也是无法阻挡的。我甚至想,在一个办公楼里如果多有几个漂亮女人,其工作效率会大大提高的。如果我有了权力,我就这么安排。

我新到的部门属于搞研究的，虽然有了点级别，但手下没有兵，一个人单独在一个办公室，就算是一个部门了。

漂亮女人的办公室在楼上，工作并不繁忙，上下班经过我的办公室，有事没事的进屋来坐一会，聊一会天，内容都是天南地北的无关紧要的事情。我能感觉到漂亮女人对我有点意思。女人要是看上哪个男人，这问题就严重了。如果女人要是看不上男人，男人就是费十牛二十虎之力，累死了也没用。女人就是不理你，干气猴。我说漂亮女人对我有意思绝不是自己一厢情愿，也不是自作多情。我在机关大楼里也是挺出色的，我不是一般人。说着说着又来了，表扬鼓吹起自己来了。我不自己评价自己，我采用别人对我的评价。

别人大多都这样评价我说，这人很有才、很傲气、很洒脱、很有心计、很神秘等等。我通常会认为这种评价还算准确。

漂亮女人肯定是被其中的某一点所吸引，我猜想是很傲气和很神秘这两点的可能性大。她生活中通常会有好多男人讨好她，她肯定都厌烦了男人的讨好，刚好有个不讨好她的男人，而且又充满一种神秘感，她可能要到我这来探秘。

我自然知道她的想法，我不会轻意让她把秘探去。和她说话的时候也保持着傲气，且不多和她说话，再说机关里很忌讳说机关里的人和事。人和人总是隔着一层东西。

这一天，漂亮女人又到我的办公室来了，她从收发室里给我捎回一个汇款单。她一进门就说："我看见有你的汇款单，我还以为又是金锁链的汇款呢，一看原来是稿费，好几百元呢，你真行，还发表作品呢，把作品让我拜读一下，也教我写作呗……"

我接过汇款单，笑着说：“你能不能再别提金锁链了好不好，你是不是还记着汇给我的那两元钱，还耿耿于怀呢？”

她说：“不是，不是，我觉得那个游戏挺好玩的，可惜都中断了，不然一直传下去，大家都成了百万富翁多好哇！”

我说：“看不出来，你这人还喜欢游戏人生！”

她马上说：“我可不是游戏人生，我生活上可严肃了……”

我说：“你看看，你看看，我又没说你生活放纵，紧张什么。”

她说：“你这人真坏，写作的人是不是都这样，神神秘秘的，我看那些小说写男人和女人的事，写的那么真实，是不是有亲身体验呀？要不写的那么像……”

我说：“要是像你说的亲身体验之后就写出来，那么不就成了犯罪交待材料了吗？”

她说：“反正你们男人都不老实……”

1987 年在家中。

在男人老实与不老实的问题上我有话要说。怎么叫男人都不老实呢。这不是男人自己决定的,这是上天在造人的时候就这么设计的,就这么个程序,我们男人有什么办法?

上天在创造男人和女人的时候想得很周全。上天怕把男人和女人造出来后,两种性别的人相互谁也不搭理谁,就有意在女人身上放上了一种能诱惑男人的元素,而给男人加入了一种征服女人的元素。不然的话,男人和女人见面相互像躲瘟疫似的,这人类可如何发展。

也就是说,不是男人不老实,而是上天不老实。要怪,就怪上天去,别冤枉男人。话又说回来,这男人要是真老实的话,得把女人恨死。那样的话,女人不是白白散发诱惑男人的元素,这显得那种元素多没效力呀……

我明白她这话的意思,这时我猛然产生了一种冲动,向她走过去。我感到她的脸红了,而且说话语无伦次,我抱了抱她,她就把身子靠向我。就在这时,下班的铃声响了,我马上放开她说:"等哪天咱俩那样行吗?"她点点头,然后快步离开我的办公室。我一下子坐到沙发上。心不停的跳着,很久才慢慢的平静下来。平静下来之后我就觉得自己有些可笑,都什么年代了,对这种男女的事还那么紧张。这不比当年和女收发员的时候,壮了好大的胆子才敢奖励了她一下,其他什么也没敢做。其实,这有什么呀,只要俩个人都愿意,谁也管不着。再者说,这么漂亮一个女人,你不碰,别人也得碰。只要机智勇敢,没有做不成的事,该碰就碰,不碰白不碰,管不了那么许多,这叫一不做,二不休,先下手为强……

几天之后的一个下午,下班的铃声响了,我没有走。这时候我给她打了一个电话,她悄悄地推开我办公室的门,笑着走近我。我想,机会终于来了。我把门锁上,关掉了办公室的灯,就搂住了她。我只感到了一种从没有过的冲动,手忙脚乱地脱下了她的裤子,费了好大的劲才进入她的身体里,这种动作,很快结束了。她有些不高兴地拉着我重来,我紧张起来,我发现,女人在这个时候比男人还勇敢。我虚张声势地说:"外边好像有脚步声,你快出去……"她说:"你真笨!"然后很不情愿地离开了我的办公室。

我想,俩个人做过了,事情也就过去了。没想到,她经常悄悄来到我办公室。我很快和她做完那事就打发她走开,后来我有些害怕了,因为在机关里如果被人知道了这样的事情,不管怎么说,多多少少也是会影响前途的。因为这种关系毕竟不正当。于是,我就找借口疏远她,惹得她很是生气。

这女人在没给我投怀送抱的时候,我还觉得她挺有滋味的。送过了,就觉得没什么意思了。男人就是这样,只要尝到了,也就觉得没什么意思了。再说了,我整天愁还愁不过来呢,哪有心思理会她,缠来缠去的腻味。

我又想了想她说的关于房屋贷款的事,顿时来了精神,我又到有关部门去详细问了贷款的事。我就去办理房屋贷款了。

贷款很快的下来了,心里总算踏实了一些。可转念一想,又犯起愁来。我每月的工资都被银行扣下了,就这样得扣好几年,只靠妻子原本就很低的工资生活,而且一天天只能吃些粗茶淡饭,过苦日子。苦日子过起来还有什么意思,我来到世上又不是受苦受难的,要是知道受苦受难,当时我才不来呢。

我原本生活得很好的，从小长这么大活得很滋润，我比较喜欢游山玩水，也喜欢穿些比较时尚的衣服，抽些高级香烟，喝点精装啤酒，吃些鱼虾海鲜。这回什么都免了，只能光着屁股游山玩水抽卷烟了，更别想去见鱼虾海鲜，人家肯定不能接见我。

这时候我极为苦闷，只能苦闷着坐在家里写小说了。小说我是会写的，只是这几年比较春风得意，没心思写什么小说，再说，稿酬也太低，点灯熬油的写出来发表后，给壶醋钱，太不尊重劳动，太不尊重知识，这不是拿人不识数么。

现在，我又想写小说了，想写小说是因为我不春风得意了。让人给弄得像是退居二线似的，还得意什么。古语说的好，进而为官，退而为文。再者说，为官有什么好的，这些年，我也算是身在官场，看见那么多为官的人，起起落落，也真是不容易。外人平时见到的都是为官者的好处，可谁知道他们的苦衷呢！我知道，我就在他们的身边。为官也难，想说的话不能随便说，想做的事不能随便做。而不想说又不想做的还得表现出极大的热情去说去做。扯那淡呢，我写小说。我怎么想就怎么写，我愿意写好人我就写好人，愿意写坏人我就写坏人。反正是小说谁也不能对号入座。

按道理说，写小说的好处也挺多，写小说可以借叙述发泄自己心里的苦闷，而且还能挣壶醋钱。只有白开水的时候，醋显得是那么有滋味。再说了，给我醋钱我不买醋还不行么，我买上两盒好烟，买两瓶好酒，买不起海鲜我买几条小鱼，我站着喝酒不行么，这也是热爱生活呀。

就在我就着小鱼，喝着好酒的时候，我开始品味东西的味

道了。这种味道被一下子转移到我想赚钱的主题上。我发现人没有钱是不行的，谁叫咱生活在一个金钱社会里呢。

我想要赚钱啦！

原本我是看不起做买卖赚钱的，那东西总有一股铜臭味。再说，许多年前，我的祖上就是做买卖赚钱的，在我爷爷那一辈，我家就是经商做买卖的。我家那时候开的一家类似于现在的食品店，炸油条、烙烧饼的，在一条街上也挺有名。我爷爷当时还纳了妾，我爷爷纳妾的原因不是因为我大奶奶不能生育或者没生儿子。我爷爷纳妾纯属于玩。家里有生意，有小二干活，我爷爷领着我二奶到处去玩，玩什么？斗鸡、玩鸟，有时候也玩鹰。身边有个年轻漂亮的女人，挺风光。

解放后，我爷爷遭了大罪，还进过大狱，险些被人民政府镇压了。最后划成分，划了个小业主。我父亲当时很抬不起头来，碰巧赶上抗美援朝，父亲报名参军去朝鲜了，才从那个环境里挣脱出来。父亲从小就告诫我离钱远点，父亲清贫了一辈子，直到去世也没见到过什么钱，我们经过了两代人的努力才好不容易摆脱了金钱，几经努力才走进机关当起不大不小的干部来。这时候有钱人做买卖的人又都风光起来了。要是早知道社会会这么发展，我家把我爷爷的家业保留下来，再把店扩大，搞食品连锁店，就凭我家祖上传下来的炸油条、烙火烧的精湛手艺，传到我这，我又这么厉害，我都能开一家食品公司。要是那样，我纳他七八个妾，我也不玩什么鸟呀、鹰的，我给他玩直升机……

话是这么说，可事情不可能这么发展。社会发展都是此一时彼一时，到什么时候作什么事，说什么话，其余的都是幻

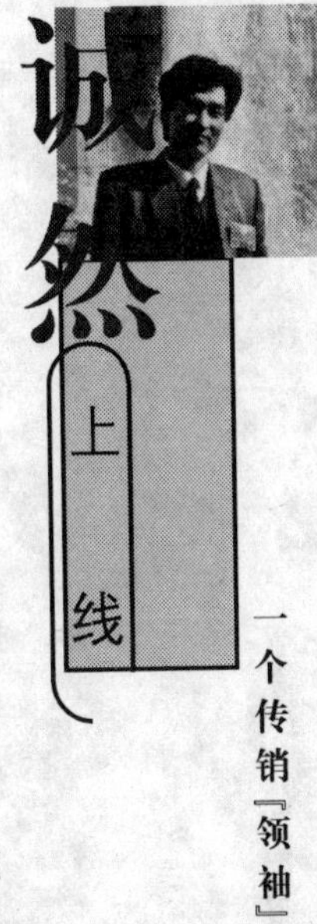

想。而这时候我是多么多么的想出去做买卖赚点钱啊，我已不嫌弃什么铜臭，哪怕这臭气把我熏晕了，我都愿意。

在办公室的时候，我总是在报纸上找些致富信息，那些信息首先需要大量投资，投资小些的不是种点什么就是饲养点什么。可我上那里去弄房弄地种养这些东西呢，我连自己还没有个圈呢，我还饲养东西。

没有办法，我在上下班的路上，总是低着头走路，这不光是没脸见人，我还想，说不定什么时候在地上可以捡到一大包钱，至于小票还是大票这我倒不在乎。但很久过去了，只捡了几枚硬币和被人搓揉得软软的角票。

看来，想通过捡钱来改变自己的困境的路是走不通了，我有些绝望了。我憎恨钱，我甚至想，是谁发明的钱，让我逮着，我非打他个鼻青脸肿，净出这种坏主意。

4. 桃花飘落的时节

让我日思夜想的桃花运终于不露声色的向我走来了。

很久以前，我听人说过这样一句话：老天爷饿不死瞎麻雀。当时我不相信这句话有什么道理。别说是瞎麻雀，就是不瞎的麻雀也说不上什么时候让人弄瞎弄死。我就快被弄成瞎麻雀了。

但是这句话在我身上灵验了。我说的瞎麻雀是个比喻，并没有说我就是瞎麻雀。我就是心情再苦闷也不至于想去当瞎麻雀。

就在我比喻自己是瞎麻雀的时候，一个类似老天爷的人来到我面前。这是个女人,是我读作家班时的一个女同学,她从外地千里迢迢的来了。我那时读作家班是想把自己的小说写的更好,小说写好了就容易发表,就能挣稿费。我从内心里也是想当作家。读作家班的时候是在省城,想当作家的人也不算少,虽说现在当作家不如当年那么受人重视了,可也总比种地做工强一些。无论怎么讲,也算是个脑力劳动者吧。孔圣人早就说过,劳心者治人,劳力者治于人。当作家怎么着也算是治别人的,总不至于被别人治吧。

在作家班里我还是很有威望的，实际上像我这种人在什么领域都会有威望的。这不是开玩笑,事实总是在不停的证明这一点。真正是什么原因,我也说不清楚。事实是,我一到那个作家班里就当上了班长。我说什么事情班里的同学都响应,而别人就不行。搞创作的人个性都强,没有点本事能来读作家班吗。

在作家班里,我和所有同学相处的都挺和谐,我和这个女同学也只有同学关系。

她是来请我和她一起办公司的。

过去, 我和她没什么特殊关系, 只是同学, 我还记得她叫冰怡, 我和她没有任何暧昧关系, 加之我那时候比较正统, 而且很保守。谁叫我生长在这么个偏远的小城市呢。当然,我现在也算不上多么开放, 只是比强的差点, 比差的又强一点, 中等水平。

冰怡是从省城来的,她自己拥有一家化妆品公司,她是想

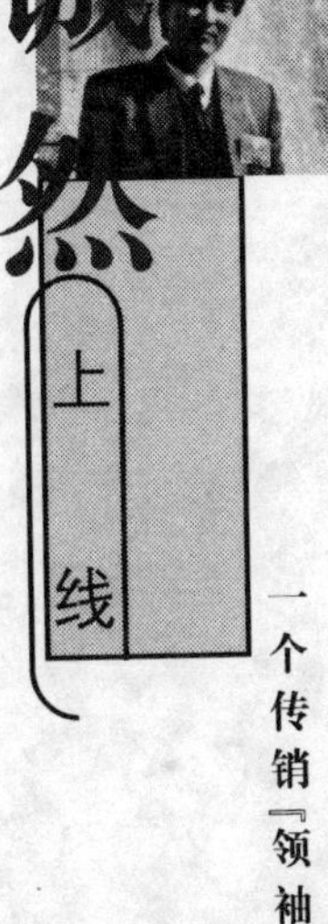

拓展一下业务范围，选几个小城市开些分公司，于是就找我来了。

对于冰怡的到来，预先我没有想到对我会带来什么，我莫名其妙的带着我妻子去车站把她接到了我那个临时住着的一个家里。像对待客人那样接待了她。

冰怡当时并不怎么高兴，还有些闷闷的。吃过晚饭，我把她送到一家招待所时，她显然高兴许多，我和她坐在那抽着烟聊一些同学们的事情。

这时候我刚知道，她从作家班毕业以后，并没继续搞什么文学创作，而且匆匆的找了个男人结了婚，而她的丈夫也从一个企业下岗了。为了生计，俩人用很少的钱倒些小商品，这边批发来再到那边加些价卖出，但仍不能温饱。

一天，她看到了一家化妆品公司招聘直销员的广告，她就去应试了。由于她长得很漂亮，又看上去很有人缘的那种女子，于是就被聘用了。那家公司对他们进行了“台湾式”推销培训，她很快适应了这种走家串户的直销工作，而且干起来得心应手，每月有四位数的收入，还获得了那个公司的奖赏，还不时的当起美容课讲师培训别人。

在她家的经济条件彻底好转以后，她和丈夫的感情却发生了危机，说不清是为什么，只是两人分居各忙各的事，赚钱第一，同居第二，俩人也相安无事。后来，她丈夫去了韩国，在那开了一个大公司。虽然他们没办离婚手续，但如丈夫身边已经有了一帮韩国女人。

又过了一段时间，冰怡就拥有了自己的公司。

冰怡在找我谈这些的时候，我嘴上虽说我也正在想办法赚钱还贷款，但心里并没有太大兴趣，对于化妆品我一无所知，加之我要是着手在我市办公司，必然要拿出钱来投资，我当然没有这笔钱。

但我还是出于帮助她的角度，积极的陪同她搞一些市场调查。当我们访问了一些化妆品店和美容院之后，发现这里的女人所用的化妆品价格都很低廉。这是个很现实的问题，一个经济并不发达的小城市，人们首先想到的是填饱肚子，没有肚子哪有什么脸呀。

商业行为就是这样的，首先要看赚不赚钱，然后才能决定在不在这设立分公司，不赚钱，无论什么原因，也不能设立的。况且我和她并没有什么暧昧关系。

我之所以总是提及我和她没有什么暧昧关系，是因为，在当时就有朋友开我玩笑说，你小子和她准有特殊关系。至于是什么样的关系，我曾在另外一篇小说里讲述过和她在作家班

1995年与妻子在自己办公室内合影，纪念居无定所的漂泊生活。

毕业以后的一次邂逅的全部经过。那时候在她居住的那座城市里，除了冰怡，同时还有一个叫梦的女人，我们三人逛了逛书店，又一起吃了饭，然后她们俩人把我送上车，我就回来了，没有发生任何具体的事情。至少到这时候为止，我和她仍保持着一种很纯洁的同学关系，当然我不是说，男女有了暧昧关系就不纯洁了。

我在冰怡住的房间里，我们对面床坐着，想着对策，不知为什么，这时候我越来越希望我能与她合作成功。如果能和她合作成功了，我肯定能赚到一些钱，有了钱还上买房贷款，一块石头也就落地了。弄得好，我可能还会赚到更多的钱。从我爷爷那里讲，我身上应该有这种会挣钱的遗传基因的。

再者说，如果和她合作成功之后，我就能长期和她交往，也正合了我当年要寻找个外地异性朋友的心意。我就有了一个可以倾诉交流的女人了。

这时候，我仅仅想到了这一步，并没有想我会和她发展到更深一层的关系。因为我没有什么家业，也没有条件纳妾。

但是，如果她也像漂亮女人那样对我有意思，我会顺水推舟的。所谓的顺水推舟就是根本不用推，水带着舟行还用人推吗。只不过把手放在舟后边，做个推的样子就行了。这只顺水行进的舟在我眼前出现了，我眼前似乎有了一线希望。

相对而坐的时候，有好长时间是无声无息的，有些时候说话显得很多余。

她突然说："你坐过来吧"。

那声音轻轻的，并带着几分羞涩。我迟疑了一下，就坐到她的床上，她把一只烟灰缸放在我和她之间，我们就一起抽着

烟，朝一个烟灰缸里弹烟灰，她又把她自己喝水的杯子递给我。

这时候，对于她内心里的东西，我已明白了一些。因为我毕竟接触过女人，或者说有过和其他女人发生过不正当的关系经验。所以对女人的暗示，我当然领会。但我佯装对此一无所知，我觉得这样的玩游戏要好玩些。另外，我也想看看这个从大城市里来的女人，在这种事情上会玩什么招术。

我坐在她床边的时候，仍像是什么也不懂，很一本正经的抽着烟，也不喝她茶杯里的茶。我极力的想着办法，设置着各种各样的方案。她见我仍很认真的想办法，就再也没有什么行动，也随着我想办法。

又过了一会儿，我和她终于又想出一个办法，在我与她住的城市中间，还有一个比较大的城市，人口相对比我市要多，经济也较发达。

她说："我们俩去那个市里办分公司，公司办好后，你参与管理。"

我当然很高兴，公司全由她投资，我是管理人员，我只要有些薪水，就可以缓解一下我的窘况。

我说："我找一些从那个城市来的人或与那城市有关的朋友、写些信，到那里办事情有人好关照。"

我和她当即决定，去那座城市办一个化妆品销售公司。

当我把这件事告诉我妻子的时候，我妻子当时显然不希望我去。但考虑到我们的现状，还是同意了。并带有几丝忍痛割爱的感觉。我看出了妻子的心思，安慰她说："你就放心吧"。

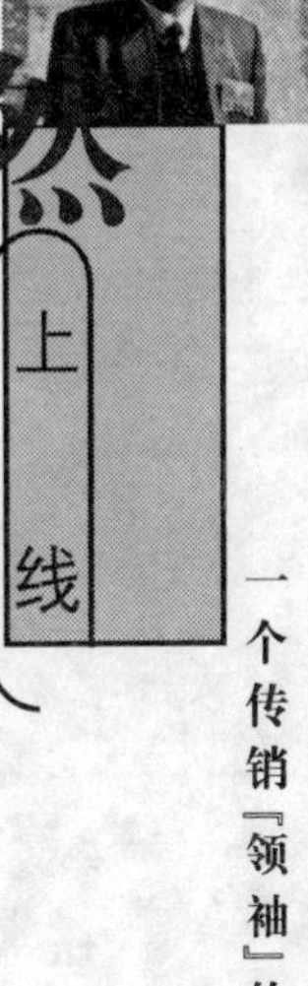

我不知当时为什么这么说，也许我心里想，你不用担心，我和她之间不会有什么。我当时这样想的理由是她一个大城市来的，既年轻、又漂亮、而且很有钱，我们之间不可能怎样。我当然会保持自己的尊严，怎么会落一个傍女款的名声呢。再者说，挣钱才是当务之急。

假如她和我情况相似，我就不敢保证会怎么样了。

妻子把我和她一直送到火车站，然后似乎很沉重的走了。当时，我并没有太注意妻子的一些反应。这不是说我的这个人无情无意或者是见异思迁。我已经把全部精力放在了如何能够赚到钱上。

很久很久以后，妻子在一次和我发怒中才道出了她当时的感受。她说她眼睁睁地看着自己的丈夫和别的女人一起走了，而且去的地方很远，时间又很长。自己心里并不想让去，但为了还贷款，又没有办法。自己不能出去赚钱，也只好指望我了。可是时间久了，很想我，晚上又害怕。为了这，妻子怨恨过，也偷偷哭过。而当时我并不知道这些。

我和冰怡单独在一起了。这时候冰怡十分喜悦，不知是被她感染还是什么别的原因，我的心情格外畅快。妻子在场时，多少还是有些压抑的。至少不宜表现得兴高采烈。

我和她说着、笑着，上了火车。

上了火车，找了座位后，我就问她："你怎么就惟独找我办分公司，咱们班各地有好多同学的。"

她笑笑说："我信不着他们，就信任你，我知道你有办事能力，在咱们班还有比你更优秀的人了么？"

我当即就不说话了，转过脸去看窗外的景色。这是春季，外边的一切都充满生机。

冰怡又轻声说了句:“你怎么不说话。”

我看了看坐在对面的她,我说:“我给你讲个故事吧,也不是故事,是我做的真事”。

她马上说:“快讲讲。”

于是，我和她讲起来了很久以前我在政府当秘书时搞的一些恶作剧。

有一次我单独出公差,我很想坐一回软卧,当时软卧不是随便坐的,光有钱不行。要求年龄、工资、级别的。我和领导打了招呼,领导笑着说,你若是能弄明白,我就给你核销。领导当时知道，我无论如何是无法坐软卧的，既使你买到了软卧票，到了车上也不会让坐。这是计划经济和等级观念的结合使然。计划经济体现在软卧上是狼多肉少。出现狼多肉少,就得要确定一下什么样的狼可以吃到肉。这就涉及到了等级,当时的这几个条件也很有意思，也就是说年龄小的职务级别达到了也不行,工资高的年龄不够、级别不够也不行。最后只剩下一大把年纪、很高的工资、很高的级别才行。能达到这种条件的狼就很少了。肉也就够吃了,而我这个什么条件都达不到的狼却要吃软卧这个肉,就得开动脑筋想办法。我很有办法,这个办法从一个传说故事中得到启示的。我听人讲过一个故事,也不知是什么年代的，更不知道是真是假，说有一个军事专列,运送国家十分尖端的保密武器。有个铁路工人十分好奇,在检修车时很想看一看火车究竟运送的是什么东西，警戒押送的军人告诫他不要看,那个工人就是不听,还想方设法的偷看了车上的东西。那个军人问他看到了吗?他说看到了。军人举起枪当场就击毙了他。所以说有的东西人家不让看就不能看，不然会惹麻烦的。通过这个传说故事我如法设置了类似的事情。

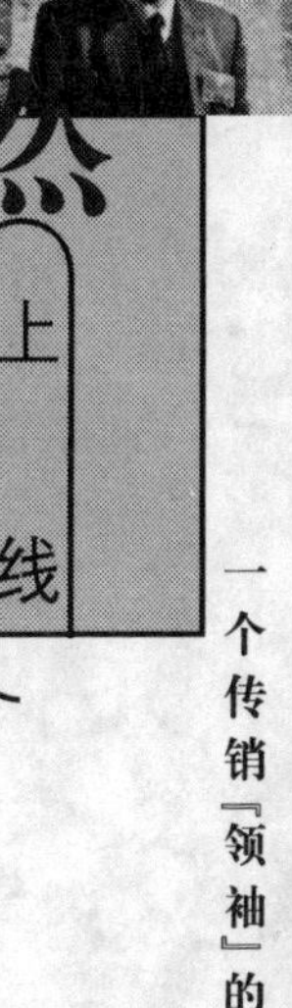

我买到软卧票后，就找到文书，让文书把一个文件袋用纸条和公章封起来，然后又开了一封介绍信，上面写着：本人携带绝密文件，请列车提供安全保护。

我从检票口顺利过去了，当上火车的时候，被拦住了。列车员说："请把你的工作证拿出来看一下。"

我把证件递给他，他看了说："对不起，您不能享受软卧待遇。"

我很神秘的掏出那个介绍信，递给他。列车员看后大惊失色，他可能也听说过那则故事。马上找到列车长小声说几句，列车长点点头，马上过来帮我提着东西，直接送到我的包厢，并对包厢里的另一个人说："对不起，我给您串到别的包厢去好吗？这里有个比较特殊的情况。"

那人看看我，提着行李去别的包厢了。我一个人住在了一个包厢里。

这时候，乘警也来了，列车长说："同志，我能看一看您的文件吗？"

我当时有些紧张，这要被揭穿了，是很没面子的，多亏我设了双保险，不然可就麻烦了。

我镇定了一下，说："你可能没有遇到过这种大事，绝密文件是你能看的吗？"我说过这话，觉得太伤人，又补了句："说实话，连我都不敢看。"

列车长当时碍于面子，加之有些怀疑又坚持了一句："那我们没见到实物,怎么保护。”

我看了看他,从皮包里拿出一个很精致的文件盒,又很费力的打开,然后掏出文件盒里的文件袋,文件袋的封口用纸糊着的,而且盖了一排的公章。

我说:“我只能破例的给你看到这了。”

列车长很害怕地说:“对不起,同志,让我们这位乘警就守在这值班吧。”

我说:“在包厢外面就可以。”

我心里想,你要是再往里看,小心你的性命。

冰怡听后忍不住的笑了,说:“你这个人真能骗人,我要是那个车长,我就让你打开看看。”

我看了看她:“你还是年纪小,不知道当年的事情,那时候有关政治方面的事情还了得,你得长几个胆。”

她说:“那车长也太傻了。”

我说:“他傻倒不要紧,这一路我可不方便了,上卫生间、去餐厅我还得提个皮包,后边还跟个警察,人家还以为我是个罪犯呢,弄的车上的人都莫名其妙的看着我,那个乘警一直把我送出车站,还特意交待说,我的任务完成了!生怕再出点差错找他后帐。你说那时候的人多负责任。”

冰怡看看我,晃晃脑袋:“你这人真阴险,我都有点怕你了,不过,那时候的人可真傻。”

“比他们傻的人还有呢,我后来在政府又搞了一个恶作剧”我点着一支烟说。

冰怡把烟抢过去抽了一口说:“快说说,是什么恶作剧。”

我说,当秘书的时候,忙起来很累,要是领导去外地考察开会去了，我们就没有事做了，闲着没事就想找些开心事。有一天我在文书的桌子上看到几张商调表，我就拿回来坐在办公室填着玩。

我把自己的姓名、年龄、文化程度等都填上了，在拟调单位那栏我随手填了个“国务院”。

对桌的一个秘书看后笑着说：“你吹的太大了。”

我又在国务院后面填上“办公厅”。

他说：“还大。”

我又加了个“信息中心”。

我当时不知道国务院办公厅是否有信息中心，因为我的工作中有信息这一项，而且还出简报。我就推断国务院应该有信息中心的，那个秘书说：“这还差不多。”我就拿着商调表去找文书了。

我进文书办公室之后，马上把门锁上了，文书很紧张，红着脸说：“你要干嘛？”

1994 年在北京参观郭沫若故居。

文书是个女同志，她还以为我要非礼她呢。

我神秘兮兮地说："别声张，有件事你千万别告诉别人，我要调走了！"然后把商调表放在她的桌子上。

她说："这事呀，是好事还怕人知道……"

她说着话，拿起表一看，吓了一跳。转过脸对我说："你是不是又像上次谎称携带绝密文件似的？"

我依然很严肃的说："这个消息是我北京的亲属告诉我的，国务院刚成立一个信息中心，但没有这方面的人，准备向全国的政府机关招，但有一些条件很严格，一是年龄在二十五周岁以下，二是大专以上文化，三是在政府部门做过三年以上信息工作，并且年年得到上级奖励，而且有非常强的文字写作能力，四是身高一米七0以上，五官端正……"

文书听后，惊喜的说："你正符合这个条件。"我心里想，我就是在说我自己呢。

我又表现出有些为难的表情说："你说我去不去呢？要是去吧，我妻子又调不过去，要是不去吧，又错过了一次好机会，这事真难为人……"

文书说："还是去呗，调到国务院你可就了不得了，进步又快，提职又高，用不了三年五年的就能达到咱们市长这个级别。"

我说："我这也想过，可我和我妻子两地分居，时间短还行，要是时间长了还不得出问题呀。我妻子我倒放心，可我对我自己没有把握，我不敢说我不再找个新妻子……"

文书说："你怎么能那样呢？那样你还是人吗？"

我说："正因为我是人才有可能那样呢，要是个公章它找配偶干嘛！”

我和她胡扯了一通后，觉得时间也靠的差不多快下班了。

我说：“还有最后的一个要求，不允许告之别人调往哪里，所以只能控制在盖章的人知道，连领导都不能知道实情。”

文书很为难的想了想，又说：“领导没同意我私下盖了章，到时领导不得找我算账吗？”

我说：“别怕，就咱们这一级领导还敢不服从国务院的，他有几个胆子。”

文书想了想，然后就在调出单位栏里写上了“同意”，并嘱咐我说：“以后出了事，你得帮我说清楚。”

我说：“没问题，我什么时候办过不利落的事，再说了，我调到国务院工作了，以后有机会我也把你调过去，谁还敢难为你，姥姥。”

我回到办公室，对桌的那个秘书听我一说此事，我们大笑一通。

冰怡说：“你真是没事闲的，让人家为你提心吊胆的，看你多坏。”

“人生不就是游戏吗，要不，活的多累”我得意洋洋的说着。

她说：“我看你活的也够累的，在你家，你连笑都不敢，就连现在还总是离我远远的，你是‘柳下惠’呀？”

我问：“柳下惠是谁？”

她说：“你就装吧……”

柳下惠这个人我当然听说过。据说是个坐怀不乱的正人

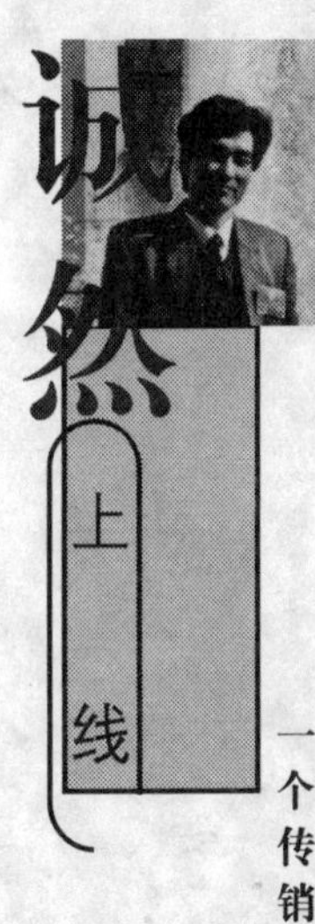

君子。我想这还得一分为二的分析此事。不能仅从表象来判断事物。柳下惠的坐怀不乱，可能有两种情况，一种情况是此人确实正经，从不搞两性关系。第二种情况是此人生理有病，心里想乱但乱不起来。亦或是他没看上坐他怀的人。过去，人们一谈到柳下惠都以一种崇敬的心情看待。而今谁是被说成是柳下惠，就多少有些贬义了。那意思就是说，这个男人是个大傻帽，在男女问题上反应迟钝。阻碍了性解放运动的深入开展。此时，冰怡这种话对我不免有些挑逗的意思，也带有一种激励的口吻。冰怡的意思是说，你别跟聊下惠那个傻瓜学，跟他能学出什么好来。我怕她在火车上没完没了的追问柳下惠的问题，也怕让周围的人听见这些过于温情的话，感到难堪。我就接着讲那个故事。

我马上把话又岔开说："我和那个秘书笑过就忘了，可是那个文书整天忧心忡忡的，想问又不敢问，又怕担责任，那些日子，明显见她瘦了许多，可能实在承受不住了，就向领导坦白了。有一天，领导把我叫到他的办公室，很热情，很客气的问我工作生活情况，并透露出要提拔我什么的，最后点出此事。我没办法，就把原委说了一遍，领导当即很严厉的批评了我一顿。还嘲讽地说，你也把我调到国务院去呗，看把你能的，不吹牛你渴呀？我陪着笑脸说，那些天没什么事，扯淡玩呗。领导说，好，你马上给我下基层搞调查去，看你还扯不扯淡。"

冰怡说："活该！"

我说："你还别说，没多久我真被提拔到另外一个科当了科长，准是领导觉得我有才干，像这种事，你以为谁都能想得出来，一般的人也不敢想这种事，而且还编的有鼻子有眼的，还能让人相信，这是智慧。就凭我这脑力，与你合作，那就能把公司办个大红大紫。”

她用手在我脸上轻轻的抹了一下：“别臭美了，又阴险、又坏，还智慧呢。”

“你要觉得我不行，我马上下车，别耽误你的事”说着就像是要跳车似的。

她马上拉住我说：“别别，开个玩笑，我就是看你有智慧我才来找你的，你要是痴呆，我还找你干什么，我们公司又不是康复中心。”

我和她开心的笑了。

这时候，我猛然注意到，这节车厢里有好多人，还有好些人没有座位，站在过道上，随着车晃来晃去的，我奇怪他们什么时候上来的，我怎么刚刚注意到。我又看了看周围的人，他们有意或无意的看着我和冰怡。这时我马上意识到，我刚才失态了，我讲故事的时候，周围的人准都看着听着，我觉得很不自在。因为我一直都是很矜持的，这是怎么了，于是我忙把头又转向车窗外面，以期把人们的目光引开。果然人们也都看车窗外面。

我没想到，和她这么快的熟悉起来，而且是一种毫无芥蒂的熟悉。

车窗外一切东西都呼啦啦的闪过去，我几乎看不清都过去了些什么，但我还是想看清楚些。

这时候，冰怡用手碰了碰我说：“哎，怎么不说话了？”

我说：“噢，我想起了一件事情。”

她又问：“什么事情和我说说。”

我说:“没什么,瞎想。”

她说:“你怎么不看我?”

我转过头,认真的看着她,看着她的眼睛、鼻子和嘴巴,就这么看着。这是一张很祥和的脸,而且很动人,尤其那双眼睛,包含了许多内容。我从中看到许多东西,她就这么和我微笑着、对视着。

这么近距离的注视一个女人,在我来说几乎没有的,我不习惯正视别人,尤其是女人。这对我来说真是一件很奇怪的现象。我为什么不敢正视女人呢,尤其是在近距离的时候。难道我是怕女人的目光。女人的目光不应该是可怕的,应该是充满母性的温柔和慈祥。我没实践过,所以说不准,我只是这么感觉。也许是我的目光有问题?是我的目光太有穿透力,容易把女人灼伤,还是我的目光充满太多的柔性,我不敢轻易的把目光投出去,我怕使人误解。

而这回,我却这么近距离的正视冰怡了。冰怡在我的目光中寻找着一种她所渴望的内容。那是一个女人的渴望,并希望从我这里得到满足。我很茫然,就像是鱼和熊掌让我选择一样,我都想要。这种比喻是过去用的,现在是不允许选择熊掌的,或者说在供选择的东西里删去了熊掌。我看她朝我这么倾了倾身子。

她这时小声对我说:“其实,你的眼神是很勾人的。”

我没回答什么。又把脸转向了别处。我心里想,这还用你说,别说是勾人,我要是想勾,连魂都能勾,我就是不愿意勾。

过了好久,她似乎是忍无可忍了,轻声对我说:“你是柳下惠呀?”

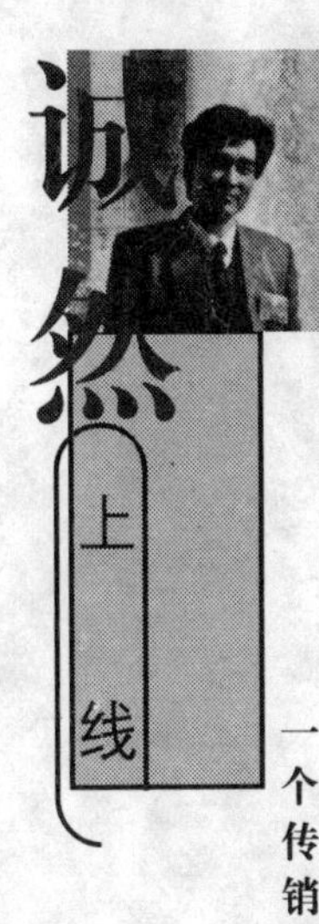

我仍保持着那个姿势问:“柳下惠是谁？日本人吗？”

我说这些话的时候,虽然没有看她,但我分明感到了她用牙咬了一下自己的嘴唇。

又是一阵沉默。

车厢里变得嘈杂起来,我起身看了看,旅客们都在收拾自己的行李,车快到站了。

我说:“咱们也收拾一下东西吧,车快进站了。”

冰怡问:“咱俩下车干什么去？”

我想也没想的回了句:“去登记。”

她马上笑了。我的意思是说去旅店登记住宿,她可能想到别处去了,但我觉得她那么想很好。大家相互暗示着也挺有趣味。这种事情含蓄一些要比直来直去更值得玩味。

她下车的时候是很兴奋的，女人往往不喜欢掩饰自己的心情。我知道她为什么兴奋。女人和我在一起不兴奋才怪。

我和冰怡走出火车站,顺着一条大街往前走着,还不时左右寻找旅店。

我和她找到一家旅店,在一个巷子里的五层楼,虽在繁华区,但却很肃静。我们开了两个房间,这两个房间挨着。我们各自进了自己的房间,不一会儿冰怡就过来了。她看了看我房间的另外一张床:“你这房间也是你自己呀,我那房也是。”

我说:“我就喜欢一个人住一个房间，要是和不认识的人住在一起,总觉得别扭,人有的时候是需要孤独一下的……”

冰怪问:“要是和一个认识的人住一个房间，还想要孤独吗？”

我说:“那得看具体情况。”

她说:“就现在这种情况呢?”她说着说着就坐在了我对面的床上。

我说:“这个嘛……现在对旅店查的是不是挺紧的,要是抓住男女同室还不得按照卖淫嫖娼处罚呀!”

她说:“要不是卖淫嫖娼,俩个熟人同室呢?”

我说:“那就得算非法同居了。”

她说:“你挺懂呀,什么都知道。”

我说:“这都是常识。”

她说:“要是咱俩在一起算什么?”

我说:“这……就算兄妹开荒吧……”

她说:“还夫妻识字呢,你能不能不闹……我给你讲一讲柳下惠呀。”

我说:“那是你家亲属呀,别老提他行不行,闹心。”

我把话转移到要开办的化妆品分公司上。冰怡信心十足的表示,要把这类公司不断的扩展,让分公司慢慢遍布全省各市,最后垄断全省的化妆品市场。冰怡是个野心很大的女人,可能是由于经历过很困难的生活,就想变本加厉的彻底冲刷往日窘困,我们天马行空的谈着。时间过去了很久。

这时候我觉得有些饿了,也是从这时起,我开始不相信“秀色可餐”之类的鬼话了。尽管和一个很漂亮的女人在一起,该饿的时候还是要饿的。

我说:“有些饿了,咱们吃点东西吧。”

她说:“你想吃什么,我请客。”

我说:“咱们就在楼下餐厅随便吃点什么吧。”

我们走下楼来,在一楼类似于食堂的餐厅要了些东西吃起来。这时候她又问:“咱俩吃完饭干什么?”

我说:“办事呗,咱们不就是为办事才来的么?”

她又诡秘的笑,我问她:“你又笑什么?又想哪去了?”

她说:“不是我想哪去了,而是你这话有问题……我都觉得怪了,我本来很有主见的,怎么一遇上你就不知道该怎么办了呢?”

我说:“这你还不明白,我杀伤力大呗。”

她一扭头:“呸!”

这时我和她已经走在了大街上,这座城市不算萧条,也不算繁荣,是让人看不透的那种。我和她的当务之急就是要租到一个临街的店面,公司的经营与销售要同时进行,找了几家店面,但租价很昂贵。

我想起了朋友给我写的信,我们找到了那个机关,那个人刚好在办公室,我说明了来意,那人说:“巧了,我正在负责三产公司,我们有一个店面刚好闲着,可以优惠一些价格租给你们,还可以以我多种经营公司的名誉帮你们办证,但要收些管理费的。”

冰怡同意了,而且和这个公司签署了协议,事情办的似乎出奇的顺利。

接下来就是装修房子,办理手续,招聘人员的忙了起来。

冰怡印了几百张招聘销售人员的小广告,我和她站在一条街的两侧,向行人发放着。后来对我自己的这一举动倍感不解,那时我怎么有那么大的勇气,在众人面前做着类似乞讨的事情,但当时却欢喜着做了。

广告发出后,来了一些应聘者,但都不想做销售,都想做

管理人员。我对于这些来者,觉得好笑。

人往往不能正视自己,连饭都吃不饱了还挑什么工作,连销售都做不了还敢做管理。一听说招聘销售人员,应聘的人都走了。

招聘没有进展,产品已经上了柜了,但顾客极少,即使有人进来,当打听完产品的价格后,都说"太贵"了,然后走了。

这是"直销"产品的价位,运作方式是上门推销的,但由于没有招聘到直销员也就无法进行有关冷陷销售的技巧培训,而转为了店面经销。

冰怡很着急地说:"实在没人干,我自己去卖货。"

冰怡果然背着产品出去了,而且很快把产品销售完回来了,她边洗脸边说着:"销售有什么难的,人就是拉不下这张脸,又不偷不抢的,怕什么,人没钱还哪来的脸,他们怎么不想想。"

我说:"这话说的好,过去一个电影里有一句话说,没有肚子哪有脸呀,你说的没有钱还哪来的脸,很现实,说的好!"

这天,她买回一个单人床,说:"产品都上柜了,晚间店里没人不行,几十万元的货呢。"

我说:"我也该回去上几天班了,不然时间久了不好交待。"

她说:"你走了,我怎么办?我一个人害怕。"

我说:"那好吧,我再陪你几天。你在里边睡,我在外边这间,在美容床上睡就行。"

当晚,冰怡炒了几个菜,我发现她炒菜的手艺是很高的,我想起来了,她曾对我说过,她曾经帮亲属开过饭店。她做的

菜非常好吃。

她作的几样菜，都是我喜欢吃的，有熘肉段、盐水虾、蟹棒西兰花、炖黑鱼，而且还买了啤酒。我们坐下来，吃着喝着，这是我来到这座城市后惟一没有和她去饭馆吃的一顿饭，而且有了一种家的感觉。我们吃着喝着，憧憬着公司发展壮大后的一些事情，我有一些陶醉了。在这种氛围中的人要是不陶醉才怪。

也就在这天晚饭后，我按捺不住自己的冲动了。我和她在窄窄的床上搂抱着，亲吻着……当我把她的衣服剥光勇猛地进入她的身体后，她猛然发出了一声声呐喊，这使我产生了前所未有的激情，在一种奔腾激荡之后，产生了无比美妙的快感。我一次又一次地索取这种快感，并融化在了其中。

我和她在这种快乐中经营着公司，也经营着情爱。情爱发展很快，公司却一筹莫展。这难道应了那句情场得意，生意场失意的那句话？

公司的产品销售状况非常不好，几乎没人进来，偶尔有人进来，也是看了一下就走了。

冰怡也感到莫名其妙，这是怎么一回事呢，在过去的经营中她从未遇到过这种问题。按道理这种产品是应该用直销方式销售的。就是招一些业务员进行业务培训，让业务员知道怎么去各单位去找人销售。业务员要对产品的价位，成分性能等非常了解，然后选择服务对象，一对一，面对面的推销。

但公司始终没有招来业务员。来应聘的都问每月薪金多少，一听说是按推销产品的数额提成，就都不做了。主要是担心推销不出去产品，闹一个白忙伙。没有人对上门推销有信心。

我和她万万没有想到，这个看似有几分繁华的城市里的人,也承受不了这种高价位的产品。人们还是习惯在地摊上花几元钱买化妆品，如觉得不好就扔掉，再继续买，也不买这高品质高价位的。

不管怎样,房租和费用却毫不含糊的发生着。

就在我和冰怡束手无策的时候,另一个女人出现了。

她就是小妖，小妖当然不是妖精，只是由于她长得很精美,且在衣着上带有几分妖气,于是她们圈子里的人都爱称她小妖。

我所以说她那个圈子，就是冰怡在自己开公司前服务的那家公司,也就是她们曾在一起做过直销员。后来她们纷纷离开那家直销公司,各自去寻求发展了。

小妖对冰怡说,今天要专程看望她,而且还有个重要的事情和她商量。

冰怡说:“你和我去车站接一下小妖吧。”

我说:“我就不去了，咱俩成双成对的出现在别人面前不好。”

她说:“有什么不好,你就是做贼心虚,连接个人都怕。”

我问:“小妖长得漂亮吗？”

她说:“你什么意思,又有新想法？她长的可漂亮了,像个小人精似的。”

我说:“那我去,要是不漂亮我就不去了,影响情绪。”

她说:“你就往坏了学吧,看晚上我咋收拾你。”

我说:“也不知道谁收拾谁。”

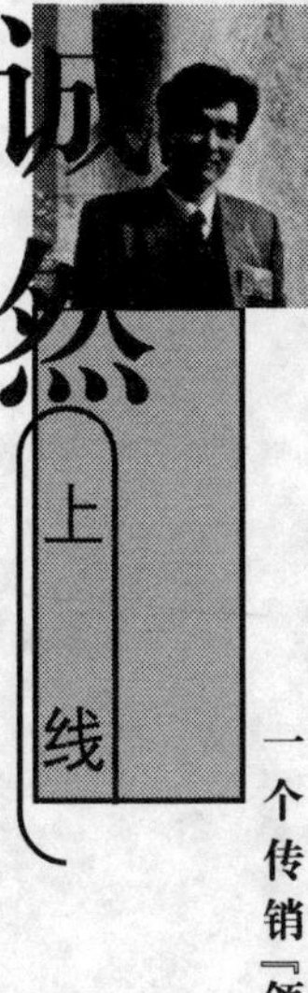

她说:“快去吧,火车快进站了。”

我们来在火车站,车刚好进站。

我和冰怡在火车站出口的人群中,找到了小妖。冰怡向她介绍了我。小妖用妖眼看了我一眼,马上产生了另一种让人不易察觉的表情。然后她们俩个人就亲亲热热的说着笑着。

回到公司,我躲在了另一间屋子里,但仍不时听到她们俩放肆的笑声。我虽没在她们面前,但我能想象出,她们俩都叼着香烟,而且是那种比较有劲的香烟,边抽边说笑着。我不知道是她们过去那个公司规定都要吸烟还是她们原本就吸烟,正巧都进了那家公司。反正我见她俩吸烟的样子很好玩,还有些禁不住想笑。

当晚,小妖就走了。

小妖走后,冰怡对我说:“小妖看出了咱俩的关系。”

我问:“什么关系?”

她说:“你自己知道!”

我说:“我知道什么呀,我连柳下惠都不知道,我知道什么?”

她说:“得,看把你吓的,我又没和你谈婚论嫁,至于吗?不过小妖劝我接另一家化妆品公司的业务,我不太想做,是传销,有的地方很像我们的直销。”

我说:“那你做呗,反正都是销化妆品。”

她说:“如果你做,我就做,你当我的下线……”

我说:“我才不做那东西呢,不就像连锁信和金锁链似的么,我做过,当年不知道是谁给我写来一封连锁信,我把内容改了改又继续传了下去,最终也不知道有多少人读我修改后的信。金锁链我也做过，而且还赚了一些钱，我拿了那些钱全家到一座海滨城市旅游了一趟，感觉不错。那个金锁链是下线给公司，给上线们分别寄两元钱，要是论起来，连锁信和金锁链还是传销的鼻祖呢，至少在中国是这样。这样说来我也该算做传销的创始人之一了……不过，只要所有的人都遵守规则的话，当然会像你说的那样，最终会得到好多钱，问题是都要心眼，不遵守规则"

她说："既然这样，你做正合适，最起码有基础呀。"

我说："以后再说吧。"

说完这些话的第二天，我回到了家里。又像什么事情也没有发生似的去上班了。我的工作是很轻松的，当然也没什么权力。那个漂亮女人轻声问我这些天去哪里了，说以为我失踪了呢。我只含糊地说我去干大事业了。她又说，等我干出了大事业她要借光，我说这好说，咱们谁跟谁呀，远亲还不如近邻呢，况且咱俩还那么好……她就很亲热的靠在我身上。这时候，我已经很会对待女人了，当我慢慢的和她做完了那种事后，她表扬我说："你真会！"

刚刚过了几天，冰怡打来电话，第一句话就说："我害怕，我让你回来。"

听到冰怡在电话里说的话，我的心颤动了一下。这句话我妻子前几天让我回来时在电话里也是这么说的，而且说的话一模一样。都是说，我害怕，我让你回来。

我在一种不知不觉中，夹在了两个女人中了。两边的情况几乎是一样的。这时候我真的感到无能为力了。我甚至都说不清我应该属于谁了。讲大道理的时候，大家都会说，当这种现实一旦摆在面前的时候就不知所措了。

从道义上讲，我当然属于自己的妻子，而冰怡呢？让她怎么办？

我很担心冰怡的处境。她一个人支撑着一个公司。尤其到了晚上，还有附近几个男人总是找借口敲她的门。在公司周围的几家店铺里的人，都知道公司里只有冰怡一个女人。有一个男人甚至以帮助她为由，向她作过很轻浮的动作，令她十分害怕。

我不知道该怎么办了，我就编造了一些工作上离不开的理由。

我说："我太忙了，我，我去不了。"

从她的声音里，我听得出她的心情，我没有马上去她那里。我知道该如何把握住分寸，如果和她那样猛烈持久的继续下去，会有麻烦的。我所说的麻烦并不是怕妻子和我离婚，我也不怕她提出来和我结婚。问题是，我和冰怡的真正相处才刚刚开始。我已经隐约的发现，她很容易发脾气。而且一发脾气，很疯狂。这使我有些担忧，我在考虑，假如我和她长期的生活在一起，会不会整天吵架。若是那样，这种结合是痛苦的。有时候，异性可以做很好的朋友，但却不能做夫妻，有时候，异性只可以做夫妻，却不能做朋友。

我正在考虑我和冰怡做什么。

有一段时候，我没去公司，我也知道，那段日子她是很难的，一个人守着若大个公司，黑夜里甚至不敢开灯。很久以后，当我回忆起这件事情，总觉得很对不起她。可我又能怎样呢？

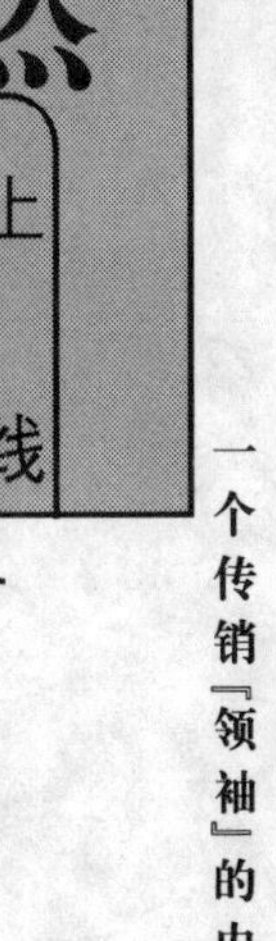

第 二 章

5. 加盟传销

又过了一些日子，这时候已经是夏天了。

冰怡来电话说，她已加入了小妖的那家公司，而且进了一些产品，让我去帮她运作。我去了，小妖也恰好在那里。我认真的看了那家传销公司的企业手册和一些手续。

我说："既然国家有关部门批准了，那就做吧，不过，我没有加盟公司购买产品的钱。"

冰怡说："你加盟准行，你有那么多社会关系，肯定能成功，又是农友又是战友的，还有一些文友，另外，还有那个咱也不知道漂不漂亮的女收发员！"

我说："你说什么呢？我和那个女收发员也就是同志关系，只不过在一起做过金锁链，其他什么都没有了。"

她马上说："你看你，做贼心虚了吧，我又没说你和她有什么，我就想，你们机关不止就这么一个女人吧，你怎么没和别人去做呢?”

我说:“我不是麻烦人家了么,觉得欠人家点什么。”

她说:“那还是欠了人家,还是有其他东西。”

我说:“以后我再和女人说话,什么实话也不能说,说了之后她就当真事记住了……我都没想到,我和你说了女收发员,你就开始吃醋了,以后在你面前,凡是关于酸的东西我都不提,看你还醋不醋!”

1990 年在北京十三陵。

小妖马上接过话茬说:“打住、打住,这还有外人呢,我都不好意思啦!”

我和她听完小妖这句话,马上意识到,小妖的存在就又装作不亲热了。

对于是否加盟传销公司,我也认真想过,我的本意还是愿意在传统公司里做点事情,这样没有什么风险,我没做过承担什么风险的事,只想安稳一些。但是,我和冰怡办的这个公司,一直就没有什么效益,而且没有好转的信号。而传销,总让人觉得不是什么正业,我也不知道怎么做和能不能做。

冰怡说:“我认识的很多人都在做传销了,人家小妖做的也挺好,一方面发展人,同时还在公司里兼作美容讲师……”

我说:“我们那的人恐怕不会接受这种营销形式,我发展谁呢?

冰怡说:“其实,你很容易找到人加入的。加盟的钱我给你垫上,从现在起,你就是我的下线了,我供应你产品。”

小妖马上拍手笑着说:“你是他的上线,我就是他上线的上线啦!”

生活中有许多事情是无法用语言说清楚的。就像我此时加盟传销公司,我无论如何也没有想到,就这么一个简单的过程,从此几乎改变了我的一生。而这些事情的到来,几乎是悄无声息的。我无论如何也没想到我会做什么传销。这时候我也知道好多地方的人都在做传销,外地也有朋友来信让我参加,但是说不出什么道理,只是说传销做非常赚钱。这个时候我心里还是抱着试一试的想法,考虑到冰怡再三和我说此事,我若是不加盟于情于理都说不过去。我就想,加入就加入吧,能赚到钱当然好,如果赚不到钱就算给妻子买了一套化妆品,也挺好的。

我成了一个传销公司的经销商后,被应邀去听OPP课。通常都是先听课然后才加盟的。而到了我这里却出现了倒错。可能是我这个人经常倒错,后来也发生了许多倒错的事情。

我问冰怡:“什么叫OPP?”

她说:“就是公司创业说明会,你听后就知道了。”

创业说明会是在一个晚上进行的。对于这种会在我心里

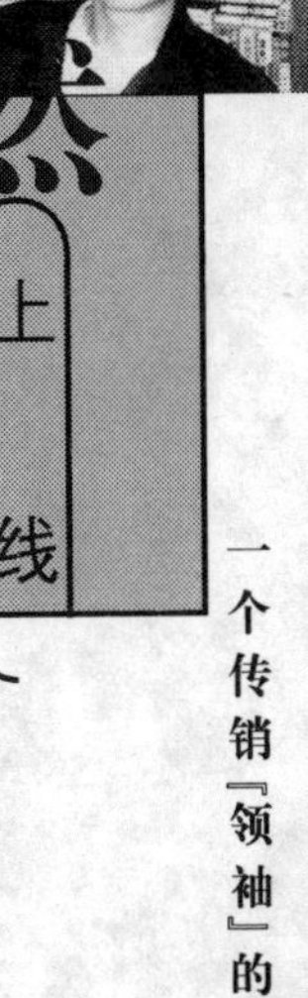

充满了神秘感。我这些年参加过无数次各种各样的会议。惟独没参加过创业说明会。听说这种会议形式是从台湾商界流传过来的。听说台商们培训员工很独特。当初小妖和冰怡所在的那家公司就是台资的。她俩在那家公司工作,也接受过各种各样的培训。她们俩果然比一般人有能力。

我随小妖和冰怡去参加这个会议。

在一个大会议厅里,来的人很多,大部分被邀约的人事先不知来做什么,有些女人听说是讲美容课就来了。

这时候有个很帅气的年轻人走上讲台,他说:“热烈欢迎大家的到来,在讲课之前我宣布几项要求,一是把手机和BP机关掉;二是如果听不完就走的人现在就可以走了;三是仅满足于每月挣两千元钱工资的可以走了。”

我心里想,这不是瞎吹吗?一个月上哪去挣两千元钱去,省长一个月也挣不到两千元钱的,这哪来这么敢胡说八道的。现在的年轻人可真敢说大话。我倒要听听他是怎么让人挣钱的。

这个讲师讲完之后,回身在黑板上写上“美商东方公司创业说明会。”然后面向大家高声大喊:“在座的各位好朋友,大家晚上好!”

下面没有人答应,人们被讲师这突如其来的举动震住了。大家不知道他要做什么,还以为他发了什么神经,人们都呆呆的看着他。

讲师很风趣的问:“假如在街上有人问你,‘你好’,难道你们就这样傻傻的看着吗?请随我回答。”

讲师又喊了一遍:“大家,晚上好!”下面回答着,但声音很小。

讲师说:"大点声!"于是全场人都高声回答"晚上好。"

讲师开始切入主题了。

他问:"什么叫 OPP,OPP 是英文'机会'的缩写,你们今天能来听课,就获得一次机会。这是一次获得美丽的机会,这是一次获得金钱的机会,这是一次获得事业的机会。"

他又讲:"有一个塑像的名字叫机会,那塑像全身油光,头发剔得光光,只在脑后留了一缕头发,机会奔跑速度非常快,总是迎面向你跑来,如果你一犹豫,机会就飞跑过去,如果你马上伸出手就可以抓住机会脑后的那缕头发,你就获得了机会。人们在生活中经常对自己生活的不如意而抱怨,什么生不逢时,什么没有靠山,其实你们不应该抱怨,你们都曾有过机会,但没有伸手抓住。想想看,国家改革开放的政策多么好了,第一批的个体户,人们都瞧不起个体户,几年过后,个体户们都腰缠万贯富起来了,而更多的人还在靠工资生活。第二个机会出现的时候,大家还是瞧不起,看不起那些长途贩运的,叫人家'倒爷',几年后,小贩子成了百万富翁。接下来又是期货贸易,又是股票,那机会多好哇,投资买些股票,搞些期货贸易,转眼的工夫,投资的钱就翻了多少倍,一夜之间就成了富翁。看见人家赚钱了才想去做,早晚三秋了,那些机会大多数人没有抓住。有人称你们这些'上班族'叫'五等人',不是社会说的那个五等人。是说早上上班等下班,周一上班等星期天,月初上班等开工资,参加工作等退休,退休之后在家等死。我们大多数人就是这样过一生的,自己还觉得活的有滋有味,这还应了那句话'生于忧患,死于安乐'。"

我觉得讲师这番话讲的很有道理，也很实际。我就属于他讲的那个“五等”人。我难道不是等那些已经设定好了的东西吗？

是的，过去有好多次机会都从身边溜过去了，当时竟然一点也没预感那就是机会，要是早就抓住机会，还会为买楼那几万元钱犯愁吗？我得好好听一听，这是个怎样的好机会。

这时候讲师提高了嗓音，大声问：“你们想不想换一种活法，你们想不想像那些富有者那样再抓住一次机会，现在我给你们一次机会，这个机会就是‘多层次传销’！”

他开始慢条斯理的讲下去：“传销是二战以后，从美国兴起后又风靡欧洲，后又传入亚洲，并一发不可收，各国为此还立了法，比如韩国的《直销法》、马来西亚的《直销法》、日本的《访问贩卖法》等等。近年刚刚传入我国，我国也刚刚批准了几十家公司允许传销，而什么是‘多层次传销’呢，形象点说就是：多多学习，层层复制，次次参与，传播美好人生，销售优质产品。而加入传销也非常简单，首先要有个推荐人，也就是你的上线，买些资料和产品你就是传销公司的经销商，买资料是让你知道何为传销，知道公司奖金制度，买产品是让你首先感受一下产品，当你了解了制度，使用了产品后，你才有资格去推荐别人参加，你才能说清楚产品究竟好在那里。做到了以上这两点，你就可以运作了。公司就按你推荐的人数和销售的产品发给你奖金，做的越大奖金越高，你可以得到公司奖励的出国旅游，可以得到住房，可以得到汽车……”

讲师又说：“传销是感恩的人性化的分享的事业，‘己所不欲，勿施于人，’什么是‘舍得’先舍去一点小钱，才能获得更多钱，什么是‘赚’，兼前边加一个贝，贝是古代的钱，想要获得钱，就得做兼职……”

讲师马上又说：“我可以用我的亲身体会告诉大家，做传销很容易，这是采用了‘倍增学’原理，具体的讲就是把这个机会介绍给你的几个朋友，你的朋友再介绍给其他的朋友，如此下去，你就会有一张庞大的网络体系，我加入的第一个月就获得了四位数的收入，而每月收入在倍增，让我们一齐击掌做‘爱的鼓励’，让我们共同努力，让我们都成为传销领袖，都成为百万富翁……”

听过 OPP 课后，当场有些人马上加盟了传销，而这时我已经热血沸腾了。

我甚至想，这么多年我怎么没遇上过这种好事，要是早遇上我就不这么半死不活的生活了，等做好了，我连自己的工作我也不要了，干了这么多年连几万元买房钱都付不起。我要好好做传销，我要做到最高一层，出国，买房买汽车……我要让别人看看，我不比别人差，别以为我什么都不是，差哪呀？

小妖和冰怡见我如此激动，十分高兴。

虽然我们听课回来都已经很晚了。冰怡和小妖还是做了几个菜，我们三个人在公司边喝着啤酒，边谈论着关于传销的事情。实际上，这叫做会后会，也就是对刚加入的新人进一步激励。把在创业说明会上听到学到的东西消化掉。

我们心里都很激动，而且都没有睡意。

她们商量了一下，小妖说：“为了配合你的下步运作，我们俩单独为你讲一课 NDO 课，也就是较高一层的培训。”

于是，我就坐在公司的小会议室里，在深夜里开始接受两

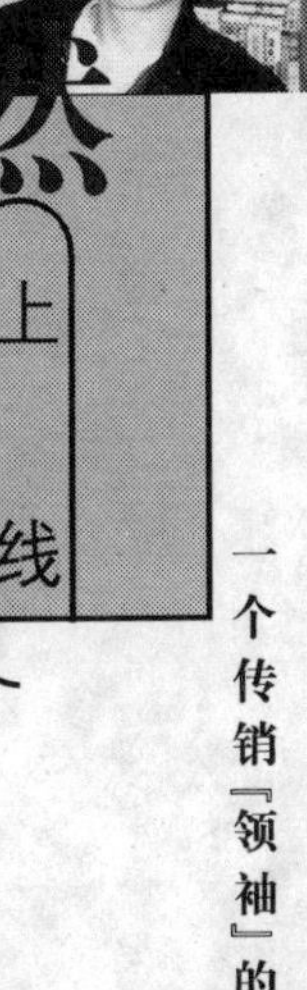

个漂亮女人的中级培训。

这听上去有些像国民党特务的培训，那时候的培训也不过如此，说不定还达不到我这样呢，同时由两个女教官培训我一个。我简直幸福死了。别说是培训我，就是让我卖大力气，我都愿意。

这时的小妖和冰怡是很严肃的，小妖主讲，站在台前，冰怡和我并排坐在一起，像绑架似的。小妖在黑板上写下 NDO 三个字母，然后说："这字母的意思是'调整心态'。一个经销商只有有良好的心态，才能使事业成功。"

这时候我猛然觉得有什么不对。刚才听说她俩给我传授一些东西，心里是很高兴的。但现在心里有一种很难说出来的感觉。好像她们俩个人商量好了来共同对付我，算计我。我找不到刚才听创业说明会的感觉了。甚至有一种抵触情绪。

但我又不能把这种情绪表现出来。听完小妖对 NDO 三个字母的解释，我心里想谁知道那几个字母是什么意思，一个小毛丫头还给我调整心态呢，我这么多年什么风浪没遇到过，我二十年前就看心理学书。我连你现在是什么心态，我都知道，还调整我？

小妖帮我调整心态是很诚恳的，她说："听冰怡介绍了您的情况，知道您学识渊博，多年在机关工作，而且还是个作家……"

她随即把话锋一转说："但是，不管您过去经历多少事情，在别的领域多么成功，而摆在你面前的是一个新的事物，这是一个全新的领域，你必须抛掉自身所有的东西，以一种'空杯心态'来对待传销。"

她说完这段话，停顿了一下，然后观察我的表情。怕我产生反感情绪，不利于她讲下去。我表面上在记录她的话，心里想，你懂什么，吃了几年咸盐，敢和我如此放肆。

这时小妖见我没什么反应，就提高了嗓音："你心里一定在想，我没你年龄大，社会经验没你丰富，也没有你懂得事情多……这你就错了。在传销领域，我是冰怡的上线，冰怡是你的上线，也就是说，我是你上线的上线，上下线虽然不是领导和被领导的关系，但是下线是借助上线的帮助而成长的。当然，上线也是伴随着下线的成功而成功的。上线不是你的奴隶，下线也不是你的财富。你首先要尊重上线，只有你尊重你的上线，这样复制下去，你的下线才能尊敬你。你知道什么才是真正的传销吗？你知道传销的起源吗？你知道传销使用了什么原理？你知道世界各国传销公司是什么现状吗？全球传销队伍有多大吗？所以说你要有一个'空杯心态'，也就是使自己心态归零。"

说着，小妖拿过一只装满水的

1997年在内蒙古海拉尔市。

杯子,往杯里倒水,水从杯沿溢了出来。

小妖说:“当杯里装满了东西就再也不能接受新的东西了。”

我心里想,这不是废话吗,这杯要是还能倒进东西,那不是无底洞吗,那不是杯子。她把杯子里的水倒空,然后再往杯子里倒水,边倒,边说:“杯子空了就能装进水了。”

我心又想,这更是废话,空杯要是倒不进水那是盖着盖呢。但她的意思我明白。就是把自己当傻子,整个一个什么也不知道。

我一想,原来我这么大岁数是白活了,弄的自己什么也不知道啦,那不是又要回到刚出生的状态了。

我心里明白她为什么这样讲。如果对一些文化层次比较低或涉世不深的人,这么深入浅出的讲,容易让人听明白,但讲课的这种固定的程序让我听起来会感到很不舒服。和我讲话,只简单说几句话,我就知道其中的意义,或者只点化一下就足够了。不需要像给幼儿园小孩子讲课那样。幼儿园里的阿姨在引导幼儿热爱劳动时通常是这样的。阿姨先把自己的手举起来问孩童们,这是什么?孩童齐声回答,是手。阿姨又问,手是做什么用的?孩童们又回答,是吃糖、吃饭用的。阿姨才说,手不但能用来吃糖、吃饭饭、还应该用来劳动。小妖可能是把我当孩童了,也许她只按照讲课的惯用程序在给我讲课。

小妖很妖,她准是看出了我的心思,马上又换了一种方式来给我讲。

接着小妖又开始讲,你要带着这种归零心态来学习,学习是第二个心态,只有你认真的学习,才能得到更多传销知识,

才能更好的运作,才能以此类推的复制传授给你的下线们,让你的下线和你一样优秀,你的下线的下线才能以倍增学的速度成倍增长,你的网络才会迅速壮大,你的销售额也随之增长,你的业绩奖金才能拿得多,你挣到更多的钱,才能体现你自身的价值,你各方面的能力才能进一步提升,这时候你就会受到成千上万下线的崇敬与爱戴……而且,你回到你那座城市,就成为公司的商务代表,而这个代表的位置会让你获得比普通经销商以至比你的上线还要多的东西。比如说我,虽然是你的上线的上线,但我没有一个城市的代理权,而选择代表也不看加盟先后,而是看谁的网络大,谁的业绩高,代表的位置也会有被别人代替的可能……

这一点,我后来有很深的感触,我得到的一些待遇和尊重,真是普通经销商无法得到的。比如郑经理和助理陪我去过夜生活。比如我一直享受坐软卧的待遇。这些都是不做代表的经销商无法得到的。

当她说到我可能代理我们市的传销业务时,我心里尤其一动。我还没开始运作,也不知我能不能发展下去我就成了商务代表了。这可真像老蒋当年逃跑前似的,不管你手下有几个兵,就委任你中校上校的。我转念一想,要是真做成功了真是挺好的。我马上想,如果一个人很有钱,又能得到众人的爱戴,还求什么呢。人所奋斗的追求的终极目标无非是得到社会的承认,被人尊敬和爱戴,物质和精神都很满足。

她有意的停顿了一下,我知道她是在提醒我集中精力,因为我这时候正在看着坐在我身边的冰怡那双胖乎乎的小手。她一停顿,我就知道她发现了我在看冰怡的手。我马上收回注意力。她见我注意力集中了就接着讲下去。她很着重的说，要想成为一个成功的传销人，要想使自己的事业快速成功，我是说“事业”请注意你做的是一个事业，而不仅仅是在推销产品。怎样才能使自己的事业成功呢?拥有什么样的心态就决定了你事业的成败，除了以上说的空杯心态、学习的心态，还要有一个积极的心态。我想起了一个故事，有一户人家，园子里种了两棵果树，树上接满了果子，有一天，一棵树上的果子被人偷光了，这家女主人大哭起来，因为这家人是靠这两棵果树维持生计的，男主人听到女主人哭声跑出来，问清了情况就笑了，说幸好还有一棵果树上的果子没被偷去。这个男主人的心态就是积极的。在我们生活中，拥有这种积极心态的人只占百分之二十，也就是说，当我们去说服十个人来同我们一起做这个事业，只有两个人会随同来做，这也是“二八定律，”所以我们不能同三两个人说了，人家不做就放弃了。还有一些人是可以点化的，引导好了也可以成为我们的合作伙伴，就看我们站在怎样的角度，用怎样的方法来劝说。有的时候采取一些手段和技巧也是可以的。

我心里想，小妖最后这句话才是实话。人有的时候做事情必须要采取一些手段。不然的话，有些时候是无法达到目的的。手段大多时候是为达到一种目的而服务的。这样说出来好像不很入耳，实际上现实生活中往往都是这样的，就像我当年为了坐软卧而假造的那绝密文件。如果不假造那份文件我是不可能坐上软卧的。那时候我如果和列车员实话实说，我就是想坐一回软卧，帮帮忙吧。列车员肯定不会帮忙，而手段会帮忙的。

她很神秘地说，我又想起一个故事。我心里想，你就给我讲故事吧，你以为这真是幼儿园呢？

她说，过去，有一个书生，在家闭门攻读了许多年经书，他准备去进京考取功名，就在他进京前的晚上做了一连串的莫名其妙的梦。首先梦见的是在一个晴朗的白天，自己高高举着一把很大的雨伞，又梦见城墙上长了一棵大白菜，最后梦见自己身边睡着一个漂亮的女人。对此考生不得其解，早晨醒来连忙去问一个很落破的朋友，那个朋友听后说，你不要进京赶考了，去了也考不中，你这梦里都告诉你了，大晴天打伞，你这不是多此一举吗？再有城墙上又没有土怎么能长出白菜来，白就是白去，想取得功名，这不可能。尤其最后一个梦，一个女人睡在你身边，女人是什么，是祸水，女性为阴，怎么有好结果呢。考生听后十分沮丧，无精打采的往家里走，而且在路上又碰上了教过他的私塾先生。先生问他因何事这么不开心，他又把那几个梦讲了一遍。先生听后，马上说，我祝贺你，你一定能考中，赶快去京城吧。考生不解，再三追问先生，先生说，打伞就说明你高举了，那么多人都没举伞，只有你自己中举了。在城墙上长出白菜，中和种是同音，不是高中吗？尤其你身边睡了个漂亮女人，是暗示你该翻身了……那个考生听完先生这番解梦之后，即刻奔了京城，而且真的考上了状元。实际上梦与现实无关，只是先生给了考生的自信，使考生获得成功的。这就是积极心态的一个胜利。

她喝了一口水，看了看我和冰怡，接下来说，你还得有一个当老板的心态和备战一年的心态，要时刻提示自己，我要当老板，而且用一年的时间来获得成功，还要有帮助朋友和发传

单的心态，每一次行动，你都要想这是帮助朋友，让朋友获得发展的机会，而且像发传单那样，一要好意思站在大街上不管人家什么脸色都塞给别人，更不能挑选，什么人可以加盟，什么人可以使用这种产品，要广种博收。最后两种心态是不以赚钱为惟一目的和有传教士的心态。谁都想赚钱，但君子爱财取之有道。

她从钱包里掏出一张纸币，展开说，钱有四个(角)脚，人只有两只脚，人是追不上钱的，就像你面前有一个很大的靶子和一个金牌，你用箭如果先射金牌，是很难射中的，如果你射靶子，就容易，当你射中了靶子，自然得到了金牌。而最后这个心态更加重要，我们知道，传教士传教，他不会因为在这个教区里有人不信教他就不传授了，而是对每一个人都传播。当然了，一个传教士首先要知道更多的事情，不然怎能让人相信你呢。就像一个笑话讲的，一个传教士想去寄一封信，可他不知道去邮局怎么走，于是他就向一个孩童打听说，我的孩子，你要告诉我怎么去邮局，我就指给你一条去天堂的路。那个孩童马上反问他，你连去邮局的路都不知道，还能告诉我去天堂的路……

这时我忍不住笑了，小妖和冰怡也都笑了。

我拿出一盒香烟，分别分给小妖和冰怡，我们把烟点燃。

冰怡问我："听明白了么？"

我故意没有马上回答她的问题，就这么注视着她们俩个人，边注视边含着笑摇晃着身子。

冰怡又追问了一句："问你话呢，你听明白了吗？"

我仍旧不说话，嘴里吸着烟，又把烟从嘴里吐出来，吐成

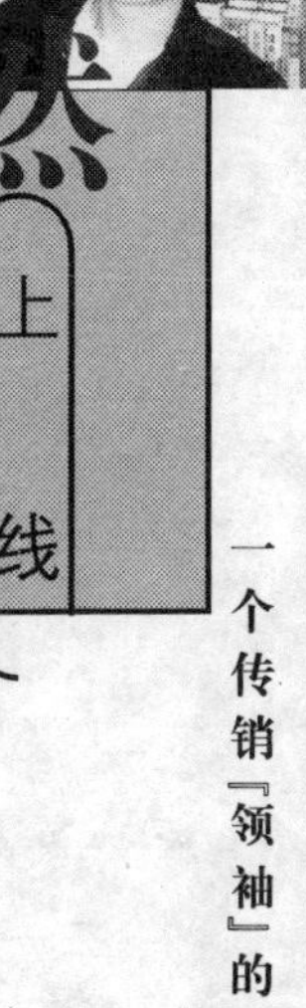

一个个烟圈，看着烟圈在屋中慢慢的飘散。

冰怡说："你怎么变成傻子了，说话呀，你急死我了……"

我又吸了一口烟，然后吐出去，很有意味的说："我实话告诉你们两位上线，不过我没有心态不归零的意思，这两种课，我一听就明白了，我马上就能讲，而且讲的更精彩。"

小妖和冰怡相视了一下，显然不太相信。

我很直白地说："所谓的 OPP 就是制造一个'场'，就像当年毛主席接见红卫兵的时候，红卫兵都热泪盈眶一样，把人的情绪和狂热扇起来，让人头脑发热，就加盟了。而 NDO 课这几种心态的调整就更有意思，归零空杯是先让人成为什么也不知道的白痴，洗脑子。学习是让所有人走进设好的迷魂阵的章程中去，积极的心态就是精神胜利法，当老板备战一年是使欲望膨胀，长期死守，帮助朋友是让自己赚朋友的钱还以救世主身份出现，发传单心态是瞎猫碰死耗子，碰上谁算谁，不以赚钱为惟一目的是说起来好听，不那么赤裸裸，传教士的心态是中了魔似的见谁传谁，谎言重复一万次就成为了真理。"

我说完这些，她俩都呆住了，而且无言以对。

我说："怎么样？不过我也很佩服设置这些培训课程的人，这不是一般的人能创造出来的，这要集社会学、心理学、催眠术、攻心术、幻想术于一身，才能达到这种效果。说穿了，这里带有一种骗术嫌疑，或者说是一种因果倒置。他首先在空中画了一张油汪汪的大饼，指给快要饿死的人说，那张饼是你的，然后再告诉想要饼的人去租一架直升机取下来。其实，这个饥饿的人如果有租直升机的能力就不在意饼了。但这个饥饿的人这时会在心里只想这是我的饼，我要取下来……"

我见他俩表情有些不高兴，我就没有那么刻薄的往下说。她俩毕竟也是为了我好，我再这样就不近人情了。

我又停顿一下，为了缓和气氛，我笑着说：“虽然我很容易识破这些培训的良苦用心，可大多数人是识不破的，都傻了巴儿的，明白什么呀。但我还是会努力做的，说心里话，我需要钱，我心里一直想，我来涉足商界，是一种堕落……”

小妖马上神秘的笑了，说：“遇上你这种聪明的，免去很多麻烦，一点就破，而且准能成功。”我幽默了一句：“看来我翻身的时候到了，谁叫我身边睡着一个漂亮女人呢。”

6. 神速发展的网络

我几乎马不停蹄的带了几份产品，返回了我生活的这座城市。这是座很小的城市，地处偏远，下辖十几个县镇。

我刚到了办公室，那个漂亮女人就凑过来了，这个女人很喜欢有事没事地往我身边凑，我一直想，可能是我比较有魅力。或者是因为我和她发生过关系，女人就是这样，别管多么高傲，一旦和她发生了关系，就舍不得男人了。

她很温柔地问：“你又跑哪去了？好几天没有见到你了？干什么大事业了，快说说。”

我没有直接告诉她干什么事业，我和冰怡干在一起了，这还不算大事业，但我不能告诉她这些，这不是送给她醋吗？我不但没说，反而是问她：“你使用什么牌子的化妆品，让我看看你的脸……你的皮肤属干性的，人皮肤白几乎都是干性的，而且偏碱性，你应该用一些保湿和含果酸的护肤品，才能使 PH 值平衡，我有一种好化妆品，你试一下……”

漂亮女人对于我对她皮肤的鉴定和推荐的产品，十分佩服，她几乎不相信，我怎么突然对人的皮肤，对化妆品和美容如此精通。但她仍抱有怀疑，在我办公室里，我亲自给她作了一次皮肤护理。做皮肤护理我是和冰怡和小妖学的。她们俩这方面的技艺很高超。我真的学会了一些手法。但是仅仅是知道怎么做。好在我们这里还没有人去美容院做什么皮肤护理。女人们只是胡乱买些化妆品在家里胡乱抹一抹。所以我在给漂亮女人做的过程中，装得很专业加之和她有另一种关系，做起来也比较顺畅。要是给个陌生女人做，我会感到别扭的。我总归是个男人，这么贴近的去抚摸女人的脸，自然会有些杂念在

1990 年冬在家中避寒。

里面。人一有杂念就不会专心的去做事了。

我在给漂亮女人做皮肤护理时，她一再表扬我，这就增加了我的自信，我把学到的港式、台式护理手法都综合的使用起来，边做还边振振有词的讲解，为什么用这种指法，为什么按这些穴位，又为什么是这种程序，讲得她五体投地。

做完后，她照了照镜子说真的有变化耶，其实无论谁的脸经过按摩和使用护肤品后，都会有变化的。当然，不光是护理皮肤，也顺便护理了一下她并不高耸的胸部。要是没人进来，我肯定还会和她做一次那种事。那才叫"皮肤护理"。

她当即掏钱买了我的产品，而且担心地问："我要是用完了，还到哪里去买？"

我说："你再买一些产品，你就成为我们公司的经销商了，你就是我的下线了，你不但有资格经营本公司产品，而且越买价格越优惠，你还可以推荐给别人，别人加盟，你就会赚一大笔钱……"

她欣喜的说："真的吗？那我买产品加入你们公司，我帮你宣传，我早就是你的下线了……"

我说："你不是帮我宣传，而是为自己宣传，去和你那些喜欢臭美的女朋友们宣传去吧。"她果真去运作了。

接着，我又把我过去那个办公楼的女收发员叫来，她开始不敢进我的办公室。

我说："你进来呀，站在门外干什么？"

她很小心地往前挪了挪脚步说："我怕你打坏主意！"

我说："你这人把我看的这么坏，当年我不就奖励过你一次吗？我都没敢和你做别的，要是放到现在，我还能放过你…

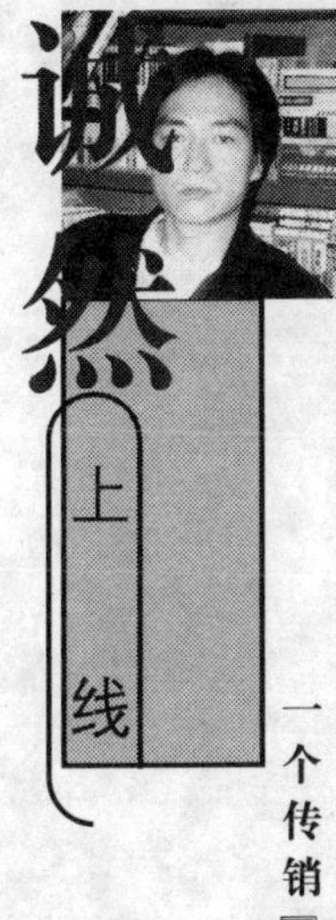

…过来吧，我发誓不奖励你，看把你吓的，我都不忍心……那年我不是对你说过吗？我说再有赚钱的好事就告诉你，现在好事来了，就和咱俩做金锁链一样，这回是合法的，你大张旗鼓的做吧……”

和她讲了之后，她就加入了，我说：“你就加入到漂亮女人下边，当她的下线吧。”女收发员说：“我才不当她的下线呢，当年做金锁链的时候她是我的下线，我怎么能给她当下线，我就加入你下边，给你当下线，我是你的老下线了。”我说：“那好吧，你就当我的直接下线。”她还说要发展到外地去，她的姐姐在外地。

我说：“我全力配合你，发展越多越好。”

女人都是很好奇的，都喜欢攀比跟风，加之漂亮女人喜欢向别人显示自己的用品，而女人又容易眼热。第二天，就有人主动找我帮助鉴定皮肤，让我帮助选适合她们皮肤的产品，当然，也都加盟了传销。

这时，我另一个比较庞大的计划产生了。我要拉开讲 OPP 的架势运作了。

我开始在办公室里挂上了一块小黑板，按着自己开列的人员名单，分批的邀人来“分享”我公司的产品，我所采取的方法是对症下药。根据不同层次，用不同的方式来讲美容、讲销售。我没有按 OPP 和 NDO 的教课程序讲是因为那样太做作，那种方法多少有点像哄小孩似的。我大多是用产品切入的。不知是因为我真的把自己心态调整好了，还是我天生就具有对美容的天赋。我仅仅是听冰怡和小妖讲了些美容知识，也仅仅接受过一次冰怡为我做的皮肤护理，我就学会了，而小妖压根就没有给我做过皮肤护理。小妖给我做皮肤护理是几年以后的事了。这一细节我将在后面谈到。但她们俩个人对美容知识掌握的很多,技法是很高的。这也是许多同我一个公司的男商务代表一直对我有很高操作能力感到不解的地方。我有两个近乎美容大师的上线,我能不厉害吗?这是我的造化。

在我亲自为那些女士做过皮肤护理后,无一不购买产品,而绝大多数人加盟了公司。这也是一直让我引以为骄傲的事情。当然,也有好友说我使用了美男计。我不赞成这种说法,至少我没主动用计,男人和女人是互动的,一方再怎么努力都没用,在我的运作实践中,我是按操作规程来的,至于那些女人接受到了什么信息,这不关我的事。

现在想来,我做传销是与众不同的。我总是和他们说些实话,也许最大的诺言就是实话。通常那些传销商总是盯上一个人就穷追不舍,纠缠得人家无法不买产品或是加盟。而我的作法,用那漂亮女人的话说是端着做,漂亮女人对我的做法身有感触,记得她推荐的第一个下线叫上官兰。

她对我说:“我推荐一个女友和你见见面,她做传销准行,她对挣钱非常感兴趣……”

我问:“长得漂亮吗?”

她说:“当然啦!”

说过当然后,她像是意识到了什么,马上补充说:“你可不能打她的主意,不然我就不推荐人了!”

我说:“我打什么主意,我打过谁的主意呀,我是说漂亮的女人做化妆品容易成功……你放心,我哪个下线的主意都不打,这是有规则的,上线和下线不可以发生两性关系。再说,有

你一个我就足够了……”

当天，漂亮女人把那个叫上官兰的邀到我办公室，我和她讲了讲，她问：“搞这个最多能赚多少钱？”

我说：“这要看你想赚多少钱。”

我又在如何才能获得较大的经济收入上对她讲了一遍。

她说：“我加入。”

其实，传销的许多做法和传统行业有些正相反。比如传统行业总是说干了多少活才能获得多少钱，而传销说你将获得多少钱，然后说你应该怎样去做才能获得这些钱。这是一种因果倒置。

我觉得做传销并不难，也就是把朋友邀来，很实在的告诉他们，当时我邀请端木木来就是这么做的。端木木在另外一个县城，我打电话告诉他来，但我并没有告诉他有什么事情。我只告诉他我有好事告诉他。端木木来了。他和我一样，是属于过着清贫日子的那种人，我对他说：“我代理了一家化妆品公司的业务，产品质量不错，我可以给你们试一下，咱们一起做点事，利用业余时间赚点钱，不是挺好的么，再说，这些产品除了护肤品还有家庭清洁用品，反正平时家里也得用。这些产品都是真的……我还可以让你代理这块业务，你就是你们县城的代理。”

端木木一想，是挺有道理，就买一套用一下吧，又花了几十元钱买套资料，愿做就做，不想做就只使用产品，有什么关系。而且我一再强调产品都是真的，产品是从公司生产出直接到经销商手里的，没有中间环节，假冒伪劣挤不进来。当时我也真是这么认为的，这个产品的流程很简单，我坚信是这样的。我很痛恨那些假冒伪劣商品，有一次我买了一种新牌的香烟，抽起来感觉很好，价格也适中。我抽完了第一批之后，见这种烟销售很快，生怕再买不到，一下子买了十条。但回来后，一抽味道不对了。害得我抽也不是，不抽也不是。我告诉端木木，以后就买这种公司销售的产品，这种产品质量有保障，而从外面小店买的东西就难说真假了。端木木就这样的随我做了。而且他后来成了我体系的骨干力量。

这当中当然有人表示怀疑，说当今的事情什么是真假都不好说。传销公司的产品也不一定都是真的。我告诉他们，我上线的上线亲自到总公司去考察过，而且还进了生产车间。说那里的设备都是世界上最先进的，原料也都是法国的。公司是和世界上一个非常知名的大公司合作开发的产品，那家公司生产的化妆品是世界上五大名牌化妆品。

我还拿出公司被广大消费者和一些监检部门授予的一些证书的复印件给他们看。但仍有人不相信，还继续提问题，我没有时间再理他们，我想，这都是那些消极的人提出的。说现在哪还有什么真的东西。我就给那些持怀疑态度的人讲约翰·强生的故事。

我说："有一个外国人叫约翰·强生。有一次他在机场等飞机，发现了一个机器人，据说投一枚硬币，机器人就知道你的情况。他投里一枚硬币，机器人说，你叫约翰·强生，今年38岁，身高1.82米，你将乘坐下午16时的308次航班，从圣保罗飞往洛杉矶，现在离飞机起飞时间还有1小时10分。约翰感到十分奇怪，这个东西怎么知道我的事情。他四周看看，并没有人。他离开机器人，到商柜前买了一副墨镜戴上，然后

又投了一枚硬币。机器人又把他的姓名、年龄、身高、乘坐的航班时间,从那里飞往那里说了一遍。最后提示现在离飞机起飞还有 30 分钟。”

约翰非常恼火,心里想,你一个死人我还研究不明白你。我非把你研究明白。于是他离开候机厅去了一家商场,买了一身女人衣服,化装之后,扭着屁股来到机器人面前,投了一枚硬币。机器人又开始说话了,你叫约翰·强生,今年 38 岁,男性,去掉高跟鞋身高还是 1.82 米,你将乘坐下午 16 时的 308 次航班从圣保罗飞往洛杉矶,但遗憾的是,飞机已经起飞了。

在场的人听完我讲的这个故事后笑了。

我说:“有许多事情我们用不着非要去弄个明白,等你弄明白了,人家飞机早已起飞了!现在咱们乘坐的飞机还没有起飞,抓紧运作,时间和机会是不等人的。说这话的时候,我是真心实意的,中国的事情变化快,而且试验性的东西多,让做什么就马上做,还是那句话,先下手为强,等大家都想明白了,咱不做了,这才是高手。”

说完这些,为了证明本公司产品的优质,这时候我总是把那个漂亮女人叫出来,让人们看她使用后的效果。她的皮肤原本就很好,也许是产品真的起了作用,也许是有了积极的心态,脸真的很光彩照人了。实际上无论使用什么样的产品,掌握一些能够有益皮肤的饮食和睡眠习惯和经常做皮肤护理,皮肤一定会好起来的,连我的脸都由于这样做后,发生了明显的变化。

我总是有意的告诉一些新人,我也在用公司的化妆品。我这样做是想引起女人们的兴趣,同时也是为了说明本公司的产品好，若是产品不好我怎么会用呢。我另一个意思是暗示那些女人们，现在连男人都用化妆品，女人还不抓紧用，还等什么呢。

其实我用的都是些护肤品，我不可能用那些彩妆。我要是使用眉笔、眼影、腮红、粉底、唇膏，那还不成了人妖。

当有人知道我也在使用护肤品时，很惊异，大男人怎么能像女人一样的使用护肤品呢？男人的脸都应该很粗糙，很黑的，那才显示出男人的阳刚之气，男人就得像个男人。当我听到这些话后，觉得很好笑。我就对说这些话的人说，都什么年代了，还把我们男人当那种野蛮人，你说那是什么阳刚之美呀，那整个是奴隶社会的奴隶，是万恶的旧社会。在一个文明社会里，还能是那种野蛮时期的审美吗？使用护肤品是一种生活提高，文明进步的象征。把自己的皮肤保护好了，也是对别人的尊重，你以为把自己脸上抹上污泥，你自己不嫌臭就没事了，你还不考虑别人，让人家感到恶心，那太不道德了，除非你猫在家里别出来见人。这也是公德问题，不是你自己一个人的事。男人为什么就不能好好保护皮肤，男人也要爱自己，连自己都不爱的男人还怎么会去爱别人……我不但使用护肤品，我每天还用香水呢。香水的好处太多了，杀菌，防止感冒，提精神，还能吸引女人呢。对方马上说，别说了，再说就显得我们成了野兽了，我们也文明行不行……

我并不在意别人笑话我一个男人使用护肤品，我总是告诉别人我在用护肤品，而且每周自己做皮肤护理。这就更激发了没有使用这种高档护肤品的女人的欲望。

我在谈自己使用护肤品时显得理直气壮，己所不欲，勿施

于人吗，我自己不用，我怎么知道这种产品好不好呢。我不但现身说法，还从道理上阐释一番我手里没有假冒伪劣的产品根本所在。我就说，这些产品是经公司发货到分公司，分公司就直接把产品给了各地的商务代表了，假冒伪劣产品没空可钻，进不来的，咱们再假设一下，商务代表这一层出现问题了，比如图仿冒的便宜把产品弄进来在自己网络体系销售下去了，可是这样一来，下线们觉得产品质量不好，就再也不买了，这不是把自己的体系砸了吗?所以说，传销公司没有假冒伪劣产品。

人们听后，觉得很有道理，于是就深信不疑的买产品加盟公司，推荐下线……

我妻子开始使用这种产品后，她好像仅用了几天，她周围的姐妹们就说她的脸发生了变化，而且都纷纷的买了产品，加盟了公司。

妻子属于那种贤妻良母型的女人，待人真诚且不善言谈。但深受周围人的信任。也许是她的人品使她周围的人都购买使用了这种化妆品，也许是那些女人都喜欢攀比和跟风。

但这对刚刚开始的运作产生了很大的作用。

后来，妻子再也没有运作，她再也找不到熟悉的人了。

这时候，我也劝我的哥哥姐姐、弟弟妹妹都购买产品加入进来。但是不知为什么，他们都没做成功。我给他们安插了下线，但那几个下线也没有运作。我原本是想让全家人都赚些钱的，但直到传销被取缔，他们也没有赚到钱。当然，当时我对他们是充满希望的。

我仅仅运作了几天时间，就把从冰怡那里带回的产品销售一空，而且还有十几个人加盟了公司先交钱后给产品也行，他们就这样一个个的成为了我的下线。这时也到了月末，我得把下线的资料和货款报给冰怡，她再报到公司去。

1998 年春在哈尔滨“索菲亚”教堂前体味虔诚。

我又来到冰怡的公司，当我把下线们的照片资料和货款放到她面前时，她十分高兴，连连说：“我真没看错你，我就说你是一条‘黄金线’、‘老鹰线’，你果然厉害……我给你做点好吃的，奖赏你一下。”说完就去弄好吃的去了。

很快，她就做了好多菜。我和她端起酒杯，相互祝贺着。她只喝了一杯啤酒，脸就开始红了，她不胜酒力的，也许是因为喝了酒，她的情绪波动起来，先是兴奋，大声说笑着，过一会儿，就又沮丧起来，并且向我诉说了许多关于她的身世。从她爷爷奶奶传奇的婚姻到父母那种无法言说的事情，最后说到她自己。她和丈夫分居很久了，她说不清为什么自己宁愿忍受寂寞。她的丈夫强迫她不成，还恼羞成怒的动手打了她……我见她这样痛苦，就用我独特的方式，也是用男人都会的方式，

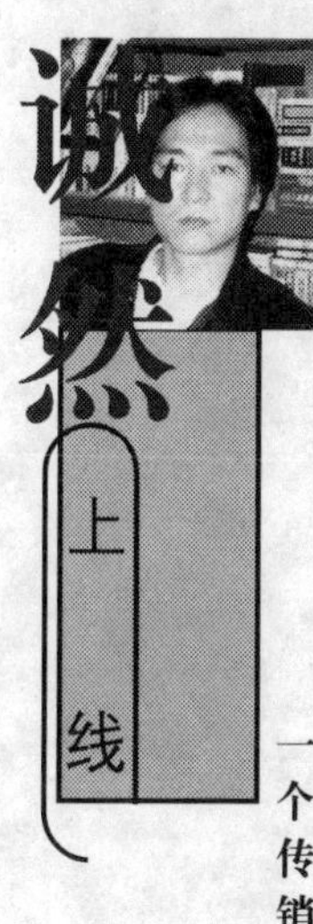

狠狠让她快乐了一下。

这时我才明白，她为什么要这样做。我觉得她很不幸，就把她揽在怀里安慰她说，一切都会好的，我们的事业就要成功了，把一切烦恼都抛掉，让自己的心态积极起来。

也许是由于我的安慰和体贴，她重又焕发了激情，和我谈起当她赚到一百万的时候，就去外国，离开所有令她不开心的一切。

就在我安慰她的时候，有人敲门进来了。开始我还以为是来买产品的，但那人是个老者，戴着老花镜。

老者说："我从这路过，我有几句话跟老板说说。"

冰怡说："我就是老板，有什么话就说吧。"老者转过脸看看我。

冰怡说："没事，你说吧。"

老者说："说的对不对，别怪，我从这一过就觉得这个店主是个奇人，虽说事业做的挺大，可有些天机自己不知道，我照直说，闺女，你是成大事的人呀，可就是婚姻不如意，你这一生命中有八次婚姻，我不知道你已经有过几次了，但我知道现在你遇见了一个人，这个人更厉害，所以你至到这次婚姻就到头了，我也不知道你现在遇上的这个人你满意不满意。这个人虽说和你般配，可你们又不是婚姻，不是又离不开，你苦哇孩子……"

冰怡抬头看看我说："这个无情无意的家伙……大爷，不管你说的对不对，我都谢谢你。"说完给了算命老者一些钱让他走了。

冰怡又开始看着我，嘴里还自言自语地说："这个人是谁呢?”

我马上说:“那几次婚姻都是跟谁呢?”冰怡没有回答,像是有意回避这个问题,站起身像是要找什么东西,又不知道要找什么东西。

我注视她一会儿,她也发现了我在注视着她。

她说:“这么看我干什么?烦人!”

我说:“我也看出你的卦了,你这面相里带着呢。”

她说:“你别听那老头子胡说八道,还有八个男人,一个男人都快把我气死了。”

我说:“我不是说你能有几个男人,我是说你能成大事,而且你还有贵人,这个贵人就是我……”

她说:“真不害羞!”

这时,她像是猛然想起了什么,对我说:“明天咱俩去见一见在本市的同学,劝他们也加盟进来。”

我当时犹豫了一下说:“还是不见的好,不然他们会对咱俩在一起说三道四的,再说自从作家班毕业,三四年过去了,上那找他们。”

她说:“我有那个女同学的电话,明天就找她……我才不在乎别人说什么,你这个人就是虚伪,事摆在这了,还在乎他们说什么,你怕了?”

我说:“不是我怕,我是觉得咱们这样有点显示的意思,又像是故意刺激某个同学。是不是太招摇了。好像对人家说我们发生两性关系了,很光荣似的。”

她说:“难道咱俩可耻吗?”

我马上说:“不、不,既不光荣,也不可耻,只是一种人性,

人性你懂吗?就是男人和女人那个……不过,为了发展网络,这样做也没什么。咱们班那么多同学,又分散在各地,让他们都加盟进来,同学们以后见面的机会也就多了,在开创业说明会的时候,还可以顺便的给某个同学开个作品研讨会什么的。再把咱们老师发展进来,咱们院长发展进来……"

冰怡说:"怎么着,你想把作家班变成传销班,把文学院变成传销院呀!你可真敢想。"

我说:"那是下一步的事了,当务之急是先把这个市的几个同学发展了,你下步就好运作了。"

她说:"我就是这么打算的,也不知道他们现在都忙什么呢,好几年没见面了,也不知道他们能不能加入。"

我说:"咱俩给他们 OPP。"我开始帮她想办法拓展网络了。

我没有坚持自己的看法,为了她的事业能快点发展起来,我想不该只考虑自己,还得为她发展网络着想才对。

第二天一大早,我和她简单的吃了点东西,她就打电话约那个女同学在市中心广场见面。

我说:"我先躲起来,等你们俩见面之后我再出现,看那女同学是什么反应。"

她说:"好,我让她猜,看她能猜咱们班的谁。"

那个女同学来的很快,我躲在一个花坛的后面,窥视她俩见面时拥抱了一下,然后她们仅仅说了几句话,冰怡就向我招手,示意让我出现。我走出去。

那个女同学对我说:"我一猜就知道是你,别藏了。"

我很奇怪地问:"那么多男同学,你怎么就偏偏猜中我。"

她说："除了你，谁还有这么大本事把冰怡搞到手，是不是冰怡？"

我马上制止："别乱讲，我什么时候把她搞到手了，充其量是她把我搞到手的，这真是男人的悲哀，你不知道实情，我们俩根本就不像你想的那样……"

女同学一摆手："算了，解释什么呀，越描越黑，都什么年代了，这算你有本事，我们市的那个星星，老想着贴近冰怡，一直没靠上。"

冰怡接话问："星星他们还在市里吗？怎么能找到他们，大家聚一聚。"

女同学说："这事交给我了，我现在就给他们打电话。"

她说完就从包里掏出手机拨起电话来。看来这个女同学也经商了，不经商的还没有人用手机，那东西太乍眼，容易让人联想。人们一旦见到手里握着手机的人，都会很惊讶，很好奇的看。并且马上作出两种判断，此人不是非常有钱就是装非常有钱。这东西一般的人是买不起的，我两年的工资加起来才能买一部。使用这种东西的人很容易遇上大麻烦，有时候可能会有生命危险。

我非常讨厌这种东西，也讨厌别BP机的人，这些人都犯了一个通病，十分张扬，女同学举着手机拨着号，电话拨通了，那几个男同学在另外一个比较远的区，让我们过去，我们叫了一辆车，就去那个区了。

冰怡说："星星如果见到我和你在一起，得气疯了。"

我问："他生什么气，你又不是他老婆。"

冰怡说："他到我们市找我几回，我正常的招待他，尽地主之宜，那一次我们吃完饭，他强烈要求去舞厅跳舞，我不好推辞就去了，谁想他死命的抱我……我生气的一甩还骂了他，然后就走了。”

我打趣说：“这就是你的不对了，人家那么喜欢你，多不容易，太不给人家面子了。”

她说：“那家伙真有病。”

我说：“其实我也不太喜欢他，在作家班的时候，他追一个女同学，总想法取悦人家，而奇怪的是，那个同学并不悦，而且总是设法让我高兴，星星就憎恨我，你俩说说这事怨我吗?”

在读作家班的时候，是有一个女同学经常和我在一起探讨创作方面的事情。我们很谈得来，也经常一起去食堂吃饭或是在校园里散步。其他并没有什么事情。星星当时非常生气，他可能想这个女同学为什么不愿意和我在一起呢?

这事我哪知道，她怎么做和我有什么相干。

这件事，她们俩个人都知道。

那个女同学看了冰怡一眼，她们会意了一下，女同学说：“你得注意了，别吃着碗里的看着锅里的，也就是冰怡不和你计较，要换了我，这可不行。”

我马上辩解：“我什么时候碗里锅里的了，我碗和锅还都空着呢，咱班那女同学和我什么关系都没有，也就是在一起吃吃饭，散散步，有什么呀。”

冰怡说：“有没有什么你自己心里明白，我们怎么知道，懒得问你们那些破事。”

我说：“我怎么老受别人冤枉啊，我就是跳到嫩江也洗不清了，你们都说说，这男人要是有魅力，真是招风是吧?”

冰怡说:“呸,真不知道害臊!”

出租司机听后也忍不住笑着说:“你们可真逗。”

我说:“别见笑,搞文的都有神经病,男的还差点,尤其女的……”

我还没说完,她们俩一齐伸手捏我的脖子,我只好投降不再说了。

这时候,车已经到了女同学和那几个男同学会面的地点,并远远的看见星星向这边走过来。

我说:“你俩先下去,我随后再下,看他什么表情。”

冰怡她们下了车,星星就走过来,脸上灿烂的笑着,紧握住冰怡的手没有放开。我这时走过去,星星一下愣住了,脸上立刻变得很复杂,不知所措的问我:“你们俩怎么在一起?你去她市找的她?”

我摇摇头。他又问冰怡:“那是你去找的他?”冰怡甩开他的手,并没有回答。

我对他说:“我和冰怡觉得去找对方自己都很没面子,就相约在你们市见面,我和她来你们市的路途正好相等。”星星若有所思的看看我,表情怪怪的。

我走到其他几个男同学面前,握了手,说着话。那个当厂长的同学说:“走,我请你们吃饭,咱们边吃边聊。”

我们来到一个很豪华的餐厅,在吃饭中间,那几个男同学还有那个女同学不时的接听手机,谈话的内容大都是生意上的事。看得出他们都下海经商了,就连星星也开了家小商店。

酒和菜的档次都很高,看得出同学对我和冰怡的招待是很盛情的。不知为什么,这时候我心理突然产生一种很厌烦的情绪，觉得这一切十分无聊。吃过饭后，大家又一起去了一家舞厅，这种系列性的招待体现了一种接待的诚意，但我刚走进去就转身走了出来，那种昏暗的灯，那种音乐和那种让人喘不上气来的包厢，我无法忍受。我想不明白，人这都怎么了。到处都充满着商业气息，连人也都这么商业化，可我们是作家班的同学呀。当年那么雄心壮志，哪去了？都背叛文学了吗？文学一文不值了吗？都变成商人了吗？

我站在外边，我想不通。

那些男同学不知所措地看我走出去，随后，那女同学跟我出来问："你怎么出来了？把他们晾那了多不好。"

我说："真没意思。"

她一下火了，用很大的声音说："你怎么能这样？他们对你那么敬着，宠着，你想干嘛？你还想让他们对你怎么样？"

我说："咱们回去吧，我有些喝多了，心里很难受。"

同学们坚决反对我走，说不愿跳舞好办，去找家宾馆玩扑克。我被他们拉到一家宾馆，星星特意为我和冰怡开了一个单间，让我和冰怡先休

1996 年在徐州花园饭店前。

息，明天再聚。我当时冲着星星发了一痛火，我发火的原因是他不该把我和冰怡安排在一间房，那成什么了。星星没说什么，这时我也觉得心里有些过意不去，我不该和他发火，他也是一片好心，一个男人积极的把自己喜爱的女人安排在另一个男人房里，这是很难做的事情。他们终没有挽留住我，他们知道我的脾气，我们三个人又坐上车，返回了冰怡的公司。

回来后，我一直没说话，那个女同学和冰怡看着我，那女同学又忍不住的问我："你今天怎么了，表现这么奇怪？"

我说："不好意思……我没想到，几年以后，大家变得这么'商业化'似乎都在显示自己很有钱，这一点我也能理解，但让我难过的是，咱们文学院作家班的同学们聚会，竟然没有一个人提及文学，哪怕是轻描淡写地说一句……"

女同学说："你可真有病，都什么年代了，还搞文学，让人笑掉大牙……就为这事呀，好，我和你谈文学……可文学能当饭吃吗……"

我无言以对。冰怡没说什么，她当然理解我的心情，尽管她并不希望我走文学的路。但我们还是聊到了文学。我说："我不是说我对文学的追求多么的执著，也不是说世界上除了文学其他什么都一文不值了。不知怎么了，我越来越感到心里空落落的，很迷失……总想从文学之中找回些什么，以使自己充实起来……"

冰怡说："你现在是患得患失，你找不着北了。"

我看了看冰怡，冲她笑了笑。她也做着鬼脸冲我笑一笑。

我想了想说："你别说，冰怡这句话说的挺有水平，真想不到你还能说出这么有水准的话来，概括的好，真是不错。"

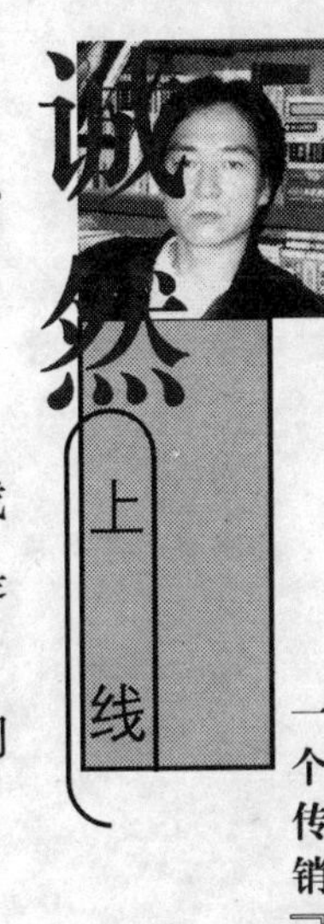

女同学侧了侧身子说:“没觉出来,也没听出这话有什么水平,一般般。”

冰怡指着女同学说:“你到底跟谁是一伙的?”

我说:“你俩说,文学还能有戏吗?”

她俩会意了一下,冰怡说:“犯病开始了,这文学有戏没戏关你什么事呀,一个文学小青年还操那么大的心,你以为你是什么文学大师呢。”

我刚要说狗眼看人低,怕说出来遭到收拾,就临时改词说:“你猫眼看人低,我就成不了文学大师?”

女同学说:“怎么狗改猫了?”

我说:“猫眼比狗眼还低呢。”

冰怡说:“你估计多少年你能成为大师?”

我说:“快则五年,慢则十年。”

冰怡说:“咱们走着瞧,到时候你要成不了大师,我剥了你的皮。”

我冲着女同学说:“你听听,这都是什么话,这哪是文学青年嘴里说出来的话呀,太没水平,眼睛太低……”

女同学说:“你们俩干吧,我还有事,我得走了。”

7. 商务代表人

那个女同学走了。开始我们说要聊到天亮的。可没聊多久,她就说家里有事就走了。我和冰怡都明白她这么早走的原因,她不想妨碍我们。

她走后冰怡说:“你今天表现实在不怎么样,你这一闹,不但没谈上让他们加盟公司的事,还弄得大家不愉快。”

我说:“开始我还没觉得怎么样,后来越来越感到,到处弥漫着一股商业味,我真是受不了,人怎么变的这么实际,这么浅薄。”

冰怡说:“我知道你这人看不起经商的人,就觉得搞文学高尚,其他什么都不如,可你想想,搞什么都得吃饱肚子,饥寒交迫的人能做什么?”

我说:“这道理我也懂,可不知为什么心里很不好受,我甚至都觉得自己做传销都是一种堕落,是一种逼良为娼……”

冰怡对我说:“你要是这样,早晚得饿死,连买房子钱都交不上,还清高呢。”

我说:“燕雀焉知鸿鹄之志。”

冰怡问:“你说什么?燕雀?”

我说:“说了你也不懂。”

她说:“就你懂!”

不管怎么说,传销还是要做下去的。我把我市的情况和冰怡说了,而且还说了我的计划和设想。冰怡在高兴之余也感到有些吃惊。她可能没想到我会有这么庞大的计划。她自身已经没有那么大的力量给我供货了,而且当发展到很多下线时,我和妻子也无力对每个人去 OPP,NDO 的,冰怡就在我返回家之后,马上和小妖及分公司取得了联系,要求分公司派讲师来我处培训,并解决我的产品供应问题。

公司的行动是很迅速的,就在我回家的第三天,分公司经理直接打电话找到我，首先告诉我，我这个月得了两千六百元奖金。而且公司的人员马上就来我市。

这一夜我十分兴奋，连同妻子也高兴得没有睡意。我和妻子躺在床上，一会又坐起来，不知如何是好，做传销这算作第一步，这一步迈的很顺畅，要是这么走下去，那真可谓道路越来越宽广了。

妻子说："看把你美的，连觉都睡不着了。"

我说："你不也一样，谁挣了钱不高兴呀，我说咱俩过去怎么就没想挣钱的事呢，这要是十年前就下海经商，咱也能当个百万富翁什么的，咱不比别人差什么……这回你想买什么就买什么吧………"

妻子说："这里面有我一半功劳，我推荐了好几个下线，还卖了一些化妆品。"

我说："这我知道，所以说才随便让你花呢。"

我无论如何没想到，这个困扰我这么久的"钱"赚起来竟也如此容易。

妻子说："业绩奖金拿到手，咱马上去还银行贷款。"

我说："不，首先要消费一下，也算奖励自己一下。"

妻子说："你这毛病是改不了了，看你消费到什么时候?"

我说："生命不息，消费就不止。"

这天，天还没有亮，我就醒了。我得准备一下去接公司的人。我和妻子把最好的衣服找出来穿上，我觉得这是件很重要的事情。

我和妻子来到火车站，等了好半天，火车才进站。

冰怡带着二男二女走出检票口，我迎上去握了握冰怡的

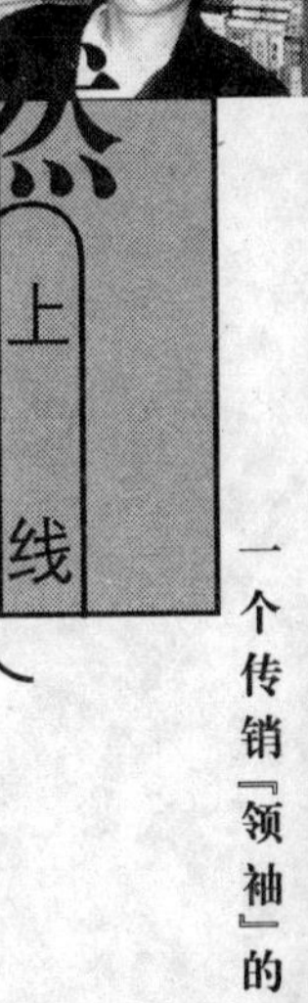

手，冰怡转身给我介绍来人："这位是分公司的郑木经理，这几位是总公司和分公司的讲师。"然后又向他们介绍我说："这就是富成先生，我的合作伙伴！"介绍完后，我把他们请上车，去了一家宾馆。

公司经理很年轻，二十五六岁的样子，而那几个讲师年纪就更小。但是衣装都很华贵，很仪表，很堂堂。

郑经理把业绩奖金和奖金单递给我的时候，很真诚的说："祝贺你。"这时候我很激动的，这是我用了半月时间换来半年工资的数目。

我向他们讲述了我市的经济及一些相关的情况，大意是，这个地方比较偏远，人观念很落后、很保守，但民风比较纯朴。这从另一个角度讲，传销市场比较纯洁，没有其他传销公司搅和，人们重感情，有益于发展这种带有人性化的事业，现在我自己有了近二十个下线，当他们开始运作的话，可能一下子就会发展到上百人，这上百人再运作得上千人……这需要及时的对他们进行培训，还需要有大量的产品供应……

郑经理听完我的介绍和发展计划，非常高兴，他或许没有想到，我竟然把市场分析的这么透彻，也没有想到我会有这么远大的规划。

他说："富成先生，您所谈的一切很出乎我的预料，我没想到您对市场有这么准确的把握。过去，也就是在您加盟公司以前，你们这个市里也有几个人加盟，但都没发展起来，自消自灭了，我相信您会把这个市场搞起来。您的发展规划很好，也都是我们公司所希望的，请放心，分公司根据你网络的规模和不断壮大，会适时支持和配合，各种困难公司都可以解决，等明天培训之后，咱们俩再具体签署一个合作协议，祝您成功。”

我说：“谢谢经理，我请各位吃饭，我已经定好了桌。”

我们一同来到了餐厅，我把这里最好的山珍野味都点上来，妻子有点心疼，说：“这要花多少钱呀。”

我说：“这无所谓，赚钱干什么，不就是消费么，再说，从现在起，你每月就会得到大把大把的钱啦，再说，就是不赚钱，我的朋友来，咱们不总是这样么。”

也许就是由于我总是这样对待别人，所以我的朋友格外的多。但我没想到，在做传销时都派上了用场。

公司的人们吃喝的很尽兴，并为我如此举动而感动。吃过饭，把他们安顿好，我就去准备讲课培训的事去了。我马上通知了我所有下线，每人带五个好朋友来听课，我又另外通知二十多人，并做好了一切准备工作。

我知道这种培训对市场运作很重要，这又是第一次在我市搞培训，所以不能出现一点问题，这个头一定要开好。造势也好，造神也罢，只要对运作有益，就得努力去做好。我也得让公司的人知道知道我有多大能量。搞这种活动，我还算是有些经验。当初在政府办公部门，也经常参与一些大型活动的筹备。虽然内容不同，但过程都差不多。我在充分的考虑了让公司人员满意的同时，我得让参加培训的经销商和没加入的新人，都有个深刻的印象，以此来增加吸引力，以期达到预期目的。

培训是在公司来人住的这家宾馆的会议大厅里进行的，按着预定的时间，上百人都准时坐到了会议大厅里。当我把郑经理和讲师们请到会议大厅时，他们都呆住了。他们无论如何

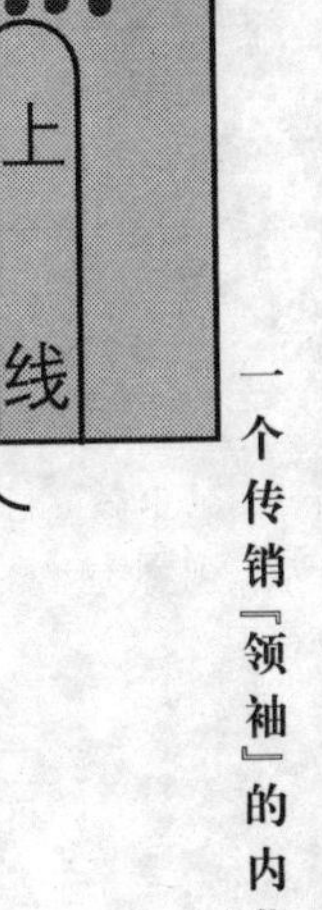

没有想到我竟然把培训班搞的如此隆重。在主席台上方悬挂着巨幅横额写着:“美商东方精细化工有限公司创业说明会,”一个大黑板在前面,而且有专门的摄像和摄影的人员。

我轻轻走上讲台,大声的问候了一句:“大家好!”然后带着自豪的口吻自我介绍说:“我是美商东方精细化工有限公司的一名经销商,也是公司在我市的商务代表,我叫富成。”我转身把富成写在黑板上,又接着说:“我能够荣幸的成为一名经销商和商务代理,首先感谢公司和我的上线冰怡小姐。”我又把冰怡写在我名字的上方。又说:“我感谢我的上线给了我一个发财致富和发展事业的机会,现在我把这个好机会送给在座的各位好朋友,我希望我的出现,就像我的名字一样,给大家带来财富和成功。”我在“富”的前边写上“财”在“成”后边加上“功”。说到这里我是很激动的,过去几十年里我从没有像此时这么激动,这么慷慨激昂。而且行为动作都很夸张。

我几乎是在大喊:“我之所以认为这是个发财致富的好事业,是因为我仅仅运作了半个月时间,就赚到了比我月工资高出六倍的数额……今天是 1996 年 9 月 12 日,请记住这个日子!请记住这个日子!从今天起,我们都将获得巨大的财富,从今天起我们将掀起全市美容的高潮……我们的公司,为了开拓这块市场,为了帮助大家成功,分公司的经理郑木先生带着分公司和总公司的讲师来到我们这里,让我荣幸的向大家介绍……”

接下来,郑经理做了简短发言。

郑经理说:“各位新朋友,大家好!今天来到本市,让我很吃惊!我没想到富先生在这么短短几天,就发展了这么些合作伙伴,更让我想不到的是,今天来了这么多朋友,加上富先生的信心,我相信,我们公司的产品会走进千家万户,我们的合作伙伴越来越多。我们公司的经营理念是诚信、务实、公平、守法,我们的产品是建立在家庭消费基础之上的,我们公司全体员工都是全心全意为顾客服务的。我们有正确地经营理念,有优质的产品,有良好的售后服务,我们的事业一定能成功。在这里,我代表公司向大家保证,我们会全力配合大家,做好市场,我也希望,等我下次再来的时候,能看到更加热烈、更加兴旺的场景,我愿大家都能心手相连,携手共进。人类因有梦想而伟大,让我们共同实现自己的梦想。谢谢各位朋友。"

郑木讲完话之后,然后走上一名 OPP 讲师。这位讲师来自总公司,他讲课的方式是很独特的。他走上讲台,看了看大家,然后从钱包里掏出 10 美金,向大家晃了晃说:"这是 10 美金,哪位想要请上来把它拿去。"

全场的人相互看着,没人站起来,讲师又郑重的重复了一

1993 年春与妻子在黑龙江省委党校餐厅庆祝妻子生日。

遍刚才的话，这时候真的有一个人站起来走上去。讲师把美金递给他。

他拿到手看了一眼，笑着对讲师说："我不想要您的钱，跟您开个玩笑！"

讲师把钱塞到他手里说："我并没有和大家开玩笑，这 10 美金归您了。"然后大声说："让我们大家为这个勇敢的人鼓掌。"讲师接着说："我刚才拿出美金送给所有的人，我给了所有的人一次获得金钱的机会，但你们大多数人都不相信有这样的好事，也没有走上台来拿，而失去了一次机会，我今天就是来给大家讲一堂 OPP 课，OPP 的意思就是机会，这是一次获得美丽的机会，美丽对所有的人都很重要，因为爱美之心人皆有之。美丽对于女人就更加重要。首先女人要保养好自己的皮肤，皮肤是人的第一大器官，脸是女人的第一张名片，手是女人的第二张名片，女人必须把这两张名片保养好，事业才能成功，家庭才能幸福，抓住这次获得美丽的机会。

在获得美丽的机会的同时，也获得了发财致富的机会。财富的重要，我不说大家也都知道。加入到传销公司会拥有更多。你们不仅仅有妻子、孩子、还将有票子、房子、车子。只要达到了'五子登科'人生才是最完美的……大家积极的行动起来吧，都来做传销吧，让我们共同击掌做'爱的鼓励'，让我们鼓足勇气，来获得更大的成功……"

OPP 课讲完后，冰怡走上讲台，又讲了一堂如何美容和化妆的课。她走上讲台首先问大家："谁知道化妆的化为什么不写成画而写成'化'？"会场没有人回答。她又自答道："这是因为人化过妆会发生变化，而这个化就是变化的化。在生活中我

们都很注重自己的脸的变化，是的，人的脸变化后会给人带来愉悦，但是，真正的化妆应该是“生命的化妆，”只有生命的化妆才是化妆的最高境界。但人若想达到一种最高境界也只能从外部化妆开始。我今天要选一位女士，我要当场用我们公司的产品为她化妆，让大家看一看我们的产品有多么神奇。”

说着她就选了一位女士，在讲台上，冰怡边讲，边给这位女士化起妆来。我当时就站在冰怡身边，我发现那位女士的皮肤很粗糙，我不知道冰怡为什么不选一位皮肤好一些的。

冰怡说：“为了大家看清楚化妆前后的对比效果，我只给这位女士化半边脸。”

冰怡开始给这女士洁肤，去角质层，润肤，护肤，等这一系列做完之后，大家发现，一张脸的两面发生了鲜明的对比，做过护理的那半张脸，立即变得细腻柔润了，而那半张脸仍粗糙着。我终于明白了冰怡的良苦用心。

接下来，冰怡又给这位女士上了彩妆。女人被化妆之后，真的漂亮无比了。由此我才发现，世界上根本不存在真正意义上的美女，所谓的美女，实际上是美女妆而已。冰怡在操作中讲完了一堂美容课，也教会了大家怎么使用这些产品。课讲的十分成功。

下课后，会场有一半的人马上购买了产品，办理了加盟公司的手续。

传销是讲究跟进的，要在大家的热情还没冷却之前再加一把火。为了让这些人的热情能传递给更多的人，郑木他们又商量了一下，决定趁热打铁，把火烧旺。

当晚，又对已加盟的经销商开了一堂 NDO 调整心态课。

我说："我当兵的时候，没少给战友出主意，也在那结交了好多战友。我帮他们出的大多数是坏主意，为了他们好，我不管是什么主意，只要有人找我，我就有主意。说来也怪，我出的那些主意都很有效果……"

郑经理说："这就是一个人的智慧，做传销首先要有这种智慧，不然怎么管理大家呢！"

我说："这都是天意，让我接触这一行……"

也正是这次旅游式的市场考察，使郑木更加坚信了我在这一区域的社交能力。

郑木说："富先生，就凭你这样的社会背景和人际关系，我相信，这个市场很快就会被你打开，看来我选对了代理人，咱们轰轰烈烈的大干一场。别说你那几万元贷款，就是有几十万元的贷款也会很快还上。"

我说："真是天赐良机，我怎么也没想到做起传销来，真得感谢我的上线和你们，现在说什么都有些早，咱们走着瞧，看我会给你们一个什么样的惊喜……"

就这样，我们在亲切友好的气氛中，我们一同考察了市场。我把他们送走后，没过几天，一大批产品真的从分公司发到我市，看来我这回真的要大干一场了。

8. 造神运动

我知道，从现在起我已经踏上了一个新的战场。我还很容易的占领了块阵地。为了占领更广阔的疆土和更多的高地，我要去进攻，要去打胜仗。

我一向认为我是一个充满了胆量与智慧的人，我相信我会攻无不克，战无不胜的。

我这样的激励过自己之后，我就去实施我的这一庞大计划了。这时候我比任何人都清楚我该如何做。

现在我要从外表彻底改变自己的形象，我要洗心革面重新做人。

我是先找了一家发艺设计室设计了一下自己的发型，然后又洗了澡。我选出一套很高贵且笔挺的西装，找到几条色彩很搭配的领带。我又开始购买了一些随身使用的东西，比如高档香烟和打火机，比如贵重的眼镜和钢笔，我要使我使用的任何东西都十分精美。然后挺直胸膛，意气风发，斗志昂扬的出现在各种讲究的社交场所。

1998 年冬在家中思考自己的未来。

为了进一步向公司显示我的能量，我邀请郑木一行人去另外的县镇去开发市场，并陪他们游览了许多边塞风光。我这样做的另一个动因是，我发现了郑木和那个男讲师的一个秘密。在一次吃饭的时候，我发现他们两个人的目光都分别和那两个女讲师在做一种很微妙的交流。而这种交流在互动中充满了那种男人和女人的一种渴望。

所以我一提议到其他地方游览和开发市场，他们马上欣然接受了。

我们一同出发了，可能是心情好的关系，我也尽情的欣赏着各地的景色。这时我才惊奇的发现，我生活了这么多年这个地域，山水风光如此之美，而过去却没有感觉到。这虽是个秋天，我总感觉是春光无限。就连我自己也变了另外一个人，我也仪表堂堂起来，而且言谈举止也神采飞扬。我陪同郑木和冰怡他们五个人，一路向北至到边境那个县城。在我们停留的那几个地方，都有我好多朋友，他们都十分盛情的接待我们。于是我就抓住朋友招待我们的时机，劝他们多喝一些酒。谁都知道酒是可以激发人的那种欲望的。但，这种事情是很难说出来的。我想出了一个办法，在开房间时，我有意的开了三个标准间。

郑木笑着问："这怎么住？"

我说："我和我上线冰怡晚上聊一聊文学创作，我俩一宿都不睡了，反正白天也睡够了。另外那两个标准间，你们俩男住一间，俩女住一间。"

郑木坏笑着说："你合算了，我们才不干呢，我们也谈文学创作……"

我们就会心的笑了。这时候我才发现，我这种良苦用心其实是多余的。他们没有主动提出来的原因，原来是怕我看不习惯。

这天晚饭时，我有意多喝了一些白酒。回招待所的时候我佯装醉的不省人事了。这晚，我和冰怡住在了一起。冰怡很高兴。

她说："你这不是教他们年轻人学坏吗？"

我说："我还教他们，他们比我坏多了。现在的年轻人可不得了，什么事都敢做。"

冰怡说："还说人家，你不也这样！"

我说："这可不同，咱们俩是建立在深厚的革命友谊基础之上的，咱们是相亲相爱的……"

冰怡说："别说的这么肉麻，你怎么这么恶心呢。"

我说："好了，咱们搞文学创作吧，咱们俩好好'构思构思'争取作出一篇精品来……"

于是我就和她'构思'起来……

但我们还是以正事为主的，构思只是一个插曲，但不能当成主旋律，我们共同的任务就是赚钱。我是再也不想过没有钱的日子了，我怕过没有钱的日子，我觉得没有钱根本就不是人过的日子。只要是赚钱，我什么都敢作，只要不违法，怎么做都不过分。所以我尤其的卖力。我过去从没这么卖力的作过什么事情，也没有这样的立竿见影的得到过经济回馈。我们一边考察市场，一边不停的吸收人员加盟公司。到最北一站时，我选定了欧阳凤作为我在这个县的代理人，我有意让我部队的朋友出面接待了我们。在部队军营里吃住，还到边境线上看对岸风光。郑木他们感到很新奇，他们第一次看到部队生活是什么样子的。乘机，我也和他们讲了我过去当兵的事情。

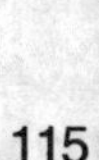

随后这些经销商又推荐了一批新人加盟了公司。

郑木亲眼目睹了听课的场面和加盟公司的人员情况，十分激动的单独和我进行了长谈。

他说："富成兄，祝贺你，我真没想到你这么厉害，你刚加盟公司就会利用课堂培训'造势'，你所安排的培训场面简直就像个高层领导会议，而且你对传销中的捧公司，捧上线，捧产品这'三捧'使用的如鱼得水，说老实话，昨天听你有那么大设想，我还有些怀疑你是纸上谈兵，这回我服了，看来你已经真正的领会了传销精神而且有一个传销领袖的风范，我回去向总经理汇报这里的情况，你一定会取得巨大成功，我现在就决定正式批准你为公司驻本市的商务代表，每月底薪 2000 元，并根据你的业绩随时上浮；从现在起，我派分公司讲师，来这里配合你开拓市场，必要时我再请总公司的总训师来；并且确定在你市设立供货站，把大量产品调过来，你只预付 50% 货款；考虑到你现在的经营状况，公司出资给你租会场和办公室，招聘工作人员，安装电话传真，这一切均由公司负责费用；最后一点，根据你产品的销售情况，不影响你正常推荐人和正常销售利润，额外给你一定的销售奖励。"

郑木几乎是一口气说了这些话，我几乎听呆了。获得如此优厚的待遇，是我过去连做梦都没敢想的事情，这使我的身价一下子就提高了。我都不知道我是谁了。省长享受的待遇也不过如此，有了这样的待遇要不去拼命动作，那才是大傻瓜。这仅仅是个开始，接下来我还会有更多的推荐费，还会有业绩奖金，我要让五子早日登科。我从内心里感激传销公司，更感激我的上线冰怡。遇上他们，我太幸运了，我也该走好运了。但这里仅有一条是我难以做到的，那就是我拿不出钱来去公司押货。我能预料到，我的体系每月的需货量会很大的，这要拿出很多钱押货。我没有钱，我是想通过传销来赚到钱。我并不是为了使用什么优质的产品。外国人做传销可能是为了使用产品，中国人只是为了赚钱。赚钱才是第一位的。什么第一张名片还是第二张名片。没有钱的人要名片干什么用，名片是用来体现一个人的身份，没有钱还有什么身份。我很矛盾，一时想不出该和郑木怎么说。人家已经给了我这么优厚的待遇，再提要求是不是太过分了。但我又没有其他办法，只能说实话了。

我很坦率的对他说："郑经理我非常感谢您给我这么优厚的待遇，我保证不辜负您的期望，我会把市场做的最大，业绩最高……但我正是由于没有钱我才来做传销的，我有几万元的贷款还没有还……我觉得自己到了做买卖的地步，可以说是一种堕落……我没有钱押货，但我用我的人格担保，产品绝不会出一点问题。"

郑木想了想说："我相信你，我就破例给你无偿供货，但不要告诉别人。"

我和郑木当即签署了合作协议。这个协议是对我格外关照的，协议注明我可以跨越地区随意建立网络体系而不受限制。并附加一条，我每月去分公司或总公司的往返车票可享受软卧待遇。郑木之所以给我这么优厚的待遇，除了我的两个上线在他面前为我说了不少好话外，他此次来我市也看到了我这个市场的潜力是很大的，尤其是我的统御能力。另外他也是想在我这里赌一把。因为我如果做不到一定业绩，他可以不兑现这些条件的。

我觉得，仅仅有了这些很外在的东西还远远不够。我就托各地的朋友帮我在书店、书摊寻找所有关于传销方面的书籍。很快我就搜集了一大堆书，其中有传销智慧集锦、传销秘诀、传销研究、传销必胜术、传销大全等等。我发现，这时间关于传销的实战方面的书林林种种，多的让人眼花缭乱。

弄到这些书后，我就开始加紧阅读研究。这些书里告诉人很多有用的东西。这使我更深入的了解了世界各国对于传销制定的政策、法律规章。我知道了传销的真正要义。

为了显示我对于传销的深入理解，也为了让我的下线知道，我具有的超人的才华。我召集了一些下线，搞了一次专题性讲座，我讲座的专题叫“中国传销之我见”。

我把中国传销兴起的原因，中国消费群体的现状与心态以及如何来做传销，大讲特讲了一通。

其主要内容就是说，中国正处在改革开放的飞速发展时期，由于急切盼望早日加入 WTO 组织，便尝试着采纳国外的一些经济形式，以使多种经济形式并存，以期缩短与国际间的距离。传销便是国家尝试的一种，所以才试验性的批准一些传销公司，但仅限地区进行，带有划地为牢的性质。但我们应该深知中国这几十年来变幻不定的政策。无论政策如何变更，但其中有一个不变的规律。那就是一喊就放、一放就滥、一滥就收、一收就喊、一喊又放……

由于各种监督机制和保障措施有待在实践中总结、检验、完善，所以变化性很大。

讲到这里，我不失时机的强调，要抓住这一无序的时机，快速使自己成功。因为一过了这个村就没有这个店了。

接下来我又开始分析国内和国外消费群体不同的心态。我说，国内的消费者与国外发达国家的消费者不同，因为不是一种经济模式，消费者也就不同，在国外经济发达国家的消费者，加盟传销的主要目的，是想长期使用一家公司，一种品牌的产品，以期使自己使用的产品有质量等方面的稳定性。在此基础上，随着使用，消费数量的增加而享受更加优惠的产品。

而国内消费者加盟传销的目的正好与之相反。因为传销公司的产品价格会普遍高于市场上的同类产品价格，也由于消费层次低、社会购买力弱，所以并不是以消费为目的，更多的是想从推荐人加盟和推销产品中获取利润。这就使国内的传销人处于一种以赚钱为惟一目的的状态。

说到这，我很坦诚的告诉我的下线们。我也是为了赚钱才来做传销的，我需要钱，但我会用一种不同于常人的作法来做。我接着分析。我说，由于传销是一种很新鲜的营销形式，至少目前在中国是这样。而这种形式在很短的时间内就被大众盲目的接受了，我说的盲目是没有多少人像我这样认真的研究传销究竟为何物。这种接受，是突如其来，没有任何思想和心理准备的接受。是用赚钱这敲门砖而导入的。为什么这么容易的被大众接受呢?是人们太希望自己快些富起来。这其实就会产生另一个问题，人们就会跟风，就会极功尽利，就会不择手段，这样就又造成了“滥”，一滥就有可能收。

讲到这，我觉得不对，我如果强调了收，那就会使传销商失去信心。我马上说，在中国要收是不可能的，以然这样了是无法收回的。但我们明白了这一切后，当务之急就是加紧动作，要在短时间内获得成功!

她说:“上哪弄这个法则去?”

我说:“ABC 法则就是借别人来说服他们,比如新人是 C,我们是 B,你是 A,我们和新人讲,你讲他们不容易相信,他们会认为你是为了卖产品挣钱呢。”

她说:“噢,你们过几天再来呗。”

我说:“我会经常来的,努力运作吧!”

在回来的火车上,小妖一直忍不住的乐。她说:“你这是从哪弄来的这些下线呀……你们这里的人怎么都这样呢,好像可傻了……奇怪呀,你怎么不跟他们一样?”

我说:“我当然不跟他们一样,我和任何人都不一样,我虽然生活在这块地域,但我的胸怀是世界的,毛主席教导我们说:胸怀祖国,放眼世界嘛!”

小妖说:“你真太适合做传销了,会表扬自己,又会激励自己,你做传销要是不成功,那真是天理不容。”

我说:“行了,你就别再帮我吹捧了,现在又没有外人……其实我这些下线也不都这么傻,那个上官兰就很聪明,还有一个很犟的代理人呢,那个欧阳凤,你怎么教她她都不听,就按自己的道走。做上线也真够难的了,太笨的下线又拓展不了网络,太聪明的下线你还得防着他。不然说不上什么时候就给你搞‘政变’”

小妖说:“富哥,这种事你可真得留心着点,有这样的人你尽量别让他接触公司的人,再说公司也不会和谁讲什么交情的,比如你这个大市场,你一统天下,公司就不太好控制你,公司要是再在你们市扶持一个和你抗衡的,你就无法和公司要条件了……”

我说："你放心，我的上线的上线，我知道怎么办，我会在短期内把我自己造成个'神'，到时候再冒出了仙来也没用了。"

小妖说："那你就好好造吧，不过你这点真比别人高。"

我说："纵观历史就知道，要想统治大众，就得来点神的，用宗教也好，迷信也好，帮会也好，这都是手段，不然怎么控制别人……"

小妖说："我怎么听着有点害怕呢，你这人太可怕了，太可怕了。"

我说："这回你知道我的厉害了吧，你等着瞧好吧，我还有高招呢。"

我所说的另外高招就是增加体系的凝聚力，我不能让这些下线们像一盘散沙似的，我要把所有的下线都掌握在我的手里。我以我的名字命名了我的体系。就叫"富成"体系，我要在每次聚会的时候，让人们反复强调富成体系这几个字，而且选了《明天会更好》这首歌作为体系歌。我选定在每月的8、18、28号为体系活动日，在体系活动日的时候，我要进一步的造神，不但造我这个大神，还造几个小神，让下线们拜神、敬神。

我既然造出了神，那就得给神建个像样的庙。

我选了市里一家最豪华的大宾馆，将代理机构设置在宾馆里，而且使机构弄得很奢华。为了显示我生活的优越，我也吃住在宾馆里，整日装腔作势的挺像那么回事，这使得没见过什么世面的人羡慕不已。

我给所有的下线做出了这样的榜样。并时刻提醒他们，朝我说:“我这人最大的特点就是守信用………咱俩这次只去两个县,一是司马欣那个县,司马欣是我们机关的那个女收发员推荐的,是女收发员的姐姐。再就是离市里最近的这个县,这个县的代理人叫端木木,是我直接推荐的。”

我和小妖来到了端木木的市场。端木木按着我的要求邀约来一些人听课。小妖讲了讲产品和美容知识,我讲了一些公司制度。这些听课的新人热情很高。

在结束讲课之后,小妖单独对端木木说:“再以后讲课聚会时,你要多捧富哥,多捧上线,你的下线才能捧你,再说富哥确实是很超群的人,把话说的过头点,没事……”

端木木有些为难的说:“我不会撒谎,我怕说的太大,人家不信,该以为我吹牛了。”

我和小妖刚一离开端木木,小妖就说:“这个傻×,怎么不开窍呢,太木讷……”

我说:“人家的名就叫木木,能不木吗,我选他当代理人是觉得这人很老实,不会给我惹麻烦。”

小妖说:“老实顶什么用,关键是得有开拓精神,能发展壮大体系。”

我说:“我会慢慢复制他的。”

我和小妖又来到了司马欣这个县。我们下了火车,迟迟也没有人来接站,我们又等了一会儿,见车站的人都走光了,我就说:“咱们自己找去吧。”

我和小妖费了好大的劲才找到司马欣家,当我们敲开她家的门,她正在睡觉。

我说:“这是咱们分公司的讲师,我们俩来给你们这的经销商讲讲课，你再邀一些新人一起来听课……”

司马欣问：“听啥课呀，卖化妆品还用听课呀？”

我说：“需要听课，不然经销商不了解产品怎么推销呀，不但要了解产品，还得懂一些美容知识，帮顾客鉴定皮肤，再掌握一些公司的奖金分配制度，这样好推荐人加盟……”

司马欣还是很听话的去做了，在做的过程中，所有小细节都问我和小妖，好像她自己什么都不会做。

小妖小声对我说：“又一个傻子，你的下线怎么都傻了吧叽的，笑死我了……”

我说：“小地方人就这样，就这么大块地方，用不着太尖，跟谁尖去？这叫纯朴，不像你们大城市的人都滑头滑脑的……社会上只有两种人，一种是滑头滑脑的，一种是呆头呆脑的……”

说过我和小妖就笑。司马欣不解地问：“你俩笑啥呢？”

我说：“笑着玩呢，没你事，快准备讲课的事吧。”

这次讲课是我先上的讲台，我上讲台的第一句话就说，我是市里来的，我在机关里任什么职，我是一位作家……

我这一番话讲过后，听课的人都十分崇敬的看着我。我又把小妖很隆重的介绍给了他们。然后就进行了培训。培训课过后，有一些人当即加盟了公司，即使没加盟公司的也买了一些产品。

我和小妖离开的时候，司马欣有些恋恋不舍的说：“你们还啥时候来讲课呀？讲课还真挺管用，我平时怎么跟他们说，他们都不信，你俩一讲就管用了。”

我说：“你得善于使用 ABC 法则。”

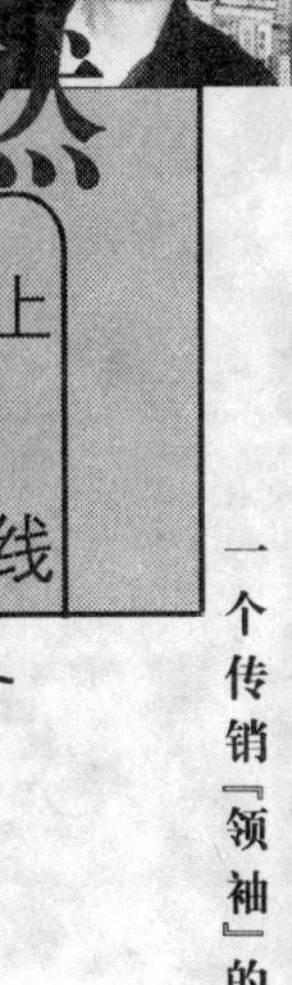

当然，在讲座中，我还不时的穿插一些哲学、社会学方面的东西。目的很简单，这就是让我的下线们感到我知识的渊博。因为所有的统领者都得有超出常人的才能，不然以何服人。

接下来我就又开始塑造自己的风范了，这就是自我约束和信条。我时刻注意着，在任何场合都不随意讲话，更不说粗话、俗话。只要说到就必须做到。在发展人加盟时，我会尽量讲清其利害。当然强调利的方面会更多些。我坚决不借债或贷款到公司押货。这样做是以防传销公司出问题而造成我的经济损失。

为了显示我赚钱多，在和传销商们聚会吃饭时我都会抢先买单，做到不欠下线人情债，而让下线欠我的债。

另一种约束就是不与下线发生不正当男女关系。这条约束对我是有一定挑战性的。常言道：英雄难过美人关。我倒不是说我是什么英雄，不是英雄就更难以过关。整日身边美女云集，且崇拜者与日俱增，我敢说有些女人来随我做传销是冲着我这个人来做的。我内心里当然也想借这种便利获取女人。但我很清楚这样做的结果。一旦我与其中哪一个下线有了特殊关系，肯定会不由自主的偏袒此人，而上线对待下线不平等，就会产生下线的不满情绪，如此复制下去就坏了。我经常见到演艺圈里被大众追逐崇拜的明星。而这些明星被追逐的主要一个原因是单身。当然，公开时是这样的，私下里哪有什么单身，这样做是给大众或追逐者一线希望。

于是我尽量不与女下线有亲密接触，努力使自己不食人间烟火。因为这是在发展起步阶段，假如事业已经成功，我不敢保证我不会越雷池一步。越好几步也不一定。

我在给下线们讲心态课时，总是说要有发传单的心态，把机会给所有的人。但我绝不这样做。因为我知道普通下层人是没有号召力和影响力的。我发展的对象是党政机关有较高职位的人，也发展公、检、法、司和工商、税务、金融领域的人。这些人的加入无形中就说明传销这种事情的身价。激发人们对传销的向往。

我做完以上这些，仍觉得不够。

于是我要求分公司郑木经理派小妖来随我走一下主要市场，我要培训出一批骨干。

小妖很快就来了。小妖来后我和她研究如何走市场。

我暗示小妖在到各地市场时要夸大我市运作和业绩在全省的位置，尤其是渗透给下线们我这个人的神奇。

小妖当然心领神会，小妖问我："富哥，就按你说的办，咱们先攻哪块市场？"

我说："目前我的下线们分布在四块地方，一块在市内，也就是我的直接下线漂亮女人发展的上官兰，这个人能力很强，野心很大，且很积极运作。这一块我暂不去管，先任其发展。我要扶持较弱的市场与上官兰抗衡，不然她会居功自傲，这样发展下去也怕，她取代我的代表位置。另一块市场就是最北部那个县，就是我上次和郑木他们去的那个地方，那地方太远，人的观念有些落后，不能急于花大力气去把精力浪费在那里。等我有了空闲再去复制那个欧阳凤。等有机会我带你去那地方游览观光，那里山水风光不错。"

小妖说："真的，我可记住了，你说话算话。"

我这个目标奋斗。

这一切都做好之后，我开始巡视整个市场，和众多下线接触，从而使一张大网编织形成。

我真的成了一个神奇人物，在整个体系里都口口相传着关于我的奇闻轶事。当有些事情传扬了一圈又返回来我这里时，我都有些吃惊。

比如说我比一般小国家的领导人都讲究仪表，而且才华横溢，学贯中西，出语惊人，其体系发展速度用不了多久就会扩展到全省全国。还说，我使用的香水和餐巾纸都只用法国进口的……

我听到这些反馈后，心中暗暗高兴。我想达到的效果真的达到了。这时候我就可以一呼百应了。现在不会有下线对我说的话表示怀疑了。我可以随便把鸡蛋说成是方的，而下线会进一步强调这方鸡蛋是怎么从鸡屁股里生出来的。就连平时和我说话很随便的女收发员再见到我时都表现出了惶恐。她都不敢正视我。

有一次我有意接近她，我说："你怎么这么看着我?"

她说："你太了不起了，你的事我都听说了，我看咱们市长现在都没法和你比了……"

我说："别全信别人说的话，我和你不是一样吗，只不过你是女的我是男的，其他都一样。"

她说："我可没法和你比，你太厉害了……"

在众多下线的眼中，我真的非常厉害。

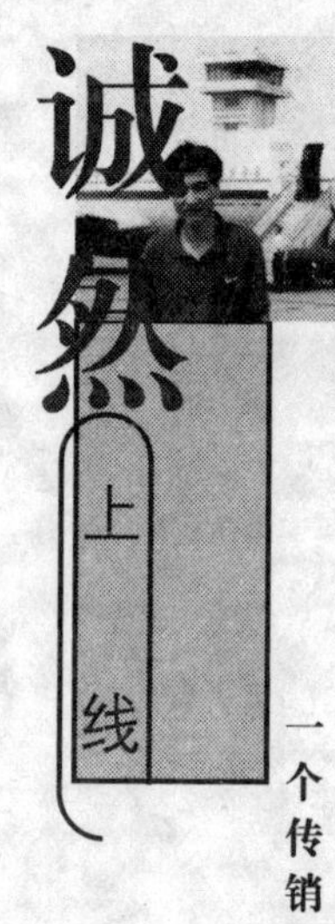

第 三 章

9. 诱人的领导经销商

时光流逝得很快，我在整日举办 OPP 和 NDO 的培训中，就到了月末报业绩返货款的时候了。

当我把所有下线的货款汇总到一起时，不禁让我吃了一惊。摆在桌子上的一堆钱有二十万之多。我把钱和一大叠货单装在两个档案袋里，买了软卧车票，坐进了火车的软卧车厢里，这时坐软卧已不像我当年乘坐那样，要看级别、年龄、工资收入额，现在只要有钱就可以乘坐了。可见钱比年龄、级别都显得重要了，人们的观念变了，铁路的制度也变了。要是还不变，我又得去假造绝密文件。现在法律越来越健全，越来越讲法，要是被人发现了还不得判我假造公文罪呀。这样最好，钱多的就坐软卧，钱少的就坐硬座。谁让人家有了钱呢，谁让你没钱了呢，谁让你不做传销了呢，没钱就做传销，传销挣钱。我现在满脑子都是传销，都是挣钱，什么文学，什么艺术，都靠边大字:诚信、务实、公平、守法。接下来就是培训部、财会部、发货部等等,最里面一套是经理室。

助理轻轻地 敲了几下经理室的门,就带领我和小妖走进去。

助理说:“经理,富先生来啦。”

郑经理马上从座位上站起来,笑着和我握手让座,很关怀地问:“富先生一路辛苦啦,在车上休息的好吗。”

我说:“还好,就是有点担心货款,睡不实。”

郑经理说:“下个月你可以寄过来嘛。”

我说:“给公司省点汇费吧,这些款也得花好多邮费呢。”

郑经理笑了,说:“好! 谈谈你那里的情况,一切都还顺利吧,听说这个月业绩很高,祝贺你。”

我把全月运作情况向他做了汇报,起先郑经理是坐在他自己的椅子上的,听着听着就站了起来,走过来坐在我的身边,脸上一直忍不住喜悦的看着我。

等我把所有的情况说完之后,郑经理又紧紧地握了我的手说:“好,公司马上为你颁发《领导经销商证书》。”并示意经理助理和小妖出去,又叫来财会部主任,授意说:“请你兑现富先生的一切协议条款,包括额外给的奖金,结算后交给富先生。”我把货单和货款交给财会部主任,他就去核算去了。

这时候郑经理说:“富先生,请随我到各部看一下,让他们都认识一下你。”我随着他到各部转了一圈,他把我很隆重的介绍给分公司所有员工,那些很年轻的主任、职员们,毕恭毕敬的向我问候、致意。我这才发现,我的年龄在这里是最大的,分公司里原来是一帮小青年,好像早晨八九点钟的太阳似的

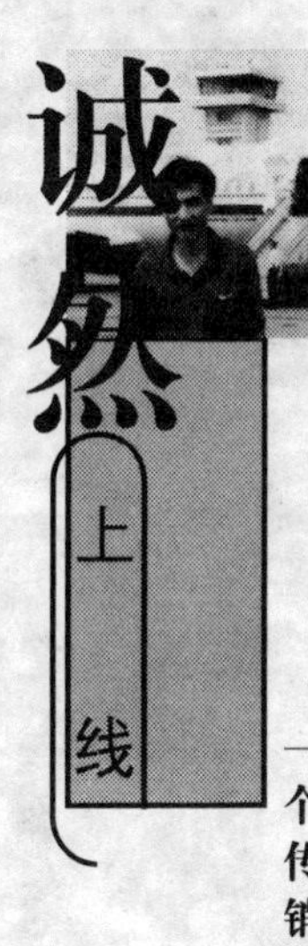

这很让我敬佩。

这时，其他一些市的商务代表也都陆续的云集到公司，大家见面后，相互介绍，相互问候，很是亲热。中午的时候，郑经理携公司的一些重要人士，在一家豪华酒店招待各地市商务代表，各地市商务代表相互大都熟悉，只有我是一个陌生人。但他们都听说了我是个刚刚加盟不久的经销商，而且业绩做的很高。他们都走过来和我握手。大家相互交流着，相互祝贺着，这种气氛十分的激励人，我甚至想，哪怕是为了这样的相聚也该好好的运作，不然下次再相互见面时很没面子。郑经理很会利用这种场合激励大家，可见他是很有能力的人，不然总公司不会把一个分公司交给他来管理。据一个老经销商说，在郑经理之前有一个女经理，由于成立分公司几个月没有什么业绩。在一次偶然的机会，当时身为公司财务主任的郑木搞了一次类似“政变”行动，自已登上了分公司经理的位置。他当上分公司经理后，仅几个月时间，公司的经营就出现了空前的销售业绩，加盟的传销人成倍增长。他很会对症下药，他会针对不同的市场和不同的代理商采取不同的合作方式和奖励政策。但目的只有一个，那就是把推荐和销售搞上去。

郑木在每个月都会将销售业绩最高的经销商隆重的介绍给大家，并围绕这个中心人物展开新的一轮的激励。这次招待会搞的很铺张、很浪费。然后就回到公司开起月会来。郑经理将各市的业绩情况向大家做了通报。我市业绩排在了第三位，这令那些老牌代表们很吃惊。郑木总结过后就请我站起来，他向大家介绍完我的情况后，就请我和大家分享一下我的成功经验。我的讲话当然是慷慨激昂的，我知道郑木就希望这样，线们推荐人销售产品。”

我听得出小妖又在复制我了，传销人是讲究上线复制下线的，这种复制是每时每刻的，就像谎言重复一万遍也会成为真理一样，听小妖这种看似不动声色的复制，我真的感受到一种东西。

这时我一下产生了一种紧迫感，我也必须不断的直接推荐新人，直接销售产品。

到了宾馆，助理帮我办好了住宿手续。这家宾馆的条件很好。助理说：“并不是所有的代表都可以享受这种待遇，有的住招待所，而有的代表，公司不负担住宿费，那就看你们的业绩怎么样……郑经理对您真是特殊关照，经理在公司等你呢，咱们去公司吧。”

在此之前，我不知道同是地市的商务代表待遇却不一样。我以为各地的代表待遇都是一样的呢。怪不得郑木嘱咐我不要告诉别人。原来在传销公司里，也有等级的。我从记事起

1997年夏在广州白云机场。

就对不平等深恶痛绝。那时候我以为，都是同样的人，应该平等。所以当我看见那些有权有势的人住宽敞的房子，安公费电话，坐公家小车，我就生气。而看见穷苦的人就去可怜，怎么传销公司也搞这一套……

我说："稍等一下，我洗一洗脸。"我说完就从皮包里拿出一套护肤品进了洗手间。

小妖眼睛一亮说："富哥，你还真用咱公司的产品啊，男人用这玩艺可真逗。"

我转身很认真地说："己所不欲，勿施于人嘛。"

小妖说："好样的，理念正确，不过，你可别变成人妖。"她说完就脆脆的笑。

我说："那不能，我要是变成了人妖，公司里的妖怪就更多了，挺吓人的，还怎么发展事业呀。"

小妖听后，眯眯着眼睛斜着我，我知道她听出了我的话外之音，我就马上去洗脸了。

洗过脸，换了套衣服，立刻显得庄重起来。衣服这东西是有欺骗性的。尤其在一个浅薄的时代，人们往往很看重衣服。好像那些布片子作的东西比人还重要。人要是没穿像样的衣服，别人就看不起，要是穿上华贵的衣服，人也随之高贵了，也就人五人六的了。我虽然看不惯这些风气，但我又改变不了这种现实，也只能随帮唱影，我也人五人六的随着助理和小妖去公司了。

公司设在很繁华的一个中心区，在一幢写字楼里有整整一层楼，楼庭是公司的巨幅标志，图形很像一轮初升的太阳。意为东方之太阳，正在升起，充满希望和活力。图标上方八个

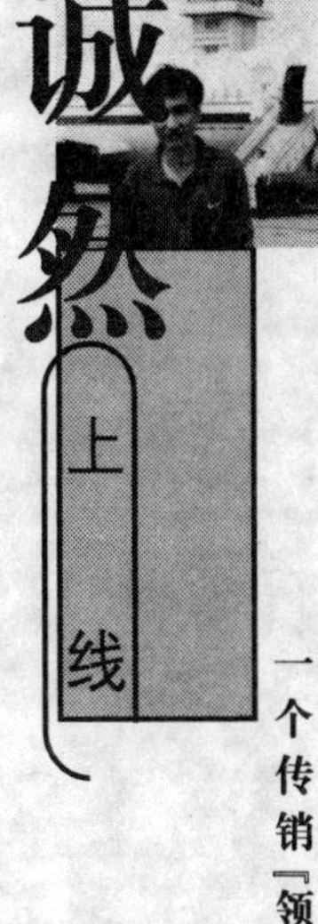

站着去吧，等我再有闲功夫再说。也不怪人家过去说我，连饭都吃不上了，还搞什么文学。文学是贵族搞的，只有吃饱了，穿暖了，才能悲天悯人，才能寻找孤独，才有伤怀之美，才能去观照人类。没有有钱这个大前提，那些都谈不上。想想过去和现在这两次乘坐软卧不一样的心情却是同样都带了文件档案袋。但这纸袋里装着的东西已经不同了。由此我想到，在今天，金钱是多么的重要。实际上我什么都没有变，我的相貌、身高、体重都还是过去的样子，只是因为比过去有了些钱，所接受到的目光和享受到的待遇竟是天壤之别。在软卧车里吸烟不但不会受罚，列车员还不时的帮我把烟灰倒掉，茶桌上的杯子里总是保持着一杯热茶，就连就餐都优先这节车厢里的旅客。这上哪说理去！

火车到达了省城，我下车不用去和那些普通的旅客拥挤着出站，我走的是贵宾通道。我现在已经成了贵宾。贵宾是什么？贵宾就是高贵的宾客，这好像是在说废话，其实就是这样。人高贵了，就可以享受高待遇，就可以得到人们崇敬，否则就得走大众出站口，就得让人推来搡去，挨骂受气，谁让你不是贵宾了呢，这不能怨别人，只能怨你自己。做传销就能成为贵宾。想到这，我自己都忍不住想笑。看来我是没得救了。只要让我钻进什么里，我就很难出来，我属于那种死心眼的人……

当我走出铺着猩红地毯的贵宾室回头张望时，心里想到了许多，人和人是那么的相同，却那么的不同……

身后有一个女人的声音说："哎，老兄，看什么呢？"

我回过头见是小妖正冲着我笑着，在她身后，分公司经理

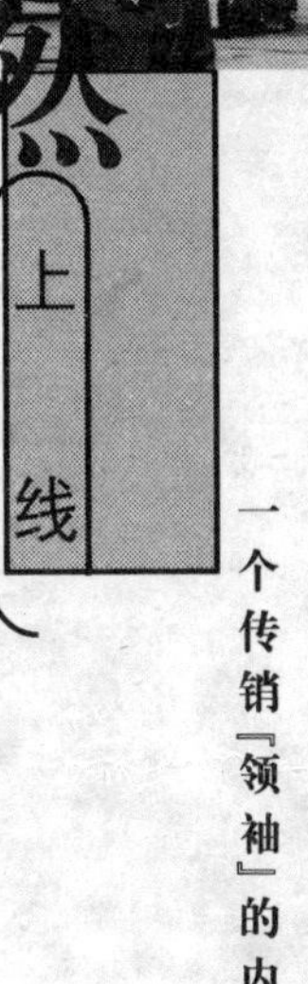

助理快步迎过来，接过我手里的皮包，把我请进一辆轿车里。

助理说：“富先生，咱们先去宾馆吧。”

我说：“好，好。”

小妖笑着：“富哥，祝贺你，这个月有这么高的业绩，按公司规定，你的销售额已垒计超过二十万元，你上升为领导级经销商了，也就是说你的奖金比例又提高了10%，领导嘛，就得享受领导的待遇，好好干吧，楼房会有的，汽车会有的。”

我忙说：“承蒙上线栽培，下线不胜感激。”

小妖笑着说：“别，别，别感谢我，你得感谢冰怡。”

我说：“都感激，还有公司……上线，冰怡的市场做的怎么样了？这次她不来公司报业绩吗？”

小妖停顿了一下说：“她的市场不太好，还没有发展起来，你这条下线又这么强，她开始偏线了，发展不平衡，加上你一下子冲到领导级，她就得不到你业绩的差额奖了，你和她的奖衔是一样高，她只能从你这得到很少的感恩奖了……”

我听后心里一怔，既尔觉得很不是滋味。

我第一个月时，奖金是在12%档的，也就是说我和冰怡的下线们销售了100元钱产品，我得12元钱。因为最高奖衔是22%，她可以得10元，当我冲高到最高奖衔时，她就得不到这种差额奖了，只能从我这体系得到2%的感恩奖，这算下线对上线的报恩。

我说：“这样多不好，我发展的快，她却赚的少了。”

小妖说：“你不能这么想，商场是无情的，谁做的业绩高谁就多拿奖金，有一天你的下线都达到了最高档的奖衔，你的情况也一样，所以说，必须不停的推荐下线，而不能坐等你的下然后就听到了很热烈的掌声。郑木当即决定，让我把刚才的那段话写出来，再附一张照片，推荐到总公司的《东方企业文化》杂志上刊登，并说像我这么快的发展速度是值得在总公司宣传推广的。因为用一个多月的时间就成为了领导级经销商，是绝无仅有的。

当天下午，那些商务代表们都又陆陆续续的离开了省城，而郑经理要求我再玩一天。我听从了他的意见，也想和公司里的员工多接触一下。

怀里揣着很厚一叠钱，很是兴奋，我就走出了公司，来到大街上，我环顾着这座城市。已经是冬天了，这座城市的美丽也都是在冬天才能充分的体现出来。大街两旁有许多用冰雕的作品。这是座冰城。我太熟悉这座城市了，省里那个秘书培训班和作家班，我都是在这里读的。这里有我好多老师和朋友。我想，我应该去看望一下文学院的老师。

我买了一些非常昂贵的水果，来到老师家。老师非常高兴，鼓励我在这家公司好好干，但也别放弃创作，还说，有了这样的生活经历之后，创作的题材就更宽泛了。我说是的，说不上什么时候，我可能会写一写这些经历。

从老师家出来，我又去了两家杂志社，这两家杂志社都发表过我的作品，这也是我的一种习惯，我每到一个地方，都会去那里的杂志社看看，哪怕只是坐一坐，聊一会儿天，心里也会得到一些满足。我把几个熟悉的编辑请进一家西餐厅，我要好好的招待他们一回。这个西餐厅是俄式的，属于老字号。消费很高，平时一般经济收入的人是不敢走进来的。过去我也经常经过这里，但从没敢进来过。我那时候还暗自想，进这里就餐的都是些什么大人物呢?现在我就在这里就餐了,而且我上到了最高那层楼。我一到这里,就喜欢上这了。真的和平常的酒店不一样,装饰、格调、氛围、服务都是我未曾见过的。那几个编辑也没来过,所以显得也很拘谨。我让他们随便的叫菜,只要想要,只要喜欢,其他什么都不用管。我们很奢侈的用过西餐后,我又独自去了一家很大的商场,随心所欲的买了些衣服和用品,都很名贵,这样做也是更适合自己的身份,谁让社会这么浅薄呢。

在回来的路上,我这时才感觉到,大把的花钱是多么快乐,因为在当今社会里金钱能买到的东西真是太多太多了,而用金钱买不到的东西却变得越来越少了。

我想到了郑经理,我又买了些高档香烟,这是给郑木买的,然后又买了美国蛇果、提子什么的,分给各部的员工,我觉得他们为代表们服务也很辛苦。

在我回到公司把这些东西分发下去并表示谢意之后,我万没想到,我与大家的初次会面,我的人气指标竟然升到了最高点。他们已经改富先生为富大哥了,还有称我为"大哥大"的。他们对我表示敬意的中心思想是,富大哥大义气,知道感恩戴德,不同于其他那些代表,牛哄哄的,总觉得公司欠他们什么,总觉得是他们养活着公司员工,为公司创造利润。我的与众不同就在于此,将心比心,都不容易。

郑木也说:"富哥这么客气,我们不好意思。"

我说:"大家相互帮助,才能成功,其实你们也很辛苦的。"

郑木说:"别说了富哥,我就认下你这个大哥了,晚上我请你去洗浴,然后去歌舞厅。"

作懂政策，装作很廉洁，装作为百姓办了多少实事好事。真是到什么地方说什么话，到什么船上唱什么歌。我平时是极力克服机关干部身上这些东西的，因为我瞧不起这些，但我毕竟工作在那个环境，怎么也不能彻底摆脱掉那些毛病。这下可好，让人家给看出来了，可能是被她看出了身份，我终没敢随心所欲。出来时我想，随心所欲也真是需要勇气的。

从这一天开始，我知道了这世界还有其他的活法。

郑木说："虽然都是一样的人，但活法千差万别，咱们这样都不值得一提，咱们没见过的没尝试过的太多了，有些东西连想都想不出来。"

我坚信他的话是对的。的确，在这个世界上，虽然人的结构都是一样的，但活法却是千差万别的。人都在各自追逐着自己所需要的东西，为此不择手段。我觉得造成这样结果，有两样罪恶的东西，一是人的嘴，如果人活着不用吃东西，那会免去很多麻烦。再就是贪婪，贪婪要比嘴更可恶。正是贪婪不满足于吃饱穿暖，想要的东西太多，又总是无休止的，我似乎是在不知不觉中，我身上的衣服都换上了名牌。名贵的饰物，这些东西很贵，但很耐用，高级的香烟也很好抽，包括洋酒，味道极独特。在商场里，我顺便买了些椰子、洋桃、芒果之类的水果，我想把这些带给家里人尝一尝，尤其给母亲尝一尝，母亲活了一辈子可能连听都没听过，世界上还有这么稀奇古怪的水果。我是很孝敬老人的，由于父亲去世早，我就更加觉得母亲的不容易。母亲也非常令我敬佩。母亲很有思想，很有办事能力，且受人尊敬。我身上更多的是接受了母亲身上的一些品质。而我其他的兄弟姐妹都接受了父亲的遗传基因。他们忠厚

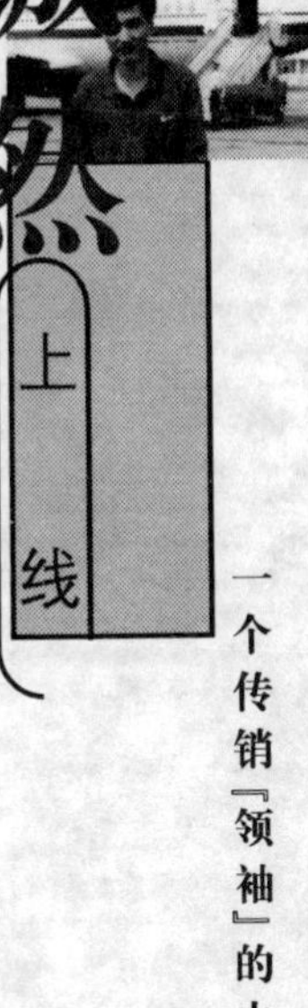

老实,胆小怕事,安贫乐道。母亲经常生气地说,你看你们兄妹几个,怎么都不如小成。实际上母亲是说他们不如母亲,并由此对他们哀其不幸,怒其不争。所以母亲对我就十分偏爱,只要是我想做的事情母亲都赞成,在家里只要我提出的建议,母亲都采纳。母亲还逢人便夸我说,你们看我那二儿子,干啥像啥,那几个就不行,我们家孩子要都像小成那样,可就都了不得喽!当我把这些水果递到母亲手上,让母亲尝尝味道。

母亲说:“买这么贵的水果干什么?有钱得省着点花,你从小就这样,大手大脚的……”

我说:“您别管这么多了,快吃水果吧!”

母亲吃着,脸上笑着。

我说:“我请您上一个大酒店吃饭去。”

母亲说:“不去!”

我说:“您听我的,咱们现在就去。”

母亲只好随我去了。在路上有邻居问母亲去哪里,母亲十分自豪地说去酒店吃饭,而且还说,我儿子这不是有钱了吗……

我也看着母亲笑,我心里想,我终于能为我母亲做点什么了。可惜父亲走的太早了,假如都在该多好……

我不愿再多想,只想把这些快乐存留得时间更长些。

这回,我可以还清买房子的贷款了,再也不用为这件事发愁了。按理说,我可以结束传销了。因为我已经还清了因买楼房贷的款。我做传销的起因也是为了还贷款的。但是,我没有停下来,这是那个叫贪婪的家伙在作怪,而不是我的问题。我没停下来的另外一个原因是,我要通过我做传销的成功,来向实际上对于熬夜我是很习惯的，搞创作、写材料我都是在夜晚，但我从来不知道外边的夜晚如此多彩，我想，索性就随他们去吧，我一个大男人又不用担心什么，尊敬不如从命，我倒想看看这世界精彩到什么程度。

我们又换了一家酒店，吃过之后，郑木问我："富哥，你歌唱的怎么样？咱们去唱一儿会歌，也放松放松。"

我说："音准可以，但音色不佳，人们都说我属于沙哑派。"

我们进了一家歌厅，要了一个包房，选了三个小姐过来，大家就挤坐在一起腻了起来。小姐都很年轻，很甜美，很体贴，很温柔。但我总觉得不舒服，因为这既不是自己的妻子，又不认识，还得装作非常熟悉的去打情骂俏，怎么也觉得不自然。再者说大家刚相处不久，我要是表现得饿虎扑食似的，很不像话，再说我也不饿，我就坐在那矜持着，郑木准是看出了我的心思。

郑木说："老兄，别这么冷落小妹妹，和人家亲热点，别冷着脸，吓着了小姐……你可以随心所欲，有什么困难小姐都能帮你解决。"

我嘴上应着，但仍没敢随心所欲，其实我也明白郑木所说的意思，我也知道在这种地方想做什么就可以做什么。反正是各取所需。男人们到这里宣泄，而这里的小姐是为了赚钱。但我仍觉得这很不是滋味，男人和女人一旦成了买卖关系，那还有什么意义了。我不说话，只是看着电视里的画面。电视里放着歌，有一些穿着泳装的女人们做着各种动作，那些动作带着一种诱惑。我从未经历过这种场面，就很正人君子似的坐在那不敢乱说乱动，因为我还算是公职人员，这要是捅出去，我可丢不起这人。

经理和助理领着小姐去其他房间了，可能去随心所欲去了，也可能只把我和小姐留在这里，是便于我随心所欲。

我只问了问小姐的年龄，还有小姐来自哪里，小姐一一告诉了我。

我很不解地问："你为什么出来干这个？干什么不好？"

小姐笑着说："我不干这个能干什么，我要是不干这个，那你们去哪里娱乐？"

我被她的话顶了回来。我甚至觉得自己这种举动很可笑。我原本是想劝娼归良的，倒弄得让她看不起我。好像我什么都不懂似的，我心里想，我就是看你的年龄比我小的太多，不然的话，我也不是吃素的，你以为我是和尚呢。

我又问了她的收入，她没有正面回答我，而是说："我一个月的小费比你的工资能高三四倍吧。"

我说："你怎么知道我挣工资？"

她说："我们是干什么的，什么样的人没见过，我只要一搭眼，就知道这客人是什么身份。"

我来了好奇心，问她："你看看我到底是干什么的？"

她说："机关干部。"她一句话吓了我一跳。

我真是服了她了，我竟然被她一眼就能看出身份。可能各行业的人都有职业特征，做买卖的人嘴上肯定离不了钱，而捡垃圾的少不了要说哪个垃圾场能捡到东西，哪个废品收购站的收购价高。机关干部当然要谈些机关的事。比如某某人要入党了，某某人又要提职了，某某人晋了职称后工资能涨多少了。除此之外没什么新鲜玩艺。另外机关干部还比较能装。装

晚餐是我和郑木及助理三人一起去用的。在用晚餐之前，小妖也在场。

郑木对小妖说："你和员工们去用餐吧，我和助理单独陪一陪富先生，我们还有些事情要谈。"

小妖挤挤眼说："好吧，好吧，我就不打扰你们的好事了！"

郑木说："我们是在一起谈工作，没有别的。"郑木说完这句话自己也忍不住笑了。

小妖说："对呀，我也没说别的，谈工作不是好事吗？"

我发现，小妖底确很聪明，她会把别人的一举一动都看得很透。那次郑木他们来我市之后，小妖私下里问我："你们三男三女是怎么住的？"

我说："是三男三女住的。"

小妖就鬼鬼的笑。我知道，什么事情都别想瞒过她的眼睛。我从小妖的表情中感到了郑木可能要为我搞特殊的安排。至于什么内容我猜不到，但我能感觉得到。我曾听说过，大城市里会有一些地下色情服务场所，我没领略过。我想，郑木准是要把我安排在那种场所里去消费。而小妖心里更加清楚这些。

我们去的是一家更加豪华的大酒店，这餐的档次就更加铺张，而且大家都喝了好多酒。然后就去洗浴了。

洗浴倒没什么稀奇，我过去洗过浴，而且我过去洗浴过无数次，不然早成泥人了。但这样的洗浴是我平生第一次经历的。我不知道同样是把身体清洗干净，还有这么多不同的形式。就像同样吃饱肚子还有更多的吃法一样。在单间里，不用和那么多裸体一起向大家展览，而且是洗浴后，又发了内衣睡衣之类，并且有小姐做全身按摩。被一个年轻靓丽的小姐来按摩身体的各个部位，那种感觉是说不出来的。在按摩中再和小姐调侃几句带有颜色的话，大家都很愉快。那种温情，那种关怀很享受。之后，又是洗头，又是泡脚像皇上似的。我敢肯定，当年的皇上也不可能享受到这些。当我们三人出来，助理去结账时，我看见助理掏出了近千元交给总台。

我有些不好意思地说："这种消费太贵了，太破费了。"

郑木说："这不算什么，就算公司对你的特殊奖励吧，再者说，人生一世，草活一秋，能享受就得享受，人生苦短，转眼就是百年，还求什么……"

我说："谢谢郑经理对我的厚爱，咱们回去休息吧，现在已经很晚了。"

郑木说："回去怎么行？早晨从半夜开始，现在刚开始，咱们去吃点宵夜，然后接着奖励你老兄。"

1997年在满洲里中俄互市贸易区"中华门"。

世人证明，我存在的价值。过去，我普通是因为没有人给我机会，我没有地方施展我的才能。就像一个演员，不给他舞台，他怎么表演。要猴还得打个场子呢。当然，在街边也可以表演，我总不能牵着一只猴子敲小锣吧。就是把猴戏表演得再好，那也只是杂耍卖艺的草台班子。登不了大雅之堂的。现在我终于有舞台了，我得使出浑身解数，大展拳脚，我要让观众看看，我不是跑龙套的，我是主角，我还会成为明星，让身边有一大群"追星族"，我再拉他几个小明星，我让他们众星捧月，我得上天，上月亮上去，把吴刚赶下凡，我和嫦娥去谈恋爱这才能显得我与众不同，我不管我是不是第三者插足，我只想插足，这时候我又有了一个想法，我既然热爱了那么多年文学，我也得把自己的文学事业提高到一个崭新的阶段。

我还想自费出一本小说。过去写的小说都是寄给各家的杂志，而且采用的少，退回来的多，有的杂志社连退都不退。现在我用不着那么辛苦的按着刊物、编辑的口味写作了，我喜欢怎么写就怎么写，然后自己拿钱出版，再也用不着他们瞎指挥乱提意见了。

回到家里，我把那辆骑了十几年的自行车扔在了街边，我希望马上被人捡走或者偷走，我再也不骑什么自行车了，出门坐出租车就行，也许用不了多久，我会得到公司奖给我的轿车，到时候我出门开小车，吃饭进酒店，生活肯定很滋润。有好几次在酒店遇见熟人，我都在他们不注意时帮他们买了单，我觉得这才够气派，才算潇洒。这才算一个真正的人过的日子。

当我又去分公司报业绩时，郑木把《东方企业文化》杂志送给我看，那上面登了我的照片和那篇"成功人士感言"，我的那篇感言是这样写的:我是一名国家工作人员,过去我一直看不起做传销的人,也不理解传销。但,有一件事情使我陷入了经济困境,我有幸接触了传销,接触到了美商东方精细化工有限公司。起初,我只是想试试看,但经过运作,我取得了一些成功,也得到了我意想不到的丰厚收入,我更体会到了公司倡导的诚信、务实、公平、守法的经营理念。我在想,我没有理由不去全身心地投入东方事业。这是对我个人能力的检验,也是为了回报使我迈进东方大门的上线。我的上线叫冰怡,是我在文学院青年作家班时的同学。是她把东方事业展现在我的面前……

我对郑木说:"写的有点太矫情了是吧?"

郑木说:"分寸把握的很好,那些新人和经销商们一看就得想,人家是国家公务人员又是作家,都来作传销,咱们还等什么呀!"

我说:"我这是帮公司招兵买马呢。"

郑木说:"这就是要登这篇东西的目的,你多带些杂志回去送你那些下线,这会对他们产生激励作用。"

我说:"此话有理,别说对他们是个激励,就连我自己也开始热血沸腾了。"

我这篇感言是写我自己怎样成为作家班的同学冰怡的下线过程。在这种无意的叙述中给自己加了个作家的头衔。同时又写了怎样在他们和公司的帮助下,仅用了一个多月时间,自己就成了领导级经销商。这是公司喜欢登的文章,这样可以去激励更多的人。

我把自己体系的网络图让郑木看,郑木认真的看了我新发展的人数，又算了算整体业绩，他很郑重的对我说："老兄，我发现你的体系出现了问题。"

我问："什么问题？我怎么没发现？"

他说："从你的体系的人数看，你的体系壮大应该更快，业绩应该更高，传销是倍增的，但你的体系没有倍增，我帮你诊断一下，看看发生了什么问题。"

我坐在那没有说话，像个患者等大夫那样下诊断似的等着。

郑木说："你的体系，包括你本人一定是产生了一种疲惫感和满足感，经销商做过一段时间的运作后都会是这样的，但你要知道公司的制度是不允许停顿的，而且你还没有做到最顶级，在你上边还有好几个级别，你必须做到最高，那才算成功，你还要牢牢记住一句话'人类因有梦想而伟大'。"

我说："经理分析的很对，我确实有一种疲惫感和满足感，我回去后会继续努力的。"

郑木说："这很好，你的表率作用很重要，你的一切行为都会影响到下线，上行下效，你要争取在明年，夫妻双双出国旅游，还要取得公司奖励的楼房和轿车，你要时刻提醒自己，'我行、我能、我将成功'。"

郑木的这一番话一下子触动了我。过去我也常在嘴上说，大家都努力运作，争取早日出国，争取得到房车。那时候的说只是当作一个很远大的奋斗目标。并没有真的思考具体得到的细节。而这时候郑木说明年夫妻双双争取出国，就像是排出了成行表。这种感觉就不一样了。这才开始把出国和自己亲身紧密的联系在一起了。明年，时间很近了，是在夏季就开展这项旅游。我的另一种冲动就来了，我当然想要出国，要出国是有条件的，并不是随随便便就能达成的。我知道我应该从哪方面努力了。

我说："你的话我都记住了，除此之外，影响销售业绩的原因还有一些其他的传销公司也接二连三的进入了我市。有医疗器械的，有保健药品的，还有电视防护罩的。五花八门，而且还有些公司的奖金分配制度要比咱们公司的高，对一些经销商很有诱惑力。虽然他们的产品价位高，可回报也大。有些经销商在偷偷的兼做其他公司……那些公司很愿意拉我们体系的经销商去加盟他们公司，原因很简单，这些人多少都受过培训，而且懂得如何运作，再也不用对他们培训了。拉过去就可以运作……这里还有几家公司的上层领导人找到我，让我把整个体系都带过去，而且说给我的待遇超过咱们公司。我明白他们的意图，他们看中的不是我个人，而是我的体系，郑经理

2000年在内蒙鄂伦春家园笔会上讲座。

你放心，我绝不可能去别的公司做，你们对我这么优待，我要是投靠别的公司，那不成了有奶就是娘了吗，那还是人吗？”

郑木听完我的话后，很感动的说：“富哥，你这种为人真让我敬佩，这我就放心了。”

我说：“我也想出了一个办法，我要在我体系里搞一次讲座，我要给大家讲清楚什么是正规传销公司，什么是老鼠会，什么样的产品适合传销，什么样的传销公司可以长期存在和发展。我就可以举那些公司例子说明。正规传销公司是以销售产品为主，老鼠会是以聚人头为主。而那些耐用品市场容易饱和，而消费品可以是永续性的，只有生产消耗品的公司才能长久永续发展下去……”

郑木说：“好，你这种思想，我要在公司推广下去，以防止经销商流失。”

我说：“我再具体搞一个计划。”

这天晚上，我住在一家三星级宾馆的套房里，我没有去消费，一个男人要知道什么是正事，什么事重要。我怎么还能出去消费呢。消费有什么了不起，又不是没消费过，不过是去享受一下。而达到了出国条件，不比这个还享受吗?出了国，什么样的享受没有。出国在这时是第一位的，唱歌洗浴是第二位的。我要全面策划一下全体系的发展战略。我不是坐在那想战略，而是把我随身带着的体系网络图一张张的展开在地毯上，我要亲自诊断一下我的体系出现了什么问题。

这时候，房间里的电话铃响了，我拿起听筒，里面传来了一个女人嗲声嗲气的声音：“先生您需要为您服务吗？”

我问：“你都会什么服务？”

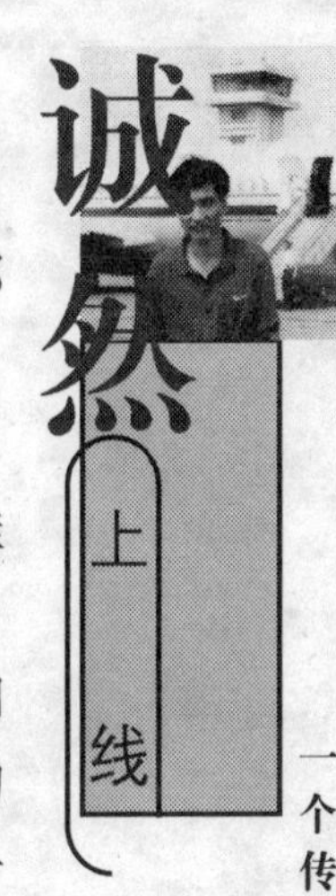

那女人说:“我可以陪您聊天,可以帮您按摩……”

我问:“你能帮我诊断一下我的体系出现了什么问题,那么大个网络业绩没有倍增,你知道是怎么回事吗?”

她说:“先生我听不懂你的话。”

我说:“听不懂就滚蛋,别他妈来烦我。”对方把电话挂了。

我认真的看着网络图,经过分析我发现,我的直接下线们在发展网络时,很不均衡,各小体系的发展强弱不等。问题的产生是由于公司给我的跨区域发展造成了我的下线们也都争相效仿,不分区域的“抢线”,如果两个人都抢着发展一个人,那最终两个人都会失败,被推荐的人肯定放弃加入。公司有规定不许抢线,这是没有遵守传销规则。另一个问题是,有的下线有冒进行为,只顾发展,不管复制,人数发展不少,但很快就“死线”了,新人加盟要手把手教他,帮助他成功,一旦放弃了下线,他就会觉得没有了依靠,新人就会停止运作,就成了死线。这使我有些担心,因为外市有这样的先例,很大的体系,没多久就垮了。教训是惨痛的,发展起一个体系来是很不容易的。我要牢牢的维持住,而且让所有的人都赚到钱。

当晚,我连夜制定出了一个体系阶段性发展计划书和防止经销商流向其他公司的措施。当交给郑木手里时,郑木又是一顿激动:“了不起老兄,看来有文化就是不一样,详细谈谈你这个计划。”

我说:“首先,在我的体系中选出二十名有能力的下线,让他们分别在各县、区、镇做我的代理人,并全权处理当地的业务,而且我保障他们的货源。在这些代理人中,我把女收发员的姐姐司马欣列了进来。在此之前，女收发员一再叮嘱我说："你得特殊照顾我，我可是你的老下线了，再说我姐姐在外地，你得多扶持她，她做好了，我也就成功了！"

我开玩笑的说："我凭什么特殊照顾你呀？都是我的下线，我怎么能不一视同仁呢……"

她说："咱俩有特殊关系，别人没有！"

我说："什么特殊关系呀，我不就是当年奖励过你一个吻吗……我又没奖励过你姐姐，我扶持她干什么？"

女收发员显然有些生气地说："你真不够意思，我对你那么好，你现在都忘了是不是？我知道你现在对谁好，谁叫人家长得漂亮了呢！"

我被她的话吓了一跳，忙问："你指的是谁？"

她说："这你心里清楚……"

我马上说："我这不是和你开个玩笑吗，又当真，咱们是多年的老同志了，我不关照你和你姐姐谁关照呀，我已经让她代理她们那的业务了，我想什么办法也让你俩成功！"

她笑着说："这还差不多，等我成功了，我也奖励你！但是你得手把手的教教我怎么做才能成功。"

我说："好吧，你见到人就反复的跟他重复一段话，因为谎言重复一万次也能成为真理，你拿本子记上，这段话是：传销是人性化的感恩的事业，我们美商东方的经营理念是诚信、务实、公平、守法，我们有正确的经营理念，有优质的产品，有良好的售后服务。我们的产品是建立在家庭消费基础之上的，反正你平时也得买，在哪买不是买呢，你只要这些话掌握好了和别人说，你就准能成功。"

女收发员把我的这些话记下来后，就到机关各科室去向人家重复去了。

我和郑木谈到了这些代理人的情况，我说："要对我体系内的经销商分层次、分级别的对他们有针对性的进行培训。要让他们每个人脑袋里装满传销的东西，再就是在我的体系内选拔培养讲师，随时调动到各地讲课。最后对奖衔级别比较高的经销商进行更高级的培训，比如潜能培训、魔鬼训练等等。另外，还要对业绩突出的经销商进行旅游奖励，公司出费用到省城玩两天就行。请公司配合我做好这些事情。"

郑木听后说："好！公司全力配合。

10. 游览从省城开始

月初，我把制定好的奖励制度印发到各个体系。这个奖励制度是请示郑木同意之后制定的。也就是奖励"省城三日游"。

达成受奖励的条件是我自己制定的，因为这个奖励活动不包括其他地市，只针对我自己的体系。这是对我处倾斜的激励机制。我也是受总公司奖励人员出国旅游的启发才做出的，我制定的条件是，在一个会计月内，经销商的体系业绩积分达到八千分，个人小组积分不小于二千分，合计一万分就可以达到去省城免费旅游的条件，一万积分大概要销售两万元的产品。

积分是公司用来计算经销商奖金的依据，也就是说，一百积分的产品，通常零售价在二百左右。我公司产品销售利润为20%，积分奖金从4%到22%不等。我的奖衔就是22%，有人不愿称领导经销商时，也称22。

我如果亲手销售出一百积分的产品，首先得二十二元业绩奖，第二项是二百元产品，我另获零售价20%，我又得四十元钱，共得六十二元钱。

因为体系积分是垒积的，也就是说无论你下面有多少代线，下面做的业绩全累积在了上线头上够八千积分。我又要求个人小组业绩积分在二千分，这是需要你其它的直接下线和你个人直接销售二千积分的产品。

这两个条件，其中本体系达到八千积分容易达到，假如我下面有十代线，第十代线销售了八千积分的产品。那么从这第十代线开始往上排，第九代，第八代，一直排到我这，全都达到了条件。而个人小组要完成两千积分就意味着个人和另外没达到领导级的直接下线，共同销售四千元的产品，或者新推荐十个新人加盟公司。这就增加了难度。

到月末统计业绩时，我体系中竟然有十五个经销商达到了去省城三日游的条件。我兴高采烈的把这一消息告诉了郑木。

他在电话里说："没想到达到条件的这么多人。"

从郑木的话里我听出了一点意思，郑木可能觉得达成条件的人多了些。他当时可能没想到会有这么多经销商达成条件。我心里想，不管你怎么想，这些人是一定要来的，公司既然当时承诺了，就必须兑现。不然以后谁还再相信公司的话了。

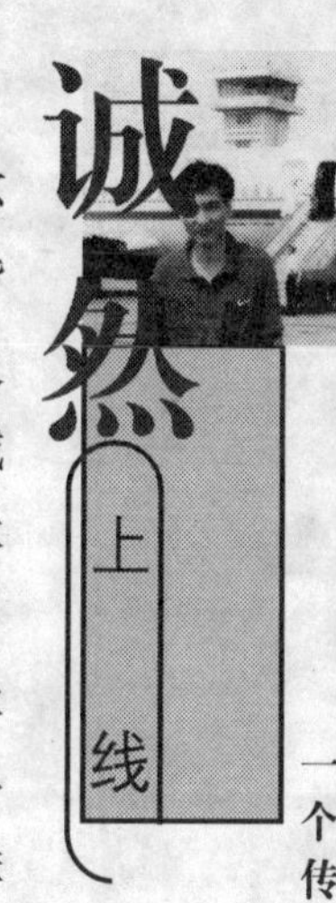

公司的经营理念的第一条就是诚信，不诚信怎么能行呢。这不像是小孩子在一起，一个小孩子对另一个小孩子说，你帮我背东西我给你糖吃，结果那个小孩子背完了东西，这个小孩子又说，我不给你糖了，我留着自己吃。这怎么能行，小孩子会哭喊着去向大人告状的。大人听后会打那个小孩子的屁股的。郑木当然也怕被打屁股，我们都等待着去省城呢。

在这十五个人当中，我重点关注的有四个人，一是端木木，也就是我亲手发展的，还有欧阳凤，是我和冰怡俩个人一起发展的。再就是上官兰和司马欣。上官兰是漂亮女人推荐的，司马欣是女收发员推荐的，也是女收发员的姐姐。

女收发员虽然没有达成去省城免费旅游的条件，但她平时运作是极其卖力的，我经常在机关办公楼里见到女收发员拉住别人说，传销是人性化的感恩的事业，我们东方公司的经营理念是，诚信、务实、公平、守法，我们有正确的经营理念，有优质的产品，有良好的售后服务，我们的产品是建立在家庭消费基础之上的，反正你平时也得买，在哪买不是买呢？

这天，她刚和一个人说完以上这段话，见我走过来连忙对我说："上线，我正运作呢……这回上省城你也让我去呗，我还没去过省成呢……"

我说："这事我决定不了，我倒想让你去，可这是有条件的，你姐姐去了就行了。"

她说："以后有机会，你得想着我。"

我说："行。"

她又拉着别人运作去了。

我手下这几个主要干将都能去省城了。

想到这四个人,我不觉有些好笑。不知怎么搞的,这几个人都是复姓。复姓在生活中原本是不多见的,怎么都集中到我的体系里来了。虽说是复姓,但性格却极为不同。端木木有些像他的名字,多少有些木木的。欧阳凤总是无所谓的样子,好像并不十分热衷传销,但我想,我会慢慢地把她的热情调动起来。上官兰很有热情,而且充满了超乎常人的热情,人长的也算漂亮,终归是漂亮女人推荐的,什么样人找什么样的人。司马欣有些像女收发员,姐妹俩当然有许多相似之处,只是对事物反应稍慢些。我深信这几个人会做得很好, 就格外关照他们。这就出现了一种奇怪现象,上官兰和司马欣做的业绩符合省城旅游的条件, 而推荐她们的漂亮女人和女收发员却没能达到条件。原因是他们俩没有在规定的时间内推荐够人数,也没直接销售出规定的产品数量。而她们俩不能去我暗自高兴。我真怕她们俩人同我们一家人去。一旦都去了,说不准什么场合露出破绽,被我妻子看出什么来,那样的话,问题就严重了,女人不像男人,在一些场合可以装傻充愣,女人就是女人,见到和自己要好的男人就忍不住的传递信息,形态、声音都会表现出来。而女人天生又敏感。如果漂亮女人也随我们一同去省城,用不了两个回合,我妻子就能发现这里有问题。还有那个女收发员,我虽和她没成什么事情,可也唇齿相依过,终会比其他人亲近些的。而且女收发员话里话外好像知道我和漂亮女人的特殊关系。这些人凑在一起, 那可真就乱了套了。而事业尚未成功,弄出一片片桃花来,这还了得。

好在事情没有这样发展。达到条件的有十五个人, 郑木说:“十五个人,再加上你们两个讲师,再加上您一家三口人,共计二十人，每人费用按七百元计算，分公司就得拿出去一万四五千元，是不是太多啦！”

我说：“郑经理，这件事可不能开玩笑，咱们既然在月初制定了这个奖励政策，那就必须兑现。再说了，经销商们都那么卖力的去运作，大家都非常辛苦，而且这个月的业绩大幅度增加了，何况这是关系到公司信誉和未来发展问题……”

郑木见我这么坚持，便说：“那好吧，公司兑现。”

于是，我带着妻子和女儿及经销商浩浩荡荡的去省城旅游了。在火车上，大家说着笑着，十分开心。因为在我们这个比较偏远的地市，人们的脑子里几乎还没有旅游这种概念。这其中有一半的经销商还没有去过省城。这次由公司出资旅游，当然很开心。

欧阳凤说：“我们单位的同事可羡慕我了，还说你们公司比单位都好，单位都没让人公出过，领导倒是总出去，小老百姓就没机会了……”

司马欣也说：“咱们公司可真好，出来真高兴，这么多人，又热闹，又好玩。”

端木木说：“还是我家合适，我家两口人全来了，我们结婚的时候都没出去旅行过。”

上官兰说：“这有什么大惊小怪的，我经常来省城，总来也就没什么意思了……”

我什么也没说，我只是听他们说，说过了这些，我又和他们说了去公司时都注意一些什么，不要闹出什么笑话，你们都是代表富成体系来的。我在硬卧车里陪他们至到熄灯，我和妻子和女儿才回到软卧包厢。

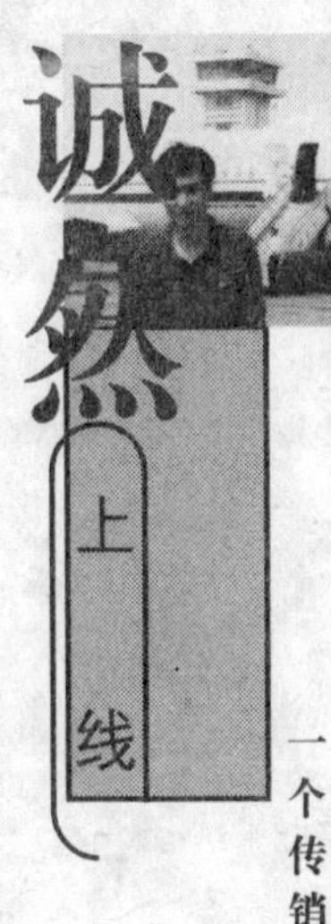

端木木说:“我要是什么时候也坐一回软卧包厢就好了!”

我说:“这不难,你在往上做,做到更高一级的奖衔,就可以坐软卧了,要不然咱俩对换一下,你睡软卧,我坐硬卧,总是坐软卧我都腻了。”

上官兰马上接话茬说:“去吧,咱们总上线这么偏相你,你就偷着乐吧。”

端木木说:“这怎么行?我级别不够,再说我也不能让你和嫂子分居呀。”

我说:“你以为在包厢里就是同居呀,不过也算是同居,在一个屋子里吗……我倒是怕你和妻子分居。”

端木木妻子说:“总上线真能开玩笑,你快回去吧,列车员开始清理旅客了。”

我回到了软卧车厢,把端木木说的话和妻子学了一遍,妻子笑了。

女儿说:“那他为什么不能坐软卧呢?他们不也是领导经销商吗?”

我说:“领导经销商也分好几级

1994 年春在北京八达岭长城城墙上。

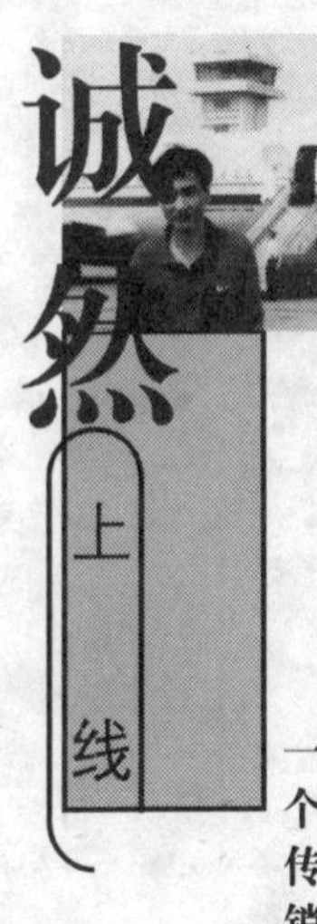

呢。”

女儿说:“这可真不公平。”

我说:“世界上那有什么公平的事情,你要好好读书,将来做很高很高级的领导,不然你连硬坐都坐不上……”

火车开了一夜。第二天早晨我醒来时,省城就快要到了。我又来到硬卧车厢,叫他们:“快起来,快到省城了,下火车前先洗洗脸,化化妆,别像个小鬼似的,都是搞美容经销化妆品的,把妆化的漂亮点,谁没带化妆品,我这全套都带着呢。”

经销商们见我拿着化妆品包都偷着笑。

我说:“都笑什么?己所不欲,勿施于人吗!”

欧阳凤也学我的话:“已所不欲,勿施于人吗!这话都成了总上线的口头语了。”

我装着生气的样子说:“怎么着,你们想造总上线的反呀,到了省城我把你们都卖了,看你们气不气我。”

大家在说笑中化好了妆,我说:“在下车之前,大家要互相激励一下,咱们唱个体系歌,唱‘明天会更好’,大家预备唱!”

我们在卧铺车厢里高声唱着歌,卧辅上的旅客都伸出头来表情怪怪的看着我们。

我们唱完了歌,又一齐击掌做了一次“爱的鼓励”,火车在这时也停了下来。我带着他们走出车站,迎面看见郑木、小妖和经理助理走过来。

我对经销商们说:“看看你们功劳有多大,郑经理和我上线的上线,还有助理都来车站接你们来了,这待遇够高的,我都没享受过?”

小妖说:“富哥,你敢说没享受过?你什么没享受过,你享受过的我都没享受着。”我知道她指的是我们常去歌舞厅什么的。

郑木和助理做了个鬼脸，郑木说：“不是不想让你享受，关键是有些东西不适合你去享受……大家辛苦了，辛苦了，我祝贺你们。”我边把经销商一个个介绍给郑木，他们一边握手，一边说着话。我们就上了公司的接站车。我暗自想，小妖就是精，她准知道了我和郑木出去消费的事了。

郑木在车上问了我这个月的销商情况，然后说：“富哥，你这个月销售业绩在咱们分公司这么多代理商中排了第一名，祝贺你。”

我说：“这都是经销商他们的功劳，我也很感谢他们。”

郑木说：“我没想到会来这么多人，人挺怪的，一出台奖励政策，马上就有效果。”

我说：“这是当然了，怎么说重赏之下必有勇夫呢。”

他说：“你们来的大多数都是勇妇。”

我说：“时代不同了，男女都一样，男同志能做到的事情，女同志也能做得到，而女同志有做到的事情，男同志却做不到。”

说过，我俩就笑。

郑木把大家请到了公司，让大家参观了一下办公楼里的各个部。然后又把员工们向大家介绍了一遍。

最后和他的助理说：“你和小妖陪大家出去吃早点，再去逛逛街，晚上我给大家接风。”

我说：“公司这几天正忙，助理不用陪同了，我在省城读过作家班，什么地方都熟，再说还有……”我刚要说小妖，见小妖用眼睛瞪了我一眼,就忙改口说:“还有我上线的上线呢。”

小妖说:“你这称呼多别扭,什么上线的上线,叫上线不就完了吗……好,经理不用管了,助理也去忙吧,把他们都交给我了,不过花销得算公司的。”

郑木说:“这还用说,去吧,玩的开心点,别忘了晚间我请大家共进晚餐。”

我和小妖把经销商们安排在一个普通的宾馆住下，我犹豫了一下,我自从做传销以来,一直都住高级宾馆。要我住这种地方我有些不习惯了。

小妖说:“你们一家想住什么宾馆?”

我说:“我们也住这吧,单独住好宾馆显得不太好。”

小妖说:“上线应该跟下线打成一片。”

然后,大家随便吃了早餐,小妖问我:“先去逛商场还是先去江边玩,江那边还有一个岛,挺好玩的。”

按我的想法,我是想去江心岛玩一玩的,我喜欢大自然的风光,而所有的商场几乎都是一样的,只不过大小不同罢了。

我问经销商们是想去江心岛还是去逛商场。

大多数经销商说先去逛商场。因为大多数都是女人,当然喜欢逛商场了。而且去商场还可以采购一些我们市没有的东西。我们就去逛商场了。

进了商场，我悄声对端木木和他妻子说:“你俩选几件衣服,别穿的像普通老百姓似的,以后要多讲究些穿戴,现在的人眼睛都俗,不看你别的,就看穿戴。”

端木木说:“行,我俩买衣服,你帮我俩选选。”

我又悄声对司马欣说:“乘机买几件衣服吧，别像家庭妇

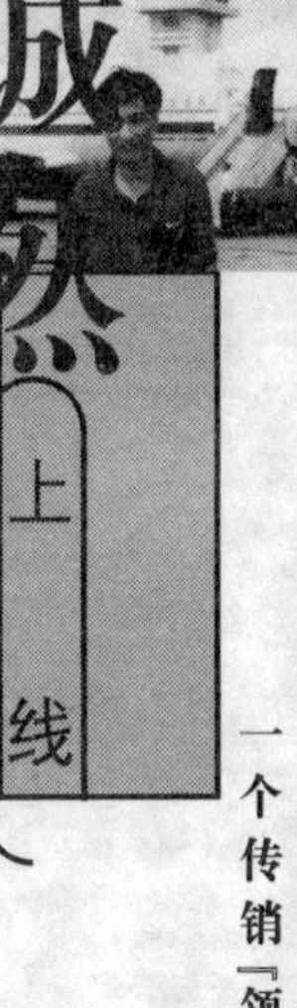

女似的，代理人就像代理人的样，人就靠打扮，一打扮马上就变样。”

司马欣被我说的有些不好意思了，她看了看上官兰和欧阳凤说：“上线你咋不管她俩呢？”

我说：“欧阳凤不土不洋正合适，上官兰再要打扮就成大妖了。”

小妖马上从后面挤了过来问：“你说谁呢，谁是大妖？”

我说：“没说你是大妖，你小妖还是小妖。”

小妖对我妻子说：“嫂子，你看我富哥，老欺负我。”

妻子说：“他再欺负你我回家让他跪洗衣板。”

小妖乐着说：“听见没有，你回家就得跪洗衣板，我打不过你，有人替我收拾你，以后对我好点，要不我就给你告状。”

我说：“关键是我家没有洗衣板，要跪只能跪沙发了，我家最硬的东西也只有沙发了。”

小妖气的斜着眼睛看着我，然后在我耳边小声说：“我还能找人收拾你，我让冰怡收拾你。”说完就咯咯的乐。

小妖说到冰怡，使我又想起了她。也不知道她现在怎么样了。听说她离开了那座城市，那个化妆品公司也没有办成功。而奇怪的是她也退出了东方传销公司，退出了传销，不知是什么原因。只是隐约的听说她和公司闹了点什么矛盾，也有人说她没有把网络体系做起来。究竟怎么回事，大家似乎都在瞒着我。因为大家都知道我是她的直接下线。我想和她联系，但联系不上。但我知道，肯定是哪个方面出现了问题。只是我还不知道。

我愣了一会儿，但马上又应付着小妖说：“好了好了，谁也别收拾谁了,怎么一点团队精神都没有?别学那些传统行业整天窝里斗,大家快采购吧,进一回省城我们容易吗……上线,你领着我女儿点,我看你们小姐俩关系处的不错,俩人好好玩吧,不许闹人。”

小妖果然领着我女儿去玩具柜台去看玩具去了。

小妖虽然比我女儿大一旬,但她俩个子差不多,加之小妖长的像个中学生似的,所以我总是把她和我女儿往一个辈上排。小妖并不反感,因为我比她也大十岁。

几年以后,小妖再一次来到我家里。我女儿就快高中毕业了。小妖钻进我女儿的房间里总不出来,我不知道她俩在做什么,当我推门进去看时,见她俩正坐在床上,在一大堆纸角里选着往一齐拼图,我不知道她们最终会拼出什么图案,但我又见到了两个孩子在玩小孩玩的把戏。

我说:“我女儿都长大了,你好像还没长大,这不符合自然规律呀。”

她说:“我返老还童了。”

我心里想,人要是能返老还童就好了。

在省城里,大家采购了一上午,中午回到了宾馆,各自在房间里试着衣服。衣服这东西真挺神奇的,人穿上后马上就变了模样。端木木夫妇和司马欣换上新买的衣服后,马上显得很城市化,很城市人。看着这些我就在想,如果人们都不穿衣服,就都一样了,就没有什么高低贵贱了。

可是,人又怎么能不穿衣服呢。

大家换好了衣服,经理助理来到了宾馆,他已经在一楼餐厅安排好了午餐。在一个大包间里,围了满满两桌人。

助理给大家倒上了酒和饮料，对大家说："郑经理在公司正忙着接待其他地市的代理商们，因为对你们市的经销商这种旅游奖励，没在其他地市开展，所以说也不便安排在一起就餐。如果其它地市的代理商知道了，会对公司不高兴的，上午由你们的上线，也就是我们公司的讲师小虹带大家转一转，下午再出去玩一玩……我就代表郑经理敬大家一杯……"

我听助理说到小虹，有些不习惯的看了小妖一眼。因为自从我接触她，一直当小妖了，竟忘记了她的名字，也忘记了她同时是分公司的讲师。

小妖用胳膊碰了我一下说："注意了，我也说两句，我有双重身份。一是公司的职员，二是领导经销商，是你们的上线。我首先祝贺大家取得这么好的销售业绩，大家辛苦了，我感谢你们并祝你们这几天过的快乐，我给你们当好向导，干一杯！"

小妖说干杯，并没干杯。

我说："你说干杯怎么没干呢？在我们那个地方说干杯就得把杯里的酒干掉，别跟我来国际流行色，干杯干杯吗！再说你还有两种身份……"

小妖说："你也不是不知道，我不会喝酒……你也有两种身份……"

我没说话。

大家又吃了一会儿，我端着杯站起来说："女士们、先生们，经销商朋友们，我的合作伙伴们，妻子们、女儿们。"我刚说到这，大家哄堂大笑。

我妻子说："开头那几句话还是那么回事，什么妻子们女儿们，你到底有多少媳妇孩子，你能不能不闹，那么大人一点正形都没有。”

小妖说:“嫂子狠狠批评他,帮我报仇。”

我把杯子放下,又把杯子端起来说:“我一激动,说都不会话了,嘴有点不听指挥,我重说。我在这里代表我的下线们和我的妻子女儿,对于分公司、郑经理、助理给予我们体系这一特殊优待和偏爱,表示感谢,同时,对于拥有两种身份和两个名字的一位漂亮的小姐表示最衷心的感谢,让我们共同举起杯,为东方公司的发展壮大,为传销人事业成功,干杯!”

大家相互碰杯,发出声声脆响。

小妖喝过酒,转过脸问我:“富先生,你刚才说谁的两种身份两个名字?你才两种身份两个名字呢,又是科长又是代理商,又叫富成还有个什么笔名叫什么诚然,你可愁死我啦!”

大家发出一阵笑声。

端木木的妻子说:“认识富哥这么长时间,真没见他这么好玩,可真逗。”

我说:“怎么说话呢,你竟敢说你的上线好玩,这也是你玩的么?这回好好和美容老师学一学,回去当个好美容讲师。”

我之所以这样做,是想让这些经销商们过得轻松快乐一下,大家平时太累了,难得这么悠闲一次。在生活中,我们何尝不需要快乐呢。可我们的快乐是需要有缘由的。我们总是背负着一种沉重的东西,总是戴着镣铐跳舞。我们为什么不能快快乐乐的生活呢。也许是像那首歌里唱的那样才能做到:真心地投入一次,忘了自己……投入蓝天,你就是白云,投入大海,你就是细雨……你中有我,我中有你。

吃过午饭,助理又回公司了。小妖回到我们一家住的套

1993 年在黑龙江省文学院青年作家班。

间，趴在床上和我女儿摆弄上午买的一些玩具。我和妻子忍不住笑出声来。

休息过后，小妖说："富哥，咱们去江心岛玩吧。"我说："你决定，我们一切都听你指挥，你又双重身份又两个名字的，谁敢不服从你，走。"

江心岛很有名，这个岛被世人所知是因为有一首流传很广的歌是写这个岛的。歌词好像是，明媚的夏日里天空多么晴朗，美丽的什么岛多么令人神往，词记不太清了，曲调也非常美。据说这首歌唱响以后，有好多人都慕名而来。

我们来到这个岛上，天气不冷也不热。这真是个很美丽的岛，在一个城市里能有这么一个好去处真是极好的。我们在这个岛上玩了整整一个下午。太阳都要落下去了，我们才坐船回到江的这边，恋恋不舍的回到宾馆。

五年以后的一个夏天，我又去了一次江心岛，我是去参加一个作家年会。休息间，我一个人走出宾馆，沿着江堤慢慢地走着。时过境迁，再也找不回往日的那种感觉了。但，我们曾经来过这里，看过日落江水。

时间再返回到五年前。

这时候，郑木和助理已经在宾馆等候了。

一场盛大的晚宴开始了。郑木发表了一番热情洋溢的演说，祝贺我们市这个月的业绩排在全省第一，重申了一遍公司“诚信、务实、公平、守法”的经营理念及“人类因有梦想而伟大”的激励。郑木和每个人都碰了一次杯，并且宣布了总公司将我从领导经销商上升为翡翠领导经销商的祝贺信。并把一枚镶有翡翠和公司标志的戒指戴在我手上。这使在场的人都很兴奋。

我获得了翡翠领导经销商就意味着从此我可以享有总公司给我积的出国旅游基金了，等积到了一定数额，我就可以出国旅游。

这次旅游的最后一个下午的日程是公司安排的传销战略研讨会。实际上就是大家坐在一起座谈一下。实际上这也是另外一种形式的激励会。郑木首先通报了公司的大好形势。也谈了公司下一步的设想。郑木说：“为了配合各位经销商的运作，公司有一个非常大的设想，公司将在不久要开发生产出更多的产品，除了化妆品之外，还生产女士减肥内衣，保健药品，洁水器等各种系列产品……总之，只要大家努力运作，会得到更高的回报……”

我知道，这只是公司的一个设想，什么时候研制开放还没有确定，但这可以使经销商们有一种期盼，因为大家都知道，长期经销一个系列的产品，市场最终会饱和的。

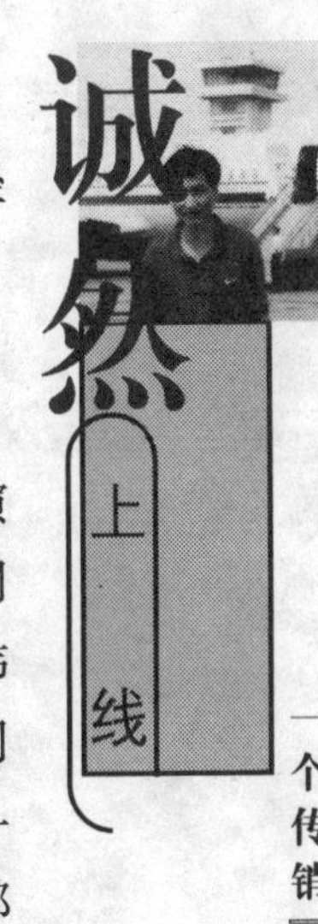

郑木讲完话，请大家发言。

上官兰第一个站起发言，她说："公司是应该多开发一些新产品，再把现有产品的外包装弄得精美一些，不然不够档次，另外再多设一些供货点，再多给经销商一些销售利润，我们经销商付出的太多了，可是没有其他公司奖金多……"

端木木也站了起来，他很温和地说："我感谢公司和上线，特别是我们上线又把我妻子安排做讲师，我觉得公司的产品挺多的，咱们有时候没推销出去，比如法国香水，多好的产品没销出去。公司在咱们那里设的供货站实际不少了，一开始咱们上线买货还得往外地跑，现在就挺好，各县镇都能就近买产品，我看公司给的利润还行，反正我挺满足的……"

在端木木发言的时候，上官兰非常生气，但又无法当场说什么。

司马欣说："我看上官兰和端木木说的都有道理。"欧阳凤拉了司马欣一下，她才停下来不再说了。

郑木听完了大家的发言，说："各位经销商的意见和建议都很好，我会把这些转告老总。"

我也站了起来，我说："这次旅游就要结束了，在我们感谢公司和郑经理的同时，我们应更加努力的把我们的业绩做好，我们大家不能满足于到省城旅游，要争取都能出国旅游，把推荐与销售再提高一步，而且我有决心在短时期内登上公司最高的领导级别，也就是早日成为皇冠级领导经销商，以此报答公司和郑经理。"

随后我又把潜能开发和魔鬼训练的事情同郑木说了一遍。郑木说："我马上和公司联系派总训师到你们市。"

11. 新奇的潜能开发

潜能开发和魔鬼训练是从境外学来的一种培训方法，我在没参加这种培训前只是听说很神奇而且对营销和传销的运作很有效。开始我当然不相信这些，我自以为什么样的苦都曾吃过了，潜能开发不就是向自己的极限挑战吗？我就总是逼着自己去做看似无法实现的事情，我还经常向自己极限挑战呢。比如我仅用一个多月就上升到了领导级；比如我听过几回课之后就能给下线们讲课了。我是可以不参加这类培训的，但考虑自己是个体系领导人，要是不参加培训不好向下线交待，就决定自己也参加一次培训，说不定真有效果的。

参加这么高级的培训，必须要把级别和奖衔做到很高才有资格参加的，为什么要这样规定，起初并没有人告诉我，我自己心里在反复琢磨，很快我就明白了其中的道理。我想到了我当兵时候的一个情景。有一次我们在野外训练，是那种全副武装的拉练。起初是急行军，接下来是跑步，当行进到一片水洼地的时候，指挥员命令全体卧倒。我们非常认真的趴在水洼里，因为军人知道，在线场上，如果不听指挥，如果不卧倒就可能丧失掉生命。

而在边上路过的一群农民，见我们都趴在泥水里，顿时爆发出一阵大笑。

我想这就是经销商中级别高与级别低对培训理解的差

别。如果让一些级别低的经销商参加高层培训,他理解不了,为什么要那样做。就像把农民身上背很沉重的东西让他跑步,让他往水里卧倒。那农民肯定不听指挥。农民还得说你这不是糟贱人吗?我想这才是不让级别低的经销商参加高层培训的主要原因。由于对参加者有很高的要求,这就给一般的经销商又增加了很多神秘感。女收发员听说有高级培训也要参加,我说你工作性质不行,就别参加了,她就没有参加。我要求公司把培训安排在我市进行,这样一来我的体系就近可以多参加一些人。外市的经销商如果想参加可以来我市。

主持这次培训的总训师是由总公司派来的,总训师叫来临,是个女性。

来临首先来到分公司,据说她询问了我这边的很多情况,尤其当问到我时,问得很仔细。这样做可能更有针对性。听分公司的人说,他们向来临大谈特谈我是怎样的一个超人,谈什么人有帅哥风度、有作家才干、有领袖魄力等等。当时来临听后并不相信,说他们太夸张。还说她根本就没遇到过这样的人。

这是来临后来告诉我的。

来临很情愿的来了。这时候已经进入冬季了,北方的天气十分寒冷,她来的那天,我是进站台接的她。她一下车就笑吟吟走过来,而且直奔我而来。

我还没来得及问,她就伸出手来笑着说:"您是富先生吧。"

我忙伸出手说:"是我,是我,您是来临小姐?您怎么认识我?"

她说："我在咱们公司杂志上看过您的照片，您本人可比照片帅气……这地方太冷了，我说什么也想不到会这么冷。"就在她不断的重复天气冷时，我把早已准备好的一件羽绒服披在了她身上，并接过了她的旅行包。在我给她披衣服和接旅行包时，她愣了一下，即而笑了笑说："果然名不虚传！"

我问："您说什么？"

她不好意思地说："没什么，没什么。"

我把她请上了出租车，我们一起来到了宾馆，并在一起吃了饭。

这时候我才发现，她人长的还算漂亮，个子不高但说话的声音很高，说话很直爽，会吸烟。看她很熟练的把烟从烟盒里抽出来叼在嘴上点燃，我不禁笑了。

她问："富先生，您笑什么？"

我忙说："没什么，我想起了别的事情。"

实际上我是笑，我过去在机关里并没见过有女人抽烟，现在接触的上线，上线的上线，包括这个女总训师，怎么都会抽烟，看女人抽烟很好玩。

来临不但会抽烟，而且酒量很大，我自认为就很能喝酒了，竟然被她劝醉了。

当然，这是魔鬼训练以后的事了。

这次她没有喝酒。可能是由于我觉得女士不会喝酒就没劝她，也可能是因为晚间要搞培训，她就没要喝酒。

当时，吃完了饭，我就离开了宾馆，我想让她休息一下，而我按着她的要求去买些红布和蜡烛什么的。我不知道搞培训要这些东西干什么，在我的印象里，这种用品好像和祭祀或是

什么宗教有关，莫非她是来搞宗教的？

当晚，就在我住的这家宾馆里租了一个会议厅，按照总训师的要求，向所有参加培训的人传达了有关要求。要求所有参加培训者，在这两天三夜吃住在宾馆，要和外界断绝一切联系，甚至连电话也不许打。

妻子听完要求后对我说："富成，我就不参加这个培训了，听着怪吓人的。"

我说："不参加就算了，你还得替我管一些事情。"

妻子很高兴的走了。妻子原本是和我一起运作的，属夫妻共同加盟，但妻子不怎么用心这些事情，总是指望我做，或者说，妻子是个很容易满足的人。她没有更高更大的想法，人活得比较无为而至，随遇而安。但妻子只希望我能有所作为，她可能这样想，连我都是她的，那么我的作为也就成了她的作为。我觉得她这样也挺好的，至少不会有什么烦恼。其实，这也是一种境界。当然，这些是我很久后才明白的。妻子是主内的，外边的事情我做。无奈，我连美容这种应该女人做的事情也都承担下来，妻子倒是落个清静。

当晚，潜能开发培训开始了。

会议室里挡严了窗帘，关掉了所有的灯，锁上门。总训师让我们每人头上扎一条红布，手里捧着一根蜡烛，安静地围坐在一起。这种场面有些阴森森的，很肃穆。我好像在别人的葬礼上见过这种场面。我的心开始加快了跳动，因为我不知道接下来会发生什么事情。屋子里在静了很久之后，来临才开始说话。

来临这时候说话的声音很低沉，而且缓慢。像搞催眠术一样。她几乎用同一种音调和同一种节奏在讲述着：我们生活在一个儒家思想主宰的传统国度里，我们的一切言行都是规范的，一生下来母亲就用布捆住我们的手脚，我们不能自由的动弹，也不允许我们随便动，并不管我们愿意不愿意。而且定时间喂我们，不管我们饿还是不饿，都那么定时。等我们长大了一些了，我们的行动仍然要由父母支配，怎样走路，怎样穿衣，甚至怎样吃饭都要受到严格的限制，一切都要以父母高兴为准则，上小学，上中学，上大学，有老师管束，参加工作由单位的领导指手划脚……我们就是生活在这样一种环境里，我们就是这样长大的，我们所做的一切都有固有的模式，都有现成的规则，惟独没有我们自己。我们的"自我"在那里？我们的"自由"在那里？我们的"思想"在那里？我们的"创造精神"在那里？你们都想一想，想一想你们这些年的生活，你们是怎样艰难的走过来的。我们甚至不能按着自由的内心的意愿笑或者哭，更不能发怒。想笑的时候要看看周围的场合适不适合笑，要想想周围的人会不会有别的想法，想哭的时候也不能哭，哭了会不会影响别人的情绪，想发怒了，还得强忍着，三思而后行，生怕惹着了别人。更可悲的是，我们连爱都不能发自内心的向别人表达，我们还有自我吗？我们为自己活过吗？

来临突然的停住不说了，屋子里静的让人骇怕。无声是可怕的，无声会让人产生恐惧。沉默也是可怕的，沉默之后可能会爆发。我慢慢地把目光从受训者的脸上扫过，所有的人都处在一种惊恐之中。这种惊恐是来自每个人自己心里的。各自把经验过的惊恐场面又浮现了出来。这时候如果有一个人猛然尖叫一声，就会吓破所有人的胆。

时间过得非常的慢长，这是一种漫长的心理时间，其实这中间的时间十分暂短，只是因为难熬，才显得过了好长时间……

就在沉寂了片刻之后，来临大声地说："而现在，也就是我们在一起的这一时刻，你们每一个人都是自己，你们想说就说，想笑就笑，想哭就哭，想做什么就做什么……这里没有任何隐私，没有人管束你，没有人耻笑你，你就是你自己……"

1994 年在北京鲁迅文学院门前寻找创作灵感。

来临的这种叫喊，让我心里颤抖了一下。我的心跳马上加快。我有些坚持不住了。我闭上眼睛，极力的克制自己，排除一切思维活动，使脑子里一片空白，这才平缓了心跳，我心里想，来临你能不能别一惊一乍的，想吓死我呀，心脏不好的人，千万别参加这种培训，这不是拿生命开玩笑吗。

来临说完了

以上这些话，语调又变得低沉，甚至像是在为人催眼泪，她说："你们身上有巨大的能量，你们有无比的勇气，你们有无尽的智慧，你们想做什么就能做成什么，你们可以飞翔，可以推倒一座大楼，你们可以战胜无数英豪，你们身上所有潜在的能量都释放出来了……你们自己主宰自己吧！"

就在来临说完最后一句话的时候，屋子里突然有人大声喊叫，有人大笑，之后又有人痛哭……

我再也忍不住了，大声喊着说："你们都听我说，我告诉你们我是个什么样的人，你们不了解我，你们只从表面看我多么了不起，多么高贵，多么有才干，这都是装出来的，实际上我出生在一个很贫穷的农村，我欺骗别人说我出生在一个大城市里，我怕人家说我出身贫贱……我没上过正规大学，是自学的电大，我对人家说因为我下乡了，没赶上高考，根本就不是那么回事，我知道城里高考，我没敢回来考，我什么都不会，考什么？人家称我为青年作家，我总是默认，我根本不是什么作家，我只在小报小刊发过那么几篇小说，还是请编辑吃饭人家才给发表的……我在单位是个副科长，人家向别人介绍我是科长，我也答应，我是想让别人看重我……从表面上看好像我不愿和女人贴糊，但我心理非常愿意和女人在一起，我曾经和我们办公楼里的那个女人发生过一次两性关系，当时她缠着我。我虽然心里害怕，但还是和她发生了关系。我一见到总训师非常喜欢她，我喜欢她是大城市来的，又懂这么多知识，但我表面上装作对她很冷淡……我做传销就是为了挣钱，我欠银行买房贷款，什么传播美好人生，那全是谈给别人听的……我借钱上外地进修，读作家班，说我多么热爱文学，实际上我

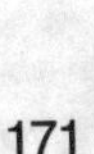

没有别的出路，我是想通过创作获得名利，是为了人家瞧得起……”

我说着说着就不由自主的跪在地毯上，痛苦起来，把这么多年的压抑，委屈全都发泄了出来，心里一下子轻松下来。

来临走到我跟前，用手抚摸着我的头发，弯下身在我脸上亲吻了一下，我用力抱住她，狠狠的吻她。

这时候大家一片沸腾，各自疯狂起来。

屋子里放起了一种很特别的音乐。抒缓，柔和，并不时的夹杂着如同人心跳的声响。灯光不停的变幻着，让人感觉进入了一种魔幻之中。

我平静下来，并为刚才自己的异常举动而羞愧，但却没有人像我这么想，大家都进入了另外一种境界，把过去的道德标准和价值观念全部颠覆了，如果有人不像我那样做，那才会脸红，那才是不正常。正常在一种不正常中是不正常的，不正常在不正常中才是正常的。人会被氛围混淆的。

来临在这种音响与灯光的映衬下，用一种柔和而充满激情的声调述说着：“我们从小长成这么大，是经受了好多来自家长，来自领导的限制，可我们再想一想，我们的生命是怎样诞生的。母亲怀着我们，经受了辛劳和痛苦，用自己的生命做代价养育了我们。怕我们饿了，怕我们渴了，怕我们冷又怕我们热着……可我们长大成人了，我们又为父母做了些什么？我们什么时候这么关怀过自己的父母，我们总为自己着想，又为父母想过多少呢？我们该想一想了，我们的良知还有吗，我们的良知沉睡了，该唤醒了。去关怀一下父母，去真心诚意的说声谢谢，说一声妈妈孩子爱你！我们要拼命去挣钱，挣好多的钱去孝敬父母，每个人都应该有‘感恩的心’我们的成长，我们的进步凝聚了多少人的心血，曾经有多少的人帮助过我们，我们不该忘记他们。忘了这些就是没有良心，就不是人……”

我坐不住了，慢慢站起身，走上前去，我的腿弯曲下来，我跪在了地上。就像面对我的妈妈和爸爸，我的眼泪又一次流了下来，我痛苦不堪。

我说：“妈爸，儿子不孝！这么些年了，我总是任着性子，想做什么就去做什么，从来没想老人心里的感受。当年下乡的时候你不让我去，怕我受不了苦，可我还是偷着把户口和粮食关系迁走了。我这么一时心血来潮，你们也没怪我。记得，我下乡不久，就到了中秋节，爸爸带着月饼，大老远的来看我，路那么远，爸爸走着那么远的路，就是为了给孩子送几块月饼。后来我说想当兵，你们心里那么不愿意让我去，因为那时候西南边境战事那么激烈，我没听你们劝，硬是坚持去当兵。你们整天担心着，可我从来没想你们长辈心里感受。可哪个父母不疼爱自己的孩子！那段日子我不知道你们是怎样度过的。爸爸早早的就去世了，这一生受苦受累，什么都没有享受到，就走了。母亲整日那么孤独，可我却很少去看望母亲。说自己太忙，抽不出时间。总是母亲来看望我，母亲把一些好吃的留下来，给他的儿子送来，然后又迈着沉重的脚步回到了她那份孤独中去了……我真不是人，我连自己的老人都没去关怀，我还能关怀谁呢？我这些年来，愧对好多有恩于我的人，人家在我困难的时候，帮助过我。当时我那么感激人家，还暗下决心，等我出息了，一定报答。可我把这些都忘记了……”

随后，他们每个人都站了出来，诉说着自己的经历，想起自己应该感恩的人。

几乎所有的人都觉得自己愧疚。对不起父母,对不起妻子丈夫和孩子。也都狠下心来,一定要把自己事业做成功,要赚好多好多的钱,去孝敬老人,去补偿对家人的歉疚,让自己的亲人都过上好日子。

我一又一次感受和领教了氛围对于人的这种致命感染。这种感染是不可抗拒的,就像空气中充满了一种病菌,无论人多么强壮,都得染上疾病,而无一幸免。这种病菌叫瘟疫。我觉得,已然这样了,我何不表演下去。我的眼泪是为自己曾受过的委屈而流,只不过借助了这样一块跳板。

又一个人站出来,站在大家中间说:“我叫端木木,富成是我的直接上线,我这人并不发木,只是表面让人看着有点发木,其实我心里清楚,上线让我怎么做我就怎么做,反正我不吃亏,做就做,要是吃亏我才不做呢,我听上线的话,上线就高兴,就多照顾我,反正有什么困难我就让上线帮我解决……”

这时候上官兰站出来说:“端木木你滚一边去,我说,我可以告诉你们,什么事都别想瞒过我,我一看就知道是怎么回事,咱们这事就是你骗我,我骗你,谁能骗算谁有本事……”

司马欣接着说:“你说我怎么听不明白,怎么是骗人呢,公司讲师不是说把机会介绍给好朋友吗?不是说这是一个事业吗?骗人多不好哇,我可不骗人……”

欧阳凤很无所谓的接过话题说:“我吧,其实做也行,不做也行,反正上线把货给我拿来了,有人买就卖,没人买就拉倒,我才不好意思去跟人家说这说那的呢,让人觉得是挣人家的钱,不犯……”

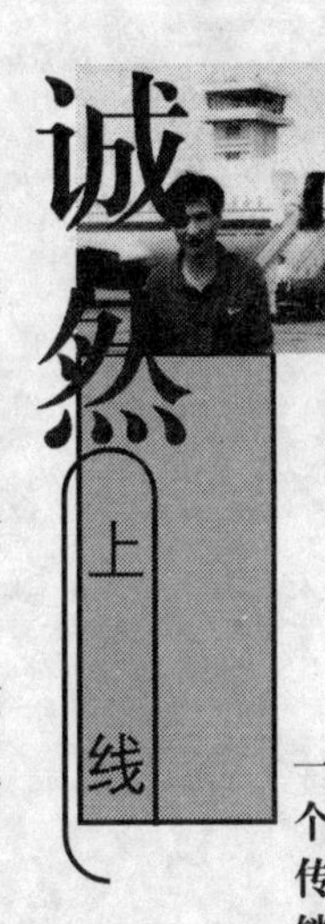

端木木又说："我不同意上官兰的说法，咱们这怎么是骗人呢？你花钱我给货，公平买卖，你这种想法我认为不对，要是按你这么说，公司和咱们的总上线也都成了骗子了？再有欧阳凤这么想也不对，咱们既然做就努力做好，要像咱们的上线那样，一级级往上做，做到最高，你要是不认真做，也影响大局不是……"

上官兰说："你别说我，我的业绩做的比你高，你做的还不如我呢，就你那种做法不见得行，咱们走着瞧，别嘴上说好听的，让上线高兴……"

欧阳凤说："我就这样做，我用不着别人说我，我愿意做就做，不愿意做就不做，我也不像某些人，不做传销就吃不上饭了……"

司马欣说："你们这是干什么，大家有活都好好说。吵什么呀，这多不好哇……"

听到我这几个主要的下线的一番话，我心里一惊，原来他们心里是这么想的。我一直以为他们是团结作战的，原来是各揣心腹事，我以为传销公司的教育会使人们完全摆脱传统行业中的勾心斗角。原来都是一样的。只不过从表面上看着很团队精神。这让我有些灰心。人的弱点怎么就这么难以克服。怎么才能把这些劣根的东西消除掉呢。这是我的几个主要下线，这几个下线除了端木木是男性，其余都是女性，我和这几个女性还没有推心置腹的长谈过，看来问题很严重，多亏了搞培训，不然这么下去，体系是坚持不了多久的。

在这些经销商各自表白的时候，我暗自向来临示意了一下。我的意思是说，别让她们几个人的争论冲淡了培训。来临明白了我的意思，就慢慢地把活动转移到另一个单元，这是来诠释命运。

来临给每个人发了一张纸条，让人各自在纸条上写一句话或一个词，或向往的事，或喜欢的食品，写完把纸叠上，把好些纸条混在一起，然后任意拿出三个纸条为一组，先后摆在桌子上。摆好后，一组组把纸条展开，就组成了五花八门的句子。什么总统逛街买丝袜，作家吃海鲜想女人，当官坐飞机入洞房，巧克力旅游挣大钱，出国坐牛车做爱……

总训师念完后，一片哄堂大笑。她说："这就是现实生活，原本我们每个人都有自己的爱好，都有自己的向往的理想，而生活就是这么荒诞，当我们溶入了社会之中后，就成这样子。久而久之这么平庸的活着，我们起初的锐气，原来的理想和抱负全都消磨没有了，整天随遇而安，竟然还都自得其乐。但我们通过传销就可以实现自我，找回自我，重塑自我，我们是一个团队，为了帮助一个人成功，你的上线会伸出手帮助你，做你的靠山。下面我们做一个试验，也是一种游戏。上官兰你站起来，富成先生是你的上线，让他站在你的身后，你直挺挺往后倒。"

上官兰站在我前面，但不敢往后倒。

来临说："你要相信你的上线的力量，他一定能接住你而不使你摔倒。"上官兰还是不往后倒。

来临说："上官兰你是不相信你的上线还是觉得你的上线是男的，男的抱你又怕什么？你必须克服这种心理障碍，不然你的事业怎么能成功，你骗一个两个人，还能骗所有的人吗？有一个故事非常有说服力，说有一个家里十分贫困的孩子，坐在海边痛苦的要投海自杀，这时候飞来一群海鸥，在他身边盘旋，还给他叼来了鱼虾，落到他肩上、身上安慰他。那个孩子没有自杀，拿着鱼虾回家给病在床上的父亲充饥，他的父亲听他讲了这件事就说，你何不打一些海鸥回来炖了吃，反正那些海鸥都落在你身上，也容易捕杀。那个孩子第二天又去了海边，手里藏着一把刀，等海鸥飞来，但海鸥只是远远的盘旋着，叫着，但不靠近他。这个故事就是说，连鸟都能看出你怀的什么心思，别说比鸟聪明的人了，你要是想伤害别人，人家一看就知道。”

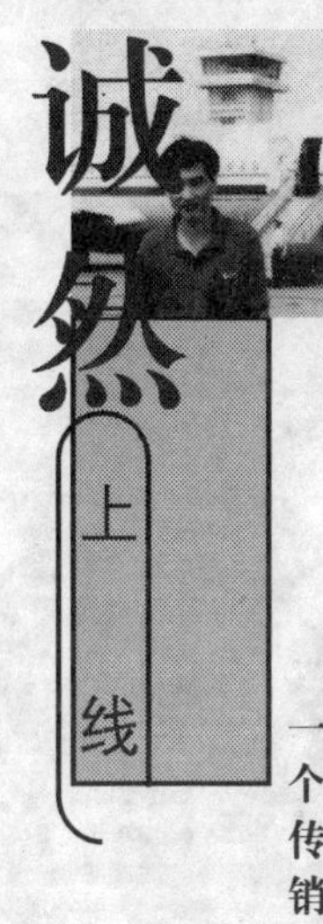

上官兰听完这些，并没觉得有什么难为情，还在笑着听。上官兰好像一直也没入境。她太顽固了。这种人太过聪明，总不把别人说的事情当一回事。她会觉得高于一切人。没有人能够骗了她。但她也许并没觉得，她早已上当受骗了。这种骗，是她自己寻找的，而后不久，她才真正领略到，实际上已经不可挽救了。那就是她的体系在其他体系仍在维系时，却瓦解了。

来临见只是说不起作用就把她推开，自己站在我前面，然后直挺挺的往后倒，我伸出两手，在半空中托住了她。来临又让端木木也这样往后倒，我照样托住了他。这时候，上官兰见没什么危险才站在我面前，向我倒过来。在我托抱她的时候，两只手正捂在她的乳房上，但她并没在意，当人进入了一种状态，对其他是不会在意的。

就这样，两个人一组反复重复这个动作。

总训师又说：“这个游戏说明了什么？说明了人与人之间要相互配合，相互支撑，相互信任，尤其是下线要信任上线，什么事情都能成功。”

接下来的游戏就更加惊险。来临指挥着把两张桌子垒在一起，然后让我站在上面，直挺挺的向后倒下来，下面的人手挽住手排成排在下面接着我。

我照此做了，这是被逼无奈硬着头皮做的，我倒下来了，我的那些下线们一齐用手接住了我。这个动作做完后，来临拍手称好，说："你们的总上线就是非比寻常，真是勇敢，这说明什么，这说明上线相信他的下线们会帮助他，而你们也都应该相信你们自己的下线们……"

这时候欧阳凤说："总训师，休息一会吧，累了。"

来临说："不休息，这么点耐力都没有，还怎么挑战自己的极限，下面的训练是男女搭配，或两人一组，面对面坐着，两人都设法让对方把手举起来，谁举了手，谁就是失败者，这个单元叫'战胜拒绝'现在开始。"

我和来临一组，端木木和欧阳凤一组，上官兰和司马欣一组，下面各组组好后。来临宣布："现在开始"。

我笑着对来临说："看在党国的份上拉兄弟一把吧，你把手举起来吧。"

她说："不举，我怎么能输给你呢！什么党国份上，什么意思？"

我说："这你不懂，这是我小时候看电影里面有个李军长求张军长增援说的话，那时候你小，不知道。"

来临说："呸，你比我大几岁呀。"

我问她："你今年多大了，有男朋友吗，要是没有你看我怎么样？"

来临说："你怎么问女士年龄，我正没有男朋友，不过你得和你夫人离婚，我就嫁给你……你还少给我来美男计，我就是不举手。"

我悄声对她说："我真喜欢上你了，看来爱是挡不住的，我就觉得你特可爱……"

来临说："你咋这样呀，真肉麻，我看你表面上一本正经的，这么快就露馅了。"

我说："我也是人呀，人都有七情六欲，我怎么例外呢，你记住了，我一定把你拿下。"

她一扭脸说："还指不定谁拿下谁呢。"

我说："你拿下和我拿下结果都是一样的。"

她说："那怎么一样？"

我说："结果就是女的怀孕生了孩子。"

来临听后挥起手拍了我的头一下说："你太放肆了。"

我说："你输了。"

来临这才知道自己上当了，但她还坚持说："我是给你个面子，你这么多下线都在看着，输了以后怎么见人"

我说："好啦，咱们看看那些宝贝怎么样了。"

我和来临站起来走到每一对面前，观察他们的行动。他们或生气或嬉笑的相互劝着对方举手，但没有人举。

时间过去了很久，他们仍在对峙着。就像两头狮子，同时扑向一个断了气的猎物，双方在离猎物等距离的地方对视着，都不敢向前走，又不敢去叼猎物。因为谁叼猎物，自身就会被攻击，又都不想放弃。呲着牙，怒目圆睁，凶相毕露。人与动物有惊人的相像之处，人大多时候只是闭着嘴，掩盖着凶相。我发现这种训练真的很绝，也不知道这是谁发明的。双方都是平

1993 年初在锦州“辽沈战役纪念馆”前。

等的，双方都知道谁举手谁就输掉了，但这么长久的劝说着对方举手。对方又不举手，为了使自己成功，简直在哀求别人，这是一件很折磨人也很残酷的事情。

这使我想起了许多年前，我下乡的时候，有一次返城，列车已经开走了，这时刚好有一列货车开往我家的方向，我知道这列货车到我们市肯定要停的，我就悄悄的爬上了尾车。尾车里有运转人员，在没开车前我躲在一边不敢让运转人员发现，因为被发现后肯定会被赶下车的，而下一趟客车要等到第二天，回家心切就上去了，货车终于开动了，我很高兴，我可以回家见父母亲了。谁知，火车开动起来后，风很大，又是冬天，没多大一会，我就冻得受不了了，我开始在外边朝尾车里边喊，我请人家打开车门让我进去暖和一下，里面不理睬，我哀求人家，我说我是个知青，我回家没赶上火车，只好搭货车，外面太冷了，就让我进去吧，哪怕让我暖和一会我再出来也行，我就

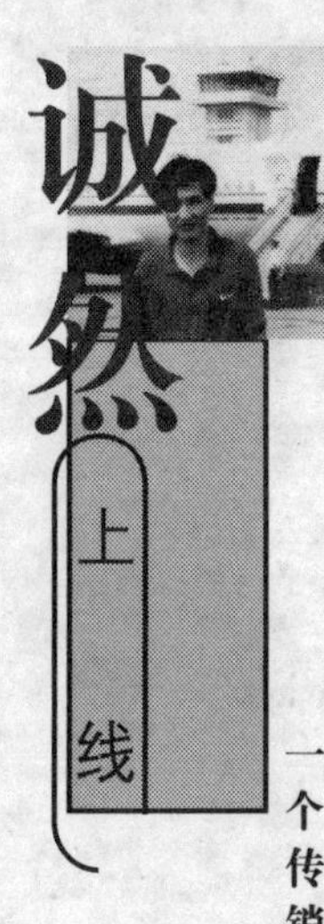

这么不停的哀求人家。后来我发怒了，我看他们太不通人情了，就用脚拼命的踢门，里面的人见我这么疯狂的拼命的踢车门，只好把车门打开让我进了尾车，尾车里烧着火炉子，是那么温暖……

我没有再往下面想，我要看看她们是怎样取得胜利的。

我有意站在上官兰和司马欣身边看她俩僵持。

这时候上官兰直勾勾的看着司马欣的头发，表现出惊慌的样子，突然大声说："你头上有个虫子！"司马欣听后脸色发白，双手举起在自己头上乱抓。

上官兰站了起来，笑了笑说："你输了。"

司马欣大吵起来："这不算，你骗人，那有这么骗人的，这算啥本事。"

上官兰说："这我不管，反正你举手了。我的目的达到了，其他的我就不管了。"

我没说话，又走到端木木和欧阳凤身边，端木木正在和欧阳凤说话："欧阳姐姐，你看我老实人不会说啥，你就可怜可怜小弟吧，你家条件好，做不做无所谓，我家生活太困难了，我妻子下岗了，家里连住房都没有……就算帮我一个忙。"

欧阳凤说："好，我举手，反正我无所谓。"说完举起了手……

这些经销商后来都有其中坚持不住的，慢慢的都举起了手，宣告自己的失败，经过好长时间，这项训练才结束。大多数受训者都经过了向对方谓求举手，然后变成哀求，直至声嘶力竭声泪俱下。

来临又站在了前面，说："这项训练是增强你们每个人的耐力，在生活中，我们做事情往往只努力一下就完事了，如果坚持住，什么事情都能成功，假如说你向一个新人介绍咱们的公司和产品，开始人家不感兴趣，你如果放弃了，你就失败了，你如果坚持不懈的说服别人，最终就会战胜别人。曾经有一个老师让他的学生面对鱼缸里的鱼，让他想办法教会鱼摇头，这个学生就开始朝着鱼摇头，而鱼就坚持摆尾巴，几天后，老师再来看这个学生和鱼，鱼缸的鱼并没学会摇头，而这个学生却学会了晃屁股……事情就是这样的，传销也是这样的，你若战胜不了别人，别人就会战胜你，你要想成功，就必须战胜别人……”

这时候我发现，总训师真的很会训练人，在不知不觉中或者说在一种特定的“场”之中，所有人都随着总训师来进行，似乎完全被她控制了。

总训师很会调整气氛。她见每个人都有些疲劳，马上又安排了一个单元，叫“解放天性”好像是表演方面的训练，来临让每个人讲笑话或做怪脸，或学猫叫狗叫，只要能逗大家笑就可以。于是会议厅里回荡着不停的笑声。笑过之后，来临开始教大家唱《爱拼才会赢》，而且唱每句歌词时都做一个动作。

等大家的动作和歌都唱熟练之后。她要求每个人举着燃烧的蜡烛，汇聚在一起，齐声高歌……

这一夜，训练结束时，天已经大亮了。大家经过这一夜的培训，都很疲惫。有身体上的，也有心理的。这种全新的，从未经历过的事情，却在每个人的心里留下了深深的印迹。但奇怪的是，都不约而同的不再提及这夜的受训内容。没参加的人怎么也打探不出昨夜都进行了什么训练。更不知道某个个人表现的内容。我也不会告诉别人，我虽然哭过，也跪过，但局外人却无法知道。

来临很开恩，没有接着培训下去，而是安排了一块时间让大家休息。这天上午，所有的人都睡觉。下午继续进行一项室外训练。

这时候我已困的什么都不顾了，回到自己房间倒下就睡了。这时候我做了一个梦，我梦见自已被一群外国人带到了一个很陌生的地方，那些人都是不同国家的，好像都是高级间谍和超级职业杀手，他们一个一个的来训练我，有的教我化妆术，有的教我学各国语言，有的教我怎样杀人，还有人教我开汽车和飞机，其中还有人教我推销化妆品，他们好像对我说，从现在开始，你就再也没有父母，亲人和朋友了，你就有一个上级，上级的代号叫007，上级让你做什么你就做什么，不许违抗命令。我说，我凭什么听你们的？那些人说，现在已经由不得你了，你的大脑已经被人挖出来了，在你大脑里又安装了一种仪器，007一发指令你自然就会服从，不然的话，你的脑袋就会爆炸，如果你想活，就得听从上级的指令，如果表现好还有奖赏，我说给我什么奖赏？他们说，你要什么就给你什么。你要美元还是英镑，还有法郎，你要女人有法国的日本的朝鲜的你随便挑……我好像还是不服气，还吓唬他们说，我们公司有个总训师非常厉害，等让她抓住你们能训练死你们，看你们还猖狂不猖狂。他们听后哈哈大笑，说来临也是我们一伙的，她脑子里也按了东西，也听我们的指令，不信你看看，你面前这个人是不是来临……

我好像有些清醒了，等我睁开眼睛的时候，一个人坐在我

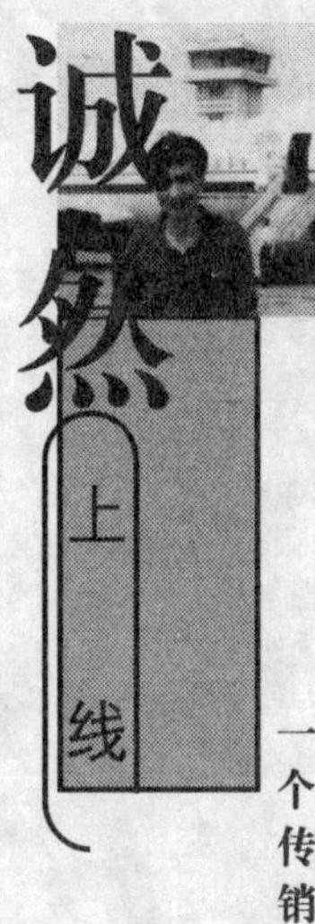

床边，我仔细一看，原来真是来临。

我马上不知所措的爬起来："你真在这？"

她叼着烟笑着说："怎么，害怕了，怕我把你拿下，就你这胆还要把我拿下。"

我马上说："我不是那意思，我是说你这两天坐火车这么辛苦，昨晚又折腾了一夜，怎么不好好休息一下。"

她说："这算什么，我当年自己闯海南闯深圳的比这辛苦多了。"

我打趣说："看来结婚和不结婚就是不一样。"

她问："哪个地方不一样？"她边说边笑着。

我说："没结婚的人精力旺盛呗。"

她又说："精力旺不旺盛的你怎么知道？你又没试？"

我看看她，笑了笑说："我现在是没这个力气了，这一夜让你训练的够累的。"

她说："我又没想让你干什么，先说累了。"

我说："来临，咱俩要是这么闹下去，私生活早晚得来临，我这人意志可不坚定，等我训练你的时候，别说让你结了果，看你怎么做人……"

她伸出手打了我一拳，正打在我前胸上，使我一阵疼痛，我说："你轻点，想打死我呀，你好像在少林寺练过，出手这么狠。"

她说："这算什么，我小时候专打男孩子，书包里背着好几把菜刀，现在温柔多了……"

我说："幸好我没对你下手，要不然不知道谁受伤呢，真奇怪，我刚才做了一个梦。"

我把那个梦和她讲了一遍。

她说："日有所思，夜有所梦，可现在是白天，你这不是白日做梦吗，不过你这人做梦也挺怪的，这说明你这个人不规矩，离谱的人做梦都离谱，梦如其人么。"

我说："你胡扯什么呢，人都说文如其人，没听说过梦如其人，我看你更离谱，好在我没像那个进京赶考的人做的那种梦，那家伙更离谱，还什么大白天打伞，白菜长在城墙上，更可气的是身边睡个漂亮女人。我怎么就梦不着身边睡个漂亮女人呢，要是我梦见，不用别人指点我，我肯定能翻身……"

来临说："这好办呀，你闭上眼睛，假装又开始做梦了，你可以不做打伞长白菜的，直接就梦见身边睡着个漂亮女人，你往里边一点，我躺你身边……"

我说："遇上你这种天不怕地不怕的，我可有点怕了，快到点了吧，别闹了，开始训练吧。"

于是，另外一种训练又开始了。这个训练的单元叫"战胜害羞"，也就是使人不再害羞。人在生活中，经常会有一些事情由于害羞而无法去做。比如作了经销商却不好意思对别人说，更不好意思去向别人推销产品和推荐别人加入，这对于经销商来说是非常不利的。有这种心理的人，一方面是缺少自信，另一方面是太注重别人对自己的看法。

这首先要调整心态，但在课堂上讲的再多，也不免有些纸上谈兵，有的人在课堂上把信心树立起来了，刚走出门就又没有信心了，必须以一种强行的培训来改变经销商的心态。

来临让所有参训的人都换上奇怪的衣服，有的将男女服装换着穿在身上。总之打扮得非常引人注意。然后就带领我们走出宾馆。

开始,有几个人不愿走出去,要是在宾馆里大家就当开个玩笑,很无所谓的。但是就这样大摇大摆的去外面街上,都像个怪物一样,是很让人难为情的。

来临很严肃,板着面孔说:"你们还想不想让你们的事业成功,这么点事都羞于去做,还怎么克服运作中的困难,碍什么面子……"

大家无奈的随着来临到了一条很繁华的街道上,人们都不约而同地用奇异的目光看着我们,还不时的议论着:"这哪来一帮疯子……不是精神病院跑出来的吧……"

来临说:"别理他们,都是些平庸的人,他们理解不了这种行为,你们就想自己是这个世界的主宰,只有你们自己才是最强大的,才是英雄,才敢于用不同于凡人的面目出现……你们站成一排,面对街上的行人,大声喊着你们自己的名字喊着,我行、我能,我要成功!"

开始我还以为让大家在外面走一圈,然后就回来了。反正把头低下别人也认不出是谁。没想到,来临还要我们用高声叫喊的方法把大街上的行人都吸引过来,这真的让人觉得难为情。

来临又催促说:"你们都不会说话呀?这也是宣传公司的好时机,抓紧喊,谁也别想妥过。"

我转身望了望这些受训者,他们都低着头,来临狠狠的看了我一眼,我见没人喊,我硬着头皮,红着脸喊:"我叫富成,我是美商东方化工有限公司的经销商,我们公司的经营理念是诚信、务实、公平、守法……我行、我能、我一定能成功!"

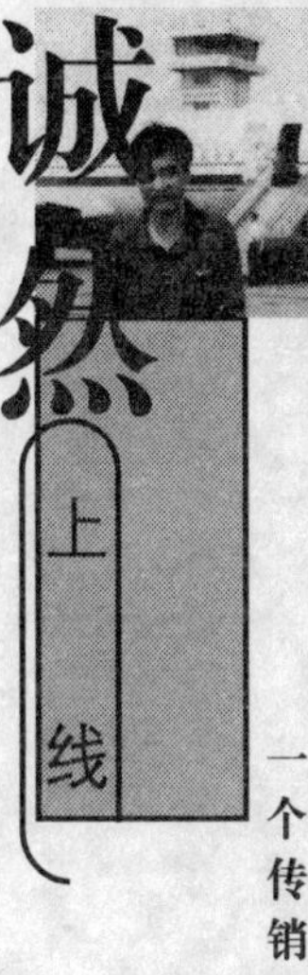

我话音刚落，来临厉声告诉说："大点声！"

于是我又大声喊叫。随着我的喊声，受训者又都随着大声呼喊。

大街上人听到喊声都停住脚步，惊奇的望着我们，议论纷纷。

一个外地来参加培训的小姑娘喊了两声之后，眼泪哗哗地流了下来。

这时，我们的呼喊声更大了，所有的人像是疯了似的呼喊着，只有喊叫而似乎忘记了自己的存在。

这时候我已不再想什么面子，已经目空一切的沉浸在这种喊叫中了。在呼喊时，顿时觉得自己真的无比强大，涌起一种不可战胜的力量。

好在街上没人出来干涉，喊了十分钟，这种情面关算是过了。

来临说："人要做成一件事，就不能碍面子，面子值几个钱，等成功了，人家都敬重你，你这才算有面子，一事无成的人哪来的面子？"

我原以为培训就可以结束了，但来临又宣布了一项训练计划。这项训练的科目叫"魔鬼训练。"这时候那个流泪的姑娘和另外一个经销商请假退出了训练。

来临说："像她们俩个人，永远也不会成功，人不经受磨难怎么能获得成功，不经风雨，怎么见彩虹，这就是生活的弱者，这种人永远不会有出息……现在接下来的训练是去外地，你们把身上的钱都掏出来由我统一保管，你们不许带任何通讯工具……"

12. 残酷的魔鬼训练

我不知道魔鬼训练是否名副其实，是什么东西我也说不清楚。但从名称上分析，和魔鬼联系在一起肯定是挺凶残的，是不是像特种部队那种野外生存训练一样，我还不得而知，来临也不告诉我。我们坐上火车，是去最北部的一个县城，也就是当初我和冰怡去发展欧阳凤的那个县城。

到了县城，我们又坐上一辆租来的汽车，向一个偏远的小镇进发了。

在路上，来临给每个人发了价值500元的化妆品，说只有设法卖掉这些产品，才有食宿费，不然连回来租车费都没有。这属于冷陌销售，这种销售不同于温情销售那么容易。这就要求每个参训人去敲开陌生的门，面对陌生的脸把产品销售出去。

我们坐在车里，相互看着，都清楚这种销售的难度。

来临说："推销产品是什么，说穿了就是'推销自己'，就如同做人，要想想，怎样才能让别人接受你，只要接受了你这个人，就能接受你的产品。为什么我们的经销商中有的人能推销出产品而有的人却不能呢？这是你们做人处事出现了问题，你们体系的总上线富成先生为什么在这么短的时间里做出这么高的业绩，而且引起了总公司和老总的关注。这是他做人成功……我来你们市的第一天我就感到了这一点，他到站台上去接了我，而且知道我会冷还特意给我拿了羽绒服，那么盛情的招待我，这很让我感动，通常的人会想，我是受公司指派，这是我的工作，食宿公司负担的。但富成都没有这么想，他是个知道感恩的人，而传销又是人性化感恩的事业，他的做法符合这种法则，所以他就成功了……我们的运作绝不是别人需要而把东西卖给他，如果仅仅这样，经销商就没什么用了，超市里有的是产品摆在那，还用这么多人做什么。犹太人有句谚语，把别人需要的东西卖给别人不是做生意，而把东西卖给不需要的人才是做生意……"

汽车在蜿蜒的山路上爬行了很久还没有到那个小镇上。

来临问司机："现在离镇子还有多远？"

司机说："还有五六公里吧。"

来临说："你们都下车，下面这段山路，你们走着走"

我说："我呢？"

来临说："你也下去，我和车在后边跟着你们。"

1994 年春在北师大学术会堂前。

我心想，这女人够狠，真像我想的那样，搞起部队的拉练急行军来了。好在她没命令我们全体卧倒。这种训练我是不在乎的，但有的人不行，走这种山路很消耗体力。

来临不时地把头从车窗里伸出来，振振有词地说："这是锻炼你们的体力，也是锻炼你们的顽强意志，作为一个优秀的经销商，要能克服各方面的困难，排除各种障碍，去抗争，去拼搏才能取得成功……"

大家最后累得抬腿都困难了，但还是坚持着，用了好长时间才来到了一个小镇。

这个镇子是我市最贫困的一个镇了，说是镇，其实镇上没什么企业，只有镇政府和一些事业单位，据说这个镇由于财政收入出现赤字，各单位职工已有两个月没有发工资了。其原因是地理位置偏远，交通不便利，加之此地属于寒带地区，无霜期短，农作物种植单一，农民的收入比较低，而镇子上没有什么像样的地方工业和乡镇企业，造成财政收入不好，我很担心，来这种地方搞销售怎么能行。这里的人连吃饭都成问题，哪来多余的钱来买化妆品。

我对来临小声说："这地方的人都快吃不上饭了，能有人买化妆品吗？"

来临说："这就对了，人没有钱才去赚钱呢，你可以推荐他们加盟公司，大家一道来挣钱，改变这种困难环境。你当初不也是急需用钱才出来做的吗？人经济上越困难，做传销的动力就越大，这就叫置于死地而后生。"

我说："还真看不出来，总训师还懂孙子兵法。"

来临说："什么都不懂那还敢培训你们，尤其是你这种什么都懂的人，是不是？”

我说：“我倒是不懂什么，正处在学习阶段，请问总训师，这孙子兵法的第三十六计是什么？”

来临随口答道：“走为上计呀！”

我说：“那好，我就给你来个三十六计吧。”

来临说：“你敢，别说我代表人民给你一枪。”

我说：“原来你小时候也看过《宁死不屈》呀，那就算了吧，我还是好好运作吧……这都是命啊，我和你又到这个地方来了，当初我和冰怡他们就是到这来发展的欧阳凤……”

来临马上诡秘地笑了笑说：“噢，原来是这样，你是不是就在这个地方和冰怡圆的房呀？”

我说：“你别胡扯了，把我当什么人了，我是那种随便和别的女人圆房的人吗？你怎么老怀疑我和冰怡有那种关系呢？你就不能想我们是同学间纯洁的友谊呢！”

来临说：“不是我往那方面想，关键是你这人不是那种纯洁的人，这怪我想吗？”

我说：“我不纯洁我怎么你啦？直到现在为止，我也就摸过你的手一下，还是你主动伸出来和我握手的，其余我做什么了？现在世界上还有比我再纯洁无邪的人了吗？你去问问苍天……”

来临说：“你算了吧，越表白就越说明你心里有鬼……”

我不说话，就这么斜着眼睛看着她，她在那得意洋洋的坏笑着。我心里想，不用你在那得意，说不上什么时候我真的把你干了，让你知道知道我的厉害，我要是不干你，我看你不老实。

来临又追问说："你这家伙不说话，在心里使什么坏呢？"

我说："使什么坏？到时候你就知道了，我现在不能告诉你，告诉你你印象不深，到时候我让你刻骨铭心……"

来临说："瞎吹吧，我还没刻骨铭心过呢，我看了这么多年的澡堂子，什么大奶子我没见过……"

我说："好，好，你见过大奶子，到时候我让你见的比大奶子还大。"

来临就又是坏笑。

我说："我没时间在这和你胡扯了，我得去干正事了……"

这时候快到中午了，坐了这么长时间的车觉得又渴又饿。但口袋里没有钱，这个镇上也没有我的熟人。来临找了个小招待所自己登记住下，而我们就各自去推销产品了。

尽管我发展过好些人加盟传销，那都是熟人或者朋友，面对这么陌生的环境和人，一下却不知怎样运作了。但又不允许我再这样的想下去，我狠了狠心就去了镇政府办公楼。进门的时候，门卫拦住了我。我出示了工作证后门卫才放我进楼。我直奔了和我对口的一个办公室。我敲门进屋后，里面有一男一女，正在闲聊。我进屋后和他们打了声招呼，说了自己工作的单位。这两个人十分热情的给我倒茶递烟。我没有直接说明我的来意，而是坐在那个女干部的对面和她闲聊起来。

先是聊了会工作环境和工作情况，时间慢慢的接近中午了，那个男负责人说："富同志，中午我们请你吃饭，市里的领导难得上我们这个穷镇上来，单位没钱，我个人掏钱招待你。"我假意的推辞一下，就随他俩走出办公楼。

我说："咱们找个最小的小吃部，越清静越好，虽是个人感情，让外人看见也不好，还以为咱们是公款吃喝呢。”

男负责人说：“上级领导想的就是周到，那好吧，说实话大家经济又都不宽裕……”

男负责人拿过菜单，点了几个贵些的菜，被我制止了，女干部还不好意思地说：“我们再困难，您来了也不能弄的太简单。”

我再三坚持，最后只要了两个炖菜，要了几碗米饭我们吃起来。吃饭的时候男负责人觉得十分过意不去，说：“这么对待上级领导，这太不像话了。”

我说：“你们只把我当成一个朋友，咱们不谈工作，等你们去市里的时候，我好好的招待你们。”

吃饭的时候我有意把话题扯到了各自工资收入上，他们俩个人面带难色，于是我就向他们摊了牌。

我说：“咱们既成了朋友了，我就不隐瞒你们俩了，我知道像咱们这种部门没什么权力没有灰色收入，只靠这点工资维持生活，加上你们镇财政收入不好，那你们想没想过利用业余时间做点生意赚点钱，这么干等着怎么行。”

他们都说，谁不想赚钱，可是既没本钱又没有什么门路，哪那么容易就赚到钱。

这时候我马上说：“咱们既成了朋友，你们又对我这么热情，有好机会要是不告诉你们就不够朋友了，说老实话，我这次来没有公事，我现在正在代理一家化妆品公司的生意，我来你们镇也是找人代理一下，你们俩如果感兴趣可以随我一起做，我会教给你怎么来运作，而且不用你们拿钱上货……我现在的收入每月都是四到五位数，咱们回办公室，我仔细给你们

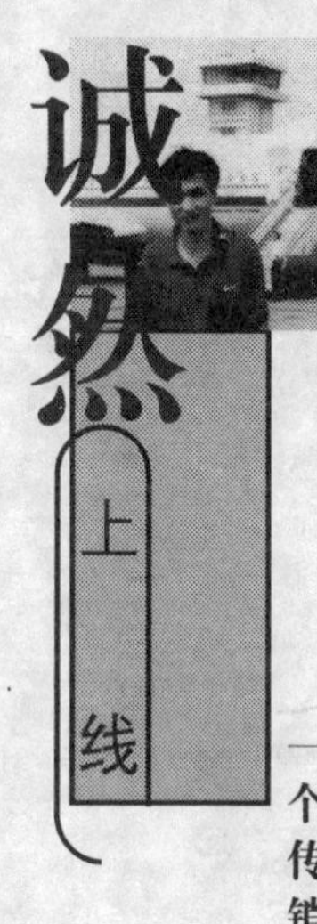

讲一讲公司和产品情况。”

他们俩人听后十分高兴，女干部说，有一次她到市里去，机关有个女收发员跟她念叨了一遍什么感恩理念的，她没接话茬，我说，那女收发员也是我们的传销商。我们回到了办公室，这时候机关干部们都还没有上班。我让那个女干部打来一盆温水，把公司的资料交给男负责人让他看。我就为女干部边讲边做起皮肤护理来。男负责人看过资料觉得这件事不错，但没有加盟的意思而那个女干部感受了一下产品，觉得皮肤很舒服，就当即同意加盟公司，我趁热打铁的要求她购买了产品，她很快从家里取来钱，选购了产品，并办理了加盟手续。

就这样，我的销售任务完成了，而且还发展了一个下线，说实在话，我直接推荐了这么多下线，还真没感到有什么困难，这事的道理其实很简单，人都想赚钱，但是赚钱的哪有不投资的，投入几百元钱就获得了赚大钱的机会，何乐而不为呢?要是自己不会运作，上线可以教，也可以派讲师来讲课，就是退一万步讲，自己一个人也没推荐成，也没销售出产品，自己花的钱不是还得到一套化妆品吗，反正平时也得花钱买，要说一种产品卖不出去那不现实，人都有一种攀比心理，看别人用什么就跟着用，都想赶时髦，这是人的一种本性，如果卖出了产品，自然就有销售利润，别人见你赚钱了，也就自然而然的加入了，因为不加入是没有资格销售产品的，那些既没有销售产品又没有推荐人的经销商大都羞于和别人去谈，总是做贼心虚。总怕被人拒绝，总怀着一种矛盾心理。还是因为心态没有调整好，这有什么呀，给别人推荐一种好产品，推荐一份好事业，带领大家共同走富裕的道路，齐心协力奔“小康”，这是多么有意义的事情呀，想到这，我自己心里也忍不住想笑。

当我回到来临住的招待所时，和来临讲了我推荐人的过程，来临并没有感到惊奇。

她说："你成功是我预料中的事，我相信你有这个能力，首先从你的衣着上看，穿戴很高贵、很得体，气质上又有风度，又能言善辩……"

我马上说："打住，我怎么能承受住你这么夸奖我，我真的像你说的那么厉害吗?是不是因为你爱上了我了才爱屋及乌的!"

来临马上站起来说："你再说一句?你以为你是谁呀?太多情了吧！"

我说："开个玩笑，这不是心情好嘛！"

来临说："可苦了那些孩子们喽，你看吧，准有几个哭着回来的，你看那几个人外表，那个司马欣，傻了巴机的，谁能相信她，还有那个端木木，穿的那套行头，谁会相信他在赚大钱……倒是那个上官兰肯定能推销出去，那个女人能说会道的挺能唬人。"

我说："你一个总公司的总训师怎么说这是唬人呢，咱们是靠信誉，靠产品取胜。"

来临笑了一下说："算了吧你，你中毒还挺深，这年头那有那么多真的，还不是你骗我，我骗你的，只不过看谁骗的高明罢了。"

听了她的话，我心里一愣。来临似乎看出我心思，马上把话拉了回来说："不过咱们公司的产品质量还不错，价格也不高。"

来临拿出一支烟递给我，我帮她点燃，她吸了口烟说："这

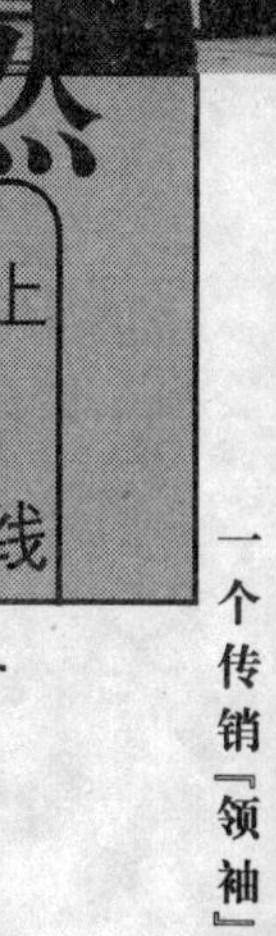

世界上哪有什么好和坏，事情怎么能分得这么清，别管什么事,睁一只眼闭一只眼的就那么回事吧。”

我没有再说什么,她也不说话,我们就这么静静的坐着。屋子里的烟环绕着,使人变得朦胧起来。

实际上,我很清楚自己在做什么,我需要钱,这就像人们常说的“君子爱财,取之有道,”道是什么,就是方法,手段。别人的钱不会无缘无故地送给你,而传销是方法和手段。世界上有太多太多的方法和手段了,只不过是有人掌握了,有人没有掌握,有人使用的好,有人不会使用罢了,经商是如此,做人和做官也是如此。要是把这些都看成是一种游戏,就得遵守游戏规则,否则就是犯规,犯规就不允许,只不过传销这个游戏规则更多些,更严格些,我虽然还不能说清楚,但是我领悟到了,我会那样的去做,而更多的人还没有领悟。对此我很着急,我总是对下线们说,既然你想做了,那就多用些心思,看看公司的事业手册,看看关于传销的书,把事做成功了,谁都明白胜者王侯的道理,人一旦成功了,那他就是王侯,就是英雄,再说什么都没有用了。人若是失败了,也同样如此,人为什么不去争取成功呢……

又过了一会儿,来临说:“你陪我出去转转吧,光待在屋子里太闷了,我还是第一次来到你们这么北的地方。”

我说:“转转就转转,这么北的地方我也不常来,这地方风光还是不错的,将来要是搞旅游开发什么的,准能不错,冷也是一种别样的情怀……你可别嫌冷。”于是我同她走出了招待所。

来临说:“搞文学的人说话就是不一样,什么冷也是一种别样的情怀,情怀还有别样的?”

我说:“灵光一闪,随便这么一说,千万别记在你日记本上,别说我告你剽窃……”

来临说:“你就自恋吧。”

……

大地被白雪覆盖着,路上的行人很少,我们随便的走了一会儿,我突然说:“咱们去爬山吧,我喜欢上山上往下看。”

来临说:“智者爱山,仁者爱水。”

我马上说:“我也爱水,不过山下那条河都封冻了。”

来临说:“你算了吧,就会顺竿爬。”

说完,来临随我爬上了附近一座很矮的小山,通往山上有一座仿古的小亭子。我拂去了石桌石凳上的雪,示意让来临坐下。

来临说:“不一样就是不一样,想不到这么个小地方还有

1998年春在自家书房静坐。

有绅士风度的男士。”

我说:“你算了吧,你总这么表扬我,我会骄傲的……你看看山下这个小镇,虽然很小,可我就喜欢这种地方,那么安静,那么柔和……”

来临突然打断了我的话:“富成,你怎么有这种想法,这种超然世外的想法对你做事业可不利,抓紧调整心态,不用我给你讲 NDO 吧。”

我说:“不用不用,这个我懂,我只是觉得有时候很疲惫,也总问自己,这么拼命到底为什么?像过去那样多好,大家一样、苦是苦了点,可过着同一种生活,平平静静的,不用为了生存奔命……”

来临没有接话,她望着山下的房屋,也望着远处被雪覆盖着的河流,低声说:“谁愿意这么奔命呢,可又有什么办法,大家都想活出个样来,都不想输给别人。”

她说过话,好一会儿也没有说话,她依旧望着远方,我不知她又想起了什么。她可能想家了。

天渐渐地黑下来了,冬天里天总是黑的很快,天气也变得更冷了。我凑到她的身边轻声说:“咱们走吧,该回去了。”

她像是被我的话猛然惊醒了一样,脱口说了句:“是该回去了。”

在下山的时候,她扶着我的肩膀,台阶有些滑,我就拥着她走下山来。从她的笑声中,我能感觉到,这下山的过程她感觉很有依靠,很快慰。

一回到招待所就见上官兰已经回来了,果然不出来临所预料的。

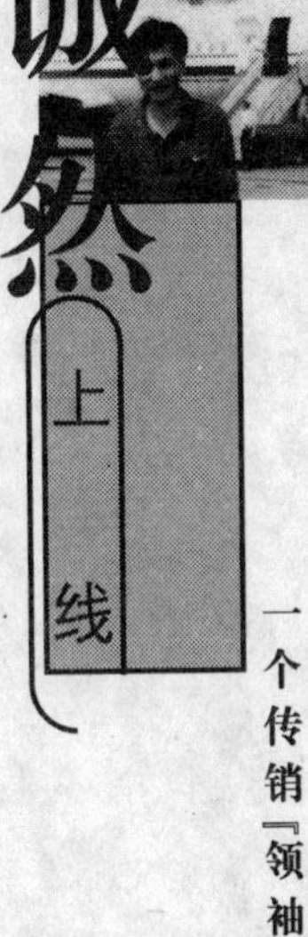

上官兰说:“老师,我的任务完成了,我可以回家了吧。”

我问:“你把产品推销给谁了,还挺快的。”

上官兰说:“我直接去了一家小美容美发店,那里正好有几位女士,被我一宣传,她们一人买一两种,我的产品就卖完了,我还借机会去了一个朋友家,我告诉她过几天我还来,我让她和我一起做传销,这次产品带少了,下次我多带点,在这个镇上发展几个下线……”

我和来临会意的笑了笑。

来临说:“你刚过了一关,可以回去休息一会儿了。”

我又嘱咐她说:“你先吃点东西吧,他们还都没回来,我等他们。”

上官兰轻轻松松的走了。我开始为这些没回来的人担心。

来临说:“你不用管,人逼到份上没有成不了的事,每个人都有潜能,这回就帮他们开发开发,要不然他们也不知道自己到底有多大能力。”

于是来临就给我讲了一个故事。

她说:“有一个女人出门买菜,把三岁多的孩子锁在五楼里,当她买菜回来快到楼下时,无意地朝自家的窗户看了一眼,这时,她的孩子正趴在窗户上还在往外爬。这个孩子在跌落下来的一瞬间,这个女人仍下东西拼命的朝楼跑过去,就在孩子要落地时,她接住了孩子。事后人们做了几次坠落实验,这个女人再也不能用那么短的时间跑到楼前了。”

来临又说:“这证明人在紧急的时候,调动出了自己的潜能。”

我说："我听你这话怎么有点玄呢？"

来临说："你要不信，我帮你做个试验。弄一只老虎来在你后边追你，看你能跑多快。"

我说："这里也没老虎，怎么试验？"

她说："那我就给你换一种试验。"

我问："什么试验？你不会是看我正人君子有意让我犯错误来难为我吧。"

来临说："你想啥呢？你不是不能喝白酒吗？晚上我请你，我让你超越自己一次？"

我说："这事我愿意。"

正在我和来临瞎扯时，端木木和司马欣他们回来了。

从他们的表情看，他们的销售并不理想。我问了问他们的情况，才知道每个人只卖了几十元产品。

她们说："现在人们对上门推销产品很反感，要么不给开门，要么就说些难听的话。"

端木木说："我险些让人打出来。"

来临又来了讲课的欲望，首先向他们讲了我和上官兰成功经验，随后又很形象的讲起销售技巧来。

她说："推销就如同一个人捕鱼，首先你自己必须清楚自己使用鱼竿钓还是使用鱼网捕更得心应手，接下来是选水域，得善于观察什么水里有鱼，富先生和上官兰就选好了水域，就钓上鱼来了。另外，选好水域后还得技术过硬，掌握好火候，工具还得好使用……技术就是指你对公司制度和产品性能掌握的怎么样，工具就是借用公司的资信材料和自身的素质，我给你们这次明确的是用鱼竿钓鱼。而传销做到富先生这么大的体系，实际上就形成了一张网，用网捕鱼收获要来的更大……"

随后，来临和我又给这些人一些鼓励，他们似乎又恢复了一种信心。

来临说："怎么样，你们有的人还不愿参加培训，不训练怎么行？连这么点产品都销售不出去，怎么使你们的事业成功，看来在市里那场'战胜拒绝'还没有产生作用，现在我只好再加训一项内容，这项内容叫'浴火新生'。你们这次推销肯定受了好多委屈，现在你们两个人一组，先由一个人开始骂对方，你就当对方是拒绝你的人，是你最痛恨的一个人，怎么解气，怎么过瘾就怎么骂，对方只能听着不许还口。"

2002 年夏在朝鲜金日成塑像前留念。

这是让每个人把心里的积怨发泄出来，不然心里总是有个疙瘩，会影响经销商的情绪。时间久了，就会放弃运作。但总得有个发泄的对象，所以两个人一组，相互发泄，大家心里也有个平衡。

我和来临说："这回你打死我，我也不参加了，你让我骂谁呀，我一个总上线在下线面前破口大骂，这有损我的形象……"

来临说："你说了算还是我说了算？让你骂你就骂，你骂我还不行吗？"

我说："这是什么事呀，我妈从小就教育我不许骂人，说骂人不是好孩子，骂人丢，长大了倒骂起人来了。"

来临说："你妈懂什么？"

我说："就你妈懂？咋教出这么个坏孩子。"

来临说："这回会骂了吧，听话。"

这次分组和在宾馆不一样，做了一下调整，上官兰和端木木一组，欧阳凤和司马欣一组，我仍和来临一组，其他人也搭配妥当。

端木木说："上官姐比我年龄大，我怎么能骂她呢，这也太那个了吧。"

来临问："太哪个啦，你知不知道咱们这是干什么，你少来这一出。好，你不骂是吧，上官兰，你骂他。"

上官兰停顿了一下说："你端木木有什么本事？还是代理人，你怎么难为我的下线呢？我的下线在你们县，就得在你们提货站购货，你把好销的货留给你自己的下线，你是人吗？你是什么玩艺，太不是东西了……"

端木木的脸上一会儿白一会儿青的但又不能反驳，等上官兰骂过后，又轮到端木木骂上官兰了。

端木木说："你上官兰说的那叫人话吗？我啥时候不给你下线产品了，那不是公司产品紧俏吗，我有产品能不给吗。你总想让你的下线再在我们县成立个供货站，我早知道你有野心，你想把我挤垮了，我是代理人怎么了，这是咱们总上线任命的，我不是人我怎么啦？我也没和总上线粘糊……”

上官兰大喊：“你这话什么意思？你是说我粘糊上线了？你也不照照自己，狗屁本事没有，仗着上线照顾着，撒泡尿淹死算了，挺大个老爷们，不害臊……”

端木木也急了：“你就是不要脸，也就是咱们总上线正经，你靠不上，要不然你都能让上线白干你一顿，你为了赚钱啥玩意舍不出去……”

这边，欧阳凤和司马欣也接上火了，司马欣说：“你在这装什么呀，还什么你家条件好，你瞧不起谁呀，你家条件好在那呢？你家能买起飞机游艇呀，有几个钱呀，瞎吹啥呀，咱们谁不知道谁呀……这是在你们县管辖的小镇上，推销点产品都那么费劲，你平时连个人缘都没有还吹个屁……”

欧阳凤说：“就你这小样也配合我说这些，我看你像个神经病人似的，总上线说什么你就点头哈腰的，像见了你爹似的，为了挣点钱你也不怕掉自己的价？总上线看在你妹妹的面子上才让你代理的，你有什么本事？别看你现在这样，真有那么一天，你照样能做出对不起总上线来的事，我看你心术不正……我们县管的小镇怎么啦？我不惜得动用我的社会关系，我要是找熟人，别说这么点产品，再多的产品都能卖出去……”

司马欣说：“你别吹了，有关系你还能不用？你装啥呀？这也不是养汉子，有啥不好意思找熟人的……我看你才心术不正呢！你要是心术正为啥不敢对外宣传咱们公司，为啥不敢大张旗鼓的宣传咱们的产品，咱们总上线到你这来了好几次，你连听课的人都找不来，不识抬举，你无能，无能就别说自己做也行，不做也行，找啥借口？”

我对来临说：“咱俩就算了吧，谁骂谁都不合适。”

来临说：“是总上线就可以逃避训练呀？大家都一样，你怎么这么特殊？开始。”

我说：“你他妈是不是跟我混熟了，竟敢在我的地盘上指手划脚的，小心我强奸了你。我知道你想让我干你，干你你就舒服了，你是什么东西？你分到了楼房，领导上让你把平房倒给我，你当时答应了，领导才分给了你楼，你把楼弄到手了，你又不倒平房，我他妈上哪儿住去，整天借房住，你就忍心？你一个独身女人要那么多住处干什么用？搞破鞋方便呀，到头来你还有理了，你什么玩艺，你不得好死……”

我说完这些自己都大吃一惊，我不相信我会说出这么恶毒的话来，但来临很高兴，微笑着开始骂我：“你说你们这些臭男人哪有好东西？你们什么时候为我们女人想想，我下决心嫁给你，我受了多大委屈，你要是有一丁点儿人味也不能这样对待我……我不指靠你，你瞧着，我一样过得比你好，你算个什么东西？狗屁……”

当我骂过后，我竟忘了都骂了些什么，可能是把埋在心底的某些生活记忆不由自主的发泄出来，从她的口气中我也推断出她曾经可能真想嫁给谁。

人们把生活中的怨恨，全都发在了对方身上，但似乎还不够劲。

来临让人弄来好多凉水，摆在野外。天气很冷，不大一会的工夫，水桶里的水面上就冻上了一层冰茬。在不远处点起一

堆篝火。

我不知道来临又要搞什么名堂，又不允许问。我就猜想，她可能是让我们拎着水桶转圈。可水桶只有两只，也不够人拎的。她难道逼我们大冬天的在外边喝凉水？也不像。她究竟要干什么呢？等到来临找来了一些碗，每人发了一只，我确定是让我们喝凉水，这难不倒我们，北方人四季都可以喝凉水。

正在我猜想的时候，来临说话了。

来临说："大伙的火气还没发完，拿水往你最憎恨的人身上泼，泼死他，开始。"

各组受训者，先是一愣，接下来就争抢着往对方人身上泼，就像云南那里的泼水节似的，可这是寒冬天气，滴水成冰的，人们像是对待仇人那样，红着眼睛狠狠地泼着，最后泼的所有人身上都湿透了，身上的衣服结了冰，衣服成了硬壳，把人固定在那，几乎动弹不得。这时候我只觉得全身都要冻僵了，全身颤抖着。

来临说："此项训练结束。"

随着她的话音，所有人都呆住了，慢慢的回到常态中来，我像是做了一场噩梦，我心里猛然发出一种无法述说的感觉，这都是为了这个什么事业，这是干什么？我看看来临，她已被冻得站不住了，我上前抱住她，衣服与衣服相互磨擦发出冰块碰撞的声音，不知为什么，我的眼泪一下子流了下来。"

大火燃烧起来了，所有的人都围在火边烤着，每个组的两个人相互赔礼，说对不起，我不该这么对你，别怪我，这都是为了咱们的成功，大家烤着火，眼泪都流了下来，相互拥抱着痛哭。痛哭声伴着熊熊的大火在夜空中让人心惊胆破，这就是

“浴火新生”就像神话传说中的凤凰一样,被火烧尽了,就新生出一只凤凰来。

人们对过去的各种不如意,都被火烧光了,压抑在心里的愤恨也随之消失了。人们猛然增添了无尽的力量,去战胜更大的困难。

这个强训科目完成以后,我悄声对来临说:“别难为他们了,晚上我请大家吃饭吧。”

来临说:“这不行,训练时不能有任何照顾,他们没卖出钱就只有挨饿了,好在都够住宿和吃碗面条的。”

我说:“这会觉得我这个总上线太冷酷了。”

来临说:“这是对他们好,以后他们会感谢你的。”

我说:“我倒是不图他们感谢,以后别骂我就行。”

来临说:“这也难说,人这东西不知好歹的多了去了……走吧,我请你喝酒去,顺便开发开发你的潜能。”

我和来临找了一家比较好的酒店坐下来,这时候我很想大口喝白酒,刚才的训练把人冻僵了,来临点了几样好菜,然后要了两瓶高度的白酒,把一瓶递给我说:“咱们自己喝自己瓶里的。”

我把酒瓶推开说:“我喝不了白酒,喝一两就醉。”

来临说:“喝多少醉你其实不知道,你这定义下的太早了,我告诉你,你先倒上,喝着看。”

我只好把酒倒在杯子里。我心想,喝几口我就不喝了,你能怎么着我,这又不是培训,你还想说了算?

菜上齐了,我和她慢慢喝起酒来。

来临说:“讲讲你自己吧,那天我把自己的一切都告诉你

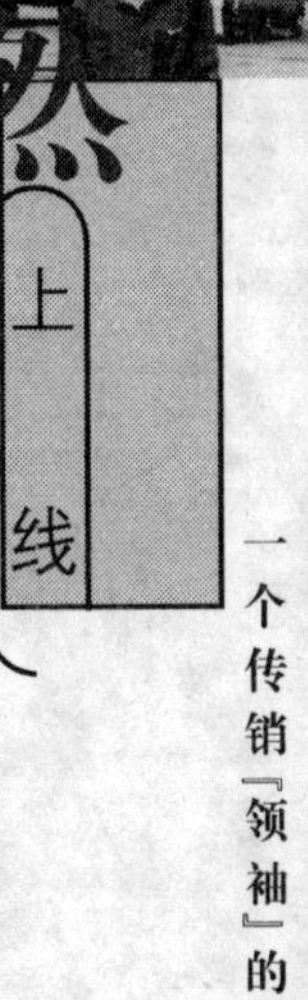

了……”

我说:“你没全告诉我,比如你三十多岁了,为什么还没结婚……”

来临说:“我现在是让你讲,该告诉你的我到时自然会告诉你,别瞎打听,讲吧。”

我说:“你别把培训那套搬到酒桌上来,你是我领导是怎么的,我怎么什么事都得听你的呢?你让我讲我就得讲呀?”

她说:“你不讲可以,你一口气把这瓶酒干了,就不用讲了,我给你讲,你看怎么办?”

我说:“我还是讲吧。”

她说:“这不得了嘛,快讲吧。”

我说:“我不知道从何说起,其实我们这一代人也挺不幸的,出生的时候赶上了三年自然灾害,上学又赶上十年动乱,毕业了又下乡,好不容易调回城里还是当知青工,知青工和工人不一样,不是铁饭碗。好在我这人总是对生活不满足,我又当了兵,复员后成了正式工人,工资才几十元钱,我就写通讯报道混稿费,也有时候贩点鱼,但总是赔钱,后来我就自学大专课程,毕业后才成了干部,进了机关,一步步熬到现在……想一想,人活一世真不容易呀。”

说完这些,我端起酒杯狠很的喝了一口酒。

来临替我满上酒,然后问:“你们夫妻的感情怎么样?”

我说:“怎么说呢,当时我只是个普通工人,家境也不算好,现在这个妻子能看上我也就知足了,当时是想找条件更好些的,我是说文化程度和工作方面,可谈了两个,最后还是被人家甩了,想想也挺悲哀的,我不恨甩我的人,谁不想找个干部或家庭条件好的，尤其在当时，干部是很让人眼热的，她们看的太近了，她们应该预料到我以后会有出息的，有一个女朋友，很久以后我们见面了，我们见面的时候我已经是干部了，而且当时的工作也很风光，我想她会后悔的……也许她并不后悔……哎，你问我家庭是什么意思？你该不是想‘入股’吧？”

来临说：“入股，入什么股？我还想分红呢，我只是好奇，我就想，像你这样的人能守住‘夫’道，你说老实话，你有情人么？”

我说：“你又想算计我，怎么说呢，要说没有情人吧那是贬低自己，要说有吧又有些抬举自己，没法说，别瞎打听，该告诉你的我到时会自然告诉你。”

她似乎想起了什么，连忙问：“哎，听说你的上线冰怡长得挺漂亮的，她没‘入股’吧？”

我说：“你又来了，你非要把我和我上线扯上关系你才罢休是吧？”

她问：“那你和你上线的上线呢？”

我说：“你怎么什么都好奇，我和她们都有了关系你就高兴了是吧，什么心态呀！”

她说：“我不是盼着有情人终成眷属吗！”

说到这我们似乎觉得很无聊，就停下来，又继续喝酒。

我觉得酒这东西真挺好，可以忘却很多事情，伤心的也罢，高兴的也罢，都可以用酒忘记。人之所以有痛苦，是因为不能够忘记。当人把脑子里存蓄了这么多年的东西都洗刷掉，变成一片空白的时候，人就什么痛苦都没有了，而人又不能够长醉不醒。我总觉得自己有太多太多的不如意，也许是生不逢时，也许是生活有意的和我开着各种各样的玩笑，可我却承受不起，自己这前半生，走得太苦太艰难了，我总是不失时机的抓住每一次机会，不管那个叫“机会”的奔跑得多快，身上多么油滑，我都一次次的抓住了，可是到头来，我又获得了什么呢?机会向我奔跑过来的次数太少了，没有机会我到哪抓去。我也不会雕塑，也不可能自己塑造一个机会让它向我奔跑。幸好我又抓住了传销这一个机会，我会紧紧抓住不放的，我要用我的成功，展示给世人看一看，不是我无能，是过去的敌人太狡滑了。我已经开始意识流了，所以我倡导在文学创作时，要多喝一些酒，喝过酒后意识就像混杂在血液中的酒一样，快速的流动。意识流作品就产生了。

这时候，我不由自主的喝了好多酒，而且随心所欲的说着自己这些年走过来的道路。

说着，喝着，我竟然禁不住流起了眼泪。来临也哭了，我们仍在不停的喝酒。

我说：“这次让你培训坏了，本领没学到多少，怎么弄得总想哭呢，过去我几乎不知道什么是哭……”

来临说：“这就是受训的收获，没听说过吗，无情未必真豪杰，有泪才能成英雄。”

我觉得她这话不太对劲，就问她：“前半句我听说过，这后半句是你编的吧？”

她说：“你甭管，反正就是这意思，咱继续喝酒吧。”

我们又喝起酒来。

时间很晚了，酒店里的客人都走光了，酒店服务员敲门走进了单间客气地问还需要点什么，我又胡乱要了几样菜，我和来临继续喝着。眼看着我们俩瓶里的酒就要喝光了，来临站起来又要了一瓶酒打开，倒满了两个酒杯举起来说："为了你这一席话，干！"我把杯子举起来刚放到嘴边喝了一口，手里的杯掉在地上，头一阵晕，胃里的东西就从嘴喷了出来。

我喝醉了。

我不知来临是怎么把我弄回招待所的，我也不知自己昏睡了多久，更不知道自己在来临的床上是怎么和她开始的。只觉得像是在梦幻中趴在了她的身上，我好像不停地在说，这回你舒服了吧，你见过我这么大的吗……你不就想让我这么干你吗？我又睡着了。等我醒来的时候，来临忍不住的笑，而且很婉转的告诉我，说我是如何在醉意中和她做爱的。还自豪地说："我不但在酒上开发出了你的潜能，而且我还让你同女人的关系上也挖掘出了潜能。你和冰怡也是这么干的吧。"

她好像仍旧很得意，好像是她征服了我。男人和女人不知是谁征服了谁，也许是相互征服。我还是属于爱面子的人。

我一时不知如何面对来临，而她却显得很平静，似乎我们之间什么也没发生。我一直没搞清我和她之间究竟是怎么发生的。我努力回忆着，只觉得一切都在梦里，有时候我会把梦境当成现实，又有时候把现实当成一场梦，不管怎样，我很感激这个很男人很义气的女人。

第二天一上午，我都躺在那昏睡着。

临近中午的时候，来临把我叫起床，说："快起来吧，他们大都销售完了产品。"

我说："我掏钱请大家吃饭，也算是对他们的一种激励吧！"

我们选了另外一个酒店和大家共同吃了一顿饭。这时我一点胃口也没有，坐在那只是喝水，听他们各自讲自己推销的经历。他们开始走家串门时，有的被推出门来，有的险些被打，最终他们都完成了任务。这也和“战胜拒绝”训练有关系，不然是很难完成任务的。有一个经销商没有完成任务，没有允许她吃饭，只给了她几只煮熟了的红鸡蛋她成了蛋蛋族。

在说到这些时，有一个女经销商哭泣起来。

我强装着精神，鼓励着他们，并说希望他们通过这次魔鬼训练，会增强自信，快速成功之类的话，然后我们一同租车来到县里，又上了火车最后回到市里。

在火车上我强忍着，一回到家里后，我病倒了。可能是由于强训，也可能是因为酒喝的太多吃不消了。

来临说：“你病了咱们走其他市场的计划也泡汤了，我先返回分公司，等你身体恢复了，我再来。”

我说：“好吧，希望你还来。”

来临走了，我没能去车站送她。她这一走，也不知什么时候还能再来。当时我不知道，后来我向公司要求请来临到我市讲课，公司说来临已经辞职去另一家公司了。我有些后悔，如果当初我要是不喝醉酒病倒了，她还会多留一些日子。我不知道她因为什么辞职的，只是隐约记起她曾向我说过，她喜欢经常的换一换公司，她并不在乎薪金，只是不喜欢长久的在一个公司工作，她可能又换到另外一个公司去了。

我想，如果我有机会去总公司，我会去那个城市看她，或者请她到我这里来旅行。

高阶层训练就伴着来临的离去而结束了。

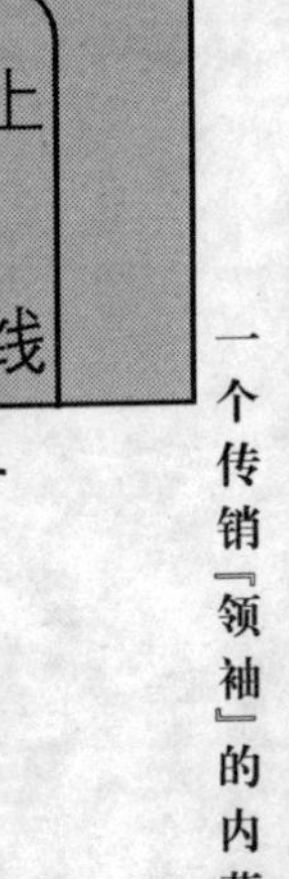

第 四 章

13. 完善体系

经过了这次潜能开发和魔鬼训练，我真的感到了自己有了旺盛的精力。而且总是用一种饱满的激情去运作我这份事业。我已经能够得心应手的进行冷陌销售和推荐下线加盟了。我甚至连去酒店吃饭或洗头、理发，都能捎带着销售出一些产品或者吸收几名下线，过去我都是做温情推荐和销售的。

有一次我去一家理发店去理发，一个年轻的姑娘接待了我。我暗想，今天我就推荐她了。我先和她说了几句话，挑起了她谈话的兴趣。一般的理发店的人都喜欢和顾客聊天，这样双方好配合，也是为了拉顾客。

她问我："这位先生是做什么工作的？"

我说："我是一家公司的美容师。"

她说："男美容师可不多见，搞美容一般都是女的。"

我说:“高级美容师一般都是男的。”

她说:“那您是高级美容师了?帮我看看我的脸怎么不像人家的那么光滑。”

我通过镜子看了看她的脸,然后说:“这位小姐长得很漂亮,但是你脸上角质层堆积的太厚了,显得皮肤很暗,没有光泽。”

她问:“什么叫角质层?那我该怎么办?”

我说:“角质层是每个人皮肤都有的细胞,从产生到死亡是二十三天,死亡后的细胞就堆积在了脸上,如果用一种去角质的产品做一下,角质层就没有了,脸上的色泽就非常好……”

于是,她就逼着我取来这种产品,我教她如何使用,她又买了一些其他产品,并加盟了公司。

我常在体系的激励会上对我的下线们说:“难道推荐和销售很难吗?我怎么没有觉得。”

尽管我自己可以轻松的推销产品和吸收下线,但我没有忘记,传销做到了高层,做到了极致并不是需要个人和个人英雄主义,而是靠一个团队精神发展。这就像来临说的,用网来捕鱼。

我开始精心编织我这张网了。我要使每一个网眼都具有逮鱼的能力。我有了众多的直接下线,但我明显感到自己没有精力去一个个复制她们了,复制在传销中是很重要的,上线最主要的任务就是复制下线,按过去的老说法就是师傅教徒弟。下线少了的时候还好办,像现在我这么多下线我怎么一个个去复制。要是不复制很快就死线了。复制是很难的事,人的性格各不相同，素质也千差万别，有的人接受事物快，有的人接受事物慢的让人着急。那个女收发员就属于接受东西慢的。告诉她的话，她也能记住，也能说，但就是不会灵活运用，不知道根本的东西。我无法一个个的手把手教她们。我使用了“她们”是因为我的体系里几乎全是女性。我开始采取“断臂法则”大力支持扶持那些有能力的强线，而砍掉那些弱的下线。对于漂亮女人和女收发员我就是这样做的。她们俩个人都是一种缺点，总是不能全身心的投入到事业之中。我已经不管她们的发展情况了，而是把注意力转移到她们的下线上官兰和司马欣身上了。不这样做的话，最终会全线瓦解的。

在此之前，我也知道“断臂法则”，这是在有关传销的理论书籍上看到的。我购买了许多指导传销的书，我是理论联系实际的在做传销，人往往总是很矛盾的，强线大都很有推荐能力，但有这方面能力的人都比较傲，有能力吗就自然觉得比其他人要强，人一自傲就很令人讨厌。而弱线，虽然推荐能力差，可为人处事往往很实在，很诚恳，这就很让我为难，如果信守了这种法则，结果就是扶持令我讨厌的下线而放弃那些我信任的下线，这是一种常规行为的倒错。尤其是女强线，比如上官兰，她身上的毛病就更多，婆婆妈妈的总是提各种各样的意见。要么就是化妆品的外包装不精美了，要么就是瓶子里的化妆品没装满了，还有的说口红颜色太红了，诸如此类意见层出不穷。而男经销商从来不提这些问题，可惜我体系里男经销商太少了，做到了领导级的就更是绝无仅有。我总是想方设法的重点培养些男经销商，可他们大都不在意这些，有意无意的运作着，就是不拿这事当回事，只有那些女经销商一门心思的推荐销售。

我就开始思考这是怎么一回事。

有一次一个我并不熟悉的男经销商问我:"上线,您怎么不愿意和我们男经销商交流呢?"

我说:"我就盼着体系里多一些男经销商,我一直在和你们交流着,男人之间交流的是心灵,可以不动声色,而男人和女人交流的是身体,需要有行动。"

他听后坏笑了一下就再也不提类似的问题了。我觉得我说的这都是真心话。

不知为什么,我突然对女性产生了一种厌烦,我周围几乎充满了女性。我记得过去自己是很喜欢女人的,这时候整天泡在女人堆里和她们近距离接触,我发现根本没有漂亮的女人。即使是我当初认为的那个漂亮女人,现在看起来也没有什么漂亮之处了。我觉得她的胸部不够鼓动,而且身体过于纤细了一些,搂抱着的时候没有肉感。据别人说,外国的人妖比较好,该鼓胀的地方就毫不含糊的鼓起来,该凹下去的地方也不客气的凹下去。等我达到出国旅游的条件后,说不定娶回个人妖来,我宁肯和人妖在一起也不愿意和这些没有引力的女人在一起。对我这种心理变化,漂亮女人最为敏感。有一次见四周没人的时候,她小声对我说:"你是不是烦我啦?我知道你看上那个冰怡了,她不就是搞美容的吗,她虽然长的胖乎,可她并不漂亮,有什么让你喜欢的……"

我说:"我这种人除了喜欢自己就不知道喜欢别人……"

她听完了我的话后,几乎是含着眼泪,垂头丧气地走了。看到她那样,我心里很高兴。我心里想,别以为全世界的男人

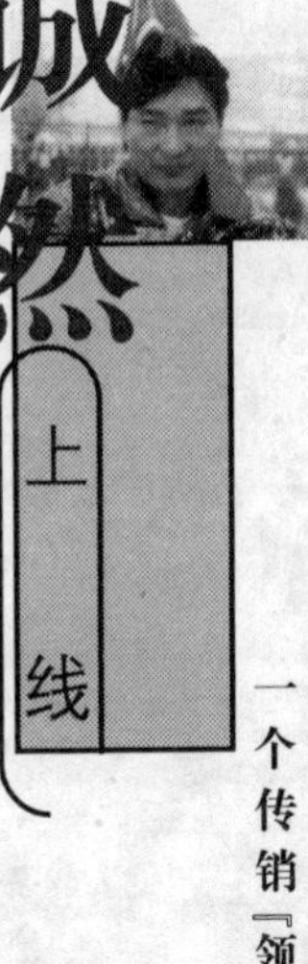

都喜欢你，这容易把你惯坏了。

也许，无论男人还是女人，当走近时就会变得平淡无奇。这也难怪，因为我销售的化妆品和家庭清洁用品，当然只有女人才感兴趣。我的体系里，偶尔也会加入几名男性，这时候我会格外关照他们，总想和他们多聊一会。但男经销商几乎都不热心去做，也不愿意和我聊传销方面的事。只是关心这以外的东西，对美容就更不感兴趣。我试图培养几个男美容师，但找了几个都没成。如果一个体系里有几名男美容师，那会对运作起好大作用的。女人普遍都相信男美容师说的话，男美容师好推销产品，也好推荐女人加入。找不着男美容师，也只好培养女美容师。

我的体系中已经配备了两名讲师，讲销售和美容。一名讲师是端木木的妻子，她下岗了，人很聪慧就让她来做讲师了，我这样做一是可以增加他们的收入，另外对他们体系的发展与巩固都有好处。另外一名讲师是我在我的第三层线上发现的。人长得漂亮，皮肤又好。这些条件比较适合当美容讲师，不然的话，人家会说，连你自己的皮肤都没保护好，还教别人美容呢。对这两个讲师，我很满意，都属于那种通情达理的人，所以我总是带他们去各地市场，由于我是他们的上线，加之他俩又受聘于我，到外地或者是在火车上，她们自然就很关照我。

我们在一起的时候，有好些人用异样的眼光看我，我知道人们是怎么看我的，我并不在意，身边有两个女人真是极好的。

有一次有个熟人告诉我妻子说：“你得注意你的丈夫，我看她和两个女人在一起。”

妻子说：何止两个女人，他身边的女人无数，弄得我吃醋都吃不过来，我都麻木了。”

妻子边和我讲这事边笑，而且还警告我说：“你不许打坏主意。”

我说：“我想打都打不过来，顶多能和七八个女人好，多了我不要。”

妻子说：“你敢！你要那样我就不和你过了。”

我说：“好，从现在开始，我什么都不管了，体系运作还有讲课你全接管吧。”

妻子说：“我要是会还用你做？”

我说：“咱们有了这两个美容和销售讲师，我真是省了好多事，不重要的课和一般的皮肤护理她们俩个人可以去做了。”

2002 年春在内蒙鄂温克旗参加笔会。

这样有时候自己用不着亲自去讲课或亲自动手为别人做皮肤护理了。但有一件事情使我至今感到奇怪的，在我亲手做过皮肤护理女性中都无一例外的加盟了公司。这其中也包括几个独身女人。可能，独身女人更需要男人的呵护和关怀。

我现在把精力放到了帮助下面的代理人制定计划，诊断体系，帮助下面开拓更大的市场。下面的各个代理人都形成了自己的体系，而且都起了本体系的名字，什么118体系，什么百合花体系的，而且体系都有体系的系歌和固定的聚会活动日。

就在这时，端木木给我打来电话，说他的体系的经销商要造反了，让我去帮助解决。在一个县当线头不容易，对下线不好，下线就不愿跟着做，太惯着下线，下线又容易造上线的反。这要看这个线头如何来当。我这个总上线就更难当，下边的每上小体系有难处就来找我解决。这次端木木又遇上麻烦了，平时对他说他老是不领会我的苦心。实际上那一次我和小妖去他市场讲课，小妖已经跟他讲过，让他多捧上线，他不听。小妖说的是有道理的，经销商是上行下效的，上线怎么作下线就学着怎么做。如果他多捧捧我，哪怕只是当着下线们的面表演也不至于闹出这等事情。

我想关于端木木的事情和我有直接关系。当时让端木木加盟传销时我明明知道他的能力很弱，但急于在他们县找个代理人，就让他加盟了，当时我相信端木木一条，他无论到什么境地都不可能背叛我和欺骗我。只要一个人有这样的本质，我还有什么不放心的呢。他有困难我来解决就是了。

端木木的妻子也说："你快去帮我老公去处理一下吧，他都招架不住了。"

我说："看在你是我讲师的面子上，我去。"

等我忙完了一些事,我向端木木问清了怎么回事之后,我说:“没问题,我去给你解决,还反了他们了呢,发生天大的事,我扛着,我就不信,大江大河都闯过来了,小河沟里还能翻船。”

14. 舌战群商

传销公司的经销商之间的关系也很有意思,上下线很像一个单位的上下级,下级有困难了就找上级帮助解决。孩子哭了抱给他娘,这也是天经地义的事情。

我之所以答应端木木我去帮助他解决问题,其实我知道他们县里的那些经销商也提不出什么新鲜问题。我就是闭着眼睛都能想出他们提的那些内容,归纳起来不过就两个方面,不是公司制度方面的就是产品方面的,这主要是源于他们心里不托底,总有一种恐惧感,缺乏信心,我在各地市场没少听这些提问,听多了就是老一套。问题虽然老套,但想把它处理好是看水平的,采取什么样的方式,解决什么样的问题,带有一些艺术性。既不能硬,也不能软,硬了把经销商消灭了,软了又被经销商压死了。要做到不软又不硬,这是很难练的。

我郑重的告之端木木,在我到他们县之前要做好以下准备。租用一个比较好的会议室,召集奖衔级别高一些的经销商全来火车站接我。端木木在电话那边诺诺的应着,于是我坐上了去他们县的火车。

其实火车从市里到他们那个县城也仅两个多小时的路程，我还是买了卧铺，这种短距离车没有软卧，我还是习惯坐软卧的。在卧铺车上我没有与别人 OPP，我想一个人闭上眼睛休息一下，就这样躺在那里，任车厢里嘈杂喧哗，我尽力不去听这些声音。我整日奔波在各县镇之间，有做不完的事情，我已经很疲惫了。我想借机休息一会儿。不能和众多下线们见面时无精打采的，总上线每当见到下线，都要显示出昂扬的斗志和饱满的热情，让下线们从中得到感染，有一种亢奋。但我却睡不着，满脑子都是各个体系的各种问题。

我认真的想着自己体系里的一些事情。我突然想起，在端木木那个县城里，有一条很强的线，这条线是上官兰的，目前这条线的人数并不多，但发展速度很快。上官兰曾和我说起过，要求在这个县再建立一个供货站。我说这个县已经有端木木代理了商务，任何体系的经销商都可以在那里购买产品。上官兰说那个供货站对她的体系的经销商排斥，故意不给他们供货。还说，如果让她的那个下线代理的话，那个县的发展速度会更快。

按传销的规则，我是应该扶持强线而淘汰弱线的，但考虑到我与端木木的个人关系，我不忍心那么做。我回绝了上官兰。这件事我考虑到我下边各个体系之间的关系，我没有告诉端木木，他也没有意识到这些情况。

端木木是个很木的人，感知事情很迟钝。就在我想到这些的时候，列车员提示我该下车了。

我提着皮包朝车厢的一端缓缓地走去，当我走到车门时，火车停稳了。我对着镜子梳了梳头发，整理了一下衣服，然后走下火车。

我朝西边扫了一眼，见端木木和他的妻子朝我这边走过来,来到我面前接过我手里的皮包。我再没有见到其他经销商一起来接，也没有问。我想那些人可能都在出站口列队迎接呢。当我们走出出站口时,我并没有见到其他经销商。

端木木看出了我的心思，对我说:“我都通知他们来接站了,怎么都没来呢。”正说着有两个人走过来,端木木把她们领到我面前介绍,我知道这是来接我的。

我没说什么,端木木说:“先上我家吃饭,吃完饭下午再开会,车站离我家也就两站地,咱们走着走吧。”

我说:“坐出租。”端木木看了我一眼就过去叫出租车了,等他领回来的所谓出租车是一辆类似三轮车的那种。

他对那两个经销商说:“你们回去吧,下午别忘了聚会。”

我说:“端木木,这样吧,听我来安排。”我招手叫过两辆出租轿车，留住来接站的那两个经销商，一同坐进车里，我告诉司机找一家本县最高档的酒店。

来到一家酒店，大家落坐，我说:“很遗憾,我本打算多请几位经销商一起吃饭的,今天只有你们几位,那我就请你们这几位吧,随便叫菜,多叫些好的……”

端木木听说我请客，有些不好意思，说:“应该我请客，我在家里已经准备好了。”

我说:“你不用客气了，我赚的钱最多，当然应该我请客，好,大家一起用吧。”

吃饭时，大家没有谈公司，也没有谈产品，他们只是对我的衣服,领带等一些服饰感兴趣。我很不经意地说出价格,我

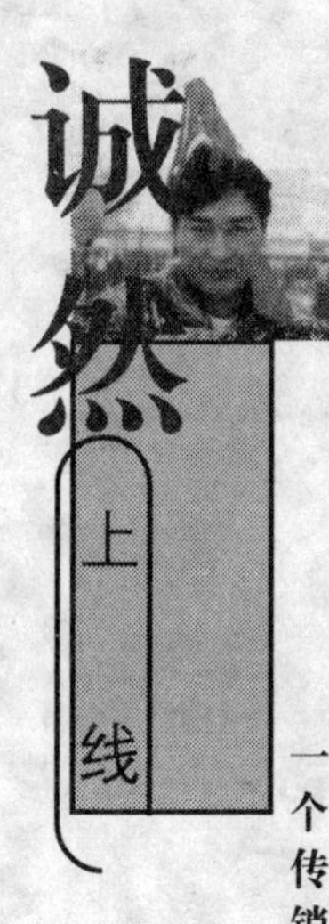

这些东西很昂贵,听过价格,他们很吃惊的看着我。

吃过饭,我要求直接去了会议室。俩个经销商没有跟去,时间还早,他们去别处了。走进很普通的会议室,我有些生气了。我对端木木说:“你怎么搞的,刚才有其他经销商在场,我不好意思说你,你看看你怎么做的?我不是告诉你准备一个像样的会议室,就弄这么一个破屋子,怎么聚会?而且我还告诉你,多让一些奖衔级别高的经销商去接我,你怎么安排的?叫出租车叫那么破‘三轮’,就为了省点钱,你知道什么叫‘省’吗?省就是缺少目光的人,我明白了你的下线为什么不重视你,造你的反,就凭你这种做法,谁会瞧得起你……会议室都定了,也没办法改变了,快买些水果饮料摆上,从现在起,你要学我所做的一切,我从下车就已开始在复制你了,作为一个上线要有风度,要大气,要对上线做出万分崇敬,这些都是给你的下线看的,只有你对我这样了,你的下线才会对你这样,这就是上行下效。这就是在‘造神’,加盟公司这么久了,怎么连这都还不明白。你应该在我来之前就进行‘造势’,你要向你所有下线介绍,你的上线是如何的优秀,你的上线每月赚多少多少钱,你的上线取得了多么大的成功,我让你去车站隆重的接我就是为了这些。难道我还不知道你家离车站近?难道我还不知道三轮车也可以坐,难道我不知道小吃部也可以吃饱肚子……这些都是做给你下线看的。只有这样做,下线才崇敬上线,才对此产生神秘感,才会对此神往,你这个木头人,快去准备,聚会的时间快到了。”

我把一肚子的火都发在他身上,这时候我很生这种实在人的气。

端木木半懂不懂的点点头，就去准备了。

这个见面会是在经销商们都到齐后我才出场的。我信步的走上台来，端木木向经销商们介绍过我之后，我说：“在座的各位经销商朋友、我的合作伙伴们，大家好！我很高兴来参加你们体系的聚会，但我不高兴的是这次是来解决什么问题，我愿意就你们感兴趣的所有话题与你们交流，或者说对话，现在我们开始。”

会议室里一下子静下来。也许是我切入主题太快了，他们还没有做好准备。

又过一会儿，开始有人提问了。

有一个女士站起来问：“请问总上线，传销究竟是非法还是合法的？”

我笑了笑，说：“这位女士如果是我们经销商的话，怎么连公司的事业手册都没有看，经销商做的第一件事就是读事业手册，而手册上就复印着国家工商局核准的营业执照，这个问题我还需要再回答吗？”这个女士红着脸坐下了。

有人问：“咱们公司被核准的营业执照我看见了，可别人说传销公司是骗人的。”

我没有马上回答，停顿了一会后说：“我不知道刚才这位先生是在跟谁说话，如果是在问我，请在问题前面加上‘请问’或者‘请您回答’这么简单的礼貌用语，不然我不知道是在和谁说话，这么做更重要的是让用户和我们的发展对象感到我们公司的经销商是高素质和懂礼貌的，因为每一个经销商都不是你们自己，而是代表公司的形象。对不起，我现在回答您提的问题，请问，您说的‘别人’是谁，这个别人懂传销吗？做过传销吗？而您是传销商，而且正在做传销，事情应该由您自己来判断，而不是人云亦云，知道吗？另外，说到骗人，您被骗了吗？哪个月奖金没发给您，那一笔销售利润没拿到，当然您如果运作的话。再说，公司的那一项承诺没有兑现……这怎么说传销就是骗人的呢？在众多的传销公司中，不能说没有骗人的。如果按您的想法，有一家传销公司欺骗了消费者，国家就得取消所有的公司喽。传销公司的信誉和声誉是靠我们所有经销商来树立的，你们的行为就是公司在广大消费者面前的体现。我不知道您听懂了没有。”

这时会场的气氛有些紧张，我的回答肯定是把他们镇住了。我不想以压别人的面目继续下去。

我笑笑说：“大家继续提，我们是在交流，我的回答也不一定对，有错误的地方，大家可以批驳我。我虽然是你们的‘上线’，但我们都是合作伙伴，我们是平等的，只是我加入的早就成了上线，如果我加入的晚，说不定我是你们哪一位的下线呢。”

这时，又有人提问了，这位小姐问：“请问上线，做传销是否就是赚下线的钱？”

我回答说：“所有经营性公司没有一家不是为盈利而存在的，不为利润的那是福利院和慈善机构。我这么说可能让您感到话有些硬。换一种说法，假定你的姐夫是一家商场的售货员，你从他手里买了商品，你姐夫却没因为他赚了自己小姨子的钱而愧疚。但实际上他确实赚了您的钱，他的工资和奖金中就包括从您那里获取的利润。而上线卖给下线产品，从中获取一定的利润，这有什么大惊小怪呢？实际上，您没有表达清楚，

您是想说，上线为什么比下线的奖金拿的多。我可以告诉您，总体上看是这样的，因为上线要比下线付出的辛苦要多，这叫‘雾化劳动’，不知您懂不懂。像今天，我接到你们上线的电话，说你们有好多疑问，我就马上坐火车赶来了，我将要回答的就是有关传销方面的常识，这也是一种劳动，而你们的上线要去车站接我，还要布置会议室，这也是一种劳动，难道我们不该多拿奖金吗？而更重要的是这些报酬是公司给的，是按着销售额的增加，公司才拿出一些利润分给我们，如果你们也做到了更高级别，奖金也自然要高。另外我还要提示各位，你们也可以坐下来认真研究一下公司制度。经销商的最高奖衔是销售100积分产品获得22%的奖金。而大家都做到了百分之二十二，上线就没有差额奖金可得了，也就是说上线就拿不到你们的差额奖了，通俗的说，您的奖衔现在是8%，您销售百积分产品得8元钱，上线不用做就可从中拿14元钱。因为您的上线奖衔是22%如果您的奖衔也达到了22%，上线就没有差额

1997年夏在马来西亚元首府前。

奖了，只得很少的‘感恩’奖。这就是公平合理性，我可以透露给大家，我的上线目前就没有我的奖金高，因为她没有运作，这就相对的合理了是吧。”

会场里一下子寂静了，再没有人向我提问了，这使我感到很寂寞。这是一种战无不胜、没有对手的寂寞。

我说：“大家先休息一下，过一会我们再聊好吗。”

我掏出烟分给在场仅有的几位男士，我说：“为了别人的身体健康咱们到外面吸吧。”

一个经销商问：“上线，有钱的人都抽外烟，您怎么抽‘中华’的？”

我说：“我比较爱国。”于是，大家就笑了。

笑过之后，有个经销商说上线您真有风度，也有的说上线我要是您的直接下线就好了，还有的说您快赶上外交部的发言人了。听了这些话后，我知道，我这次已经成功了。

然后我诙谐的说：“这都是装出来的。”

他们一致反对说，这可不是装出来的，装的一看就能看出来。

我说：“咱们的交流继续进行，我想通过这次聚会，我们达成共识，从而共同开拓我们的销售市场，来发展我们共同的事业。大家谈，我还有很多‘雾化劳动’去做……”

又有人站了起来说：“总上线您好，我经常听人说传销产品都是假货，我当然不相信这种说法……”

我说：“我也不相信，别的传销公司的产品我们不去评价，而咱们公司的产品我最清楚，就生产加工方面我曾去总公司考察过，都是严格遵守有关规定下进行分装的，因为咱们公司

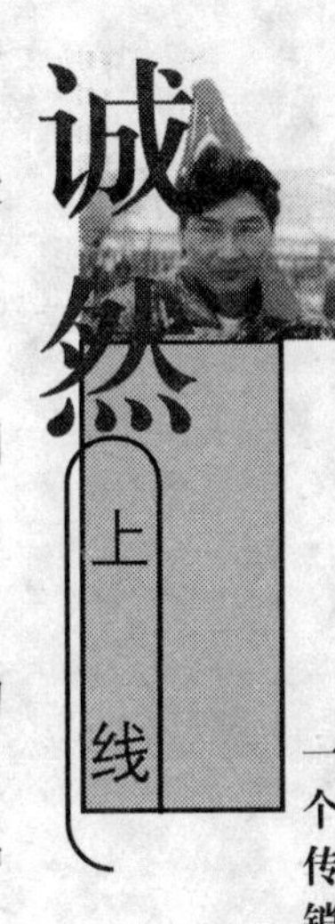

产品是从国外大包装运进来的,国内没有这种生产条件,只能分装。就销售渠道和方式来讲,假货也无法进入。大家都清楚,上线或经销商首先把产品让顾客试用,与你分享,感觉产品好就购买,觉得公司制度好就可以加盟。如产品使用后有不良反映和效果不明显,公司又可以帮你退货,在坐的都用过公司的产品,好不好都知道。不要说公司为了长远发展不会供应假货,就是我都不会这么做。为什么?无论假冒产品利润有多大,产品发生质量问题,市场反映不好,就没有人再来购买使用了,而我苦苦建立起来的销售网络就瓦解了。只有傻子才那么做呢。聪明的公司是让自己的产品越来越好,公司的利润才会越来越大,我们经销商的奖金才会越来越多,不是吗?"

这时候我突然觉得这种对话方式太累。像两国交战,两军对垒似的,干什么呀。威风我也耍的差不多了,再和自己下线们这种态度下去,很没意思。我要营造一种更和谐,更愉快的氛围。

我面对着所有下线,很真诚的笑了笑说:"各位伙伴们,请原谅我刚才的态度,我有些情绪化,这主要是因为你们在某些方面太难为你们体系的上线端木木先生了,他是个好人。我想你们应该尊敬他,你们尊敬你们的上线,你们的下线就会尊敬你们,这是再简单不过的道理了。我不想多说,我们再继续我们共同探讨的话题,我们共同的梳理清楚一些事情,往后我们就可以坦然地面对来自各方的质问和责难。我们接着探讨吧。"

这时候有人很温和地问:"上线您说咱们各级的经销商都分别得了那么多钱,是不是咱们公司的产品物没有所值呀。"

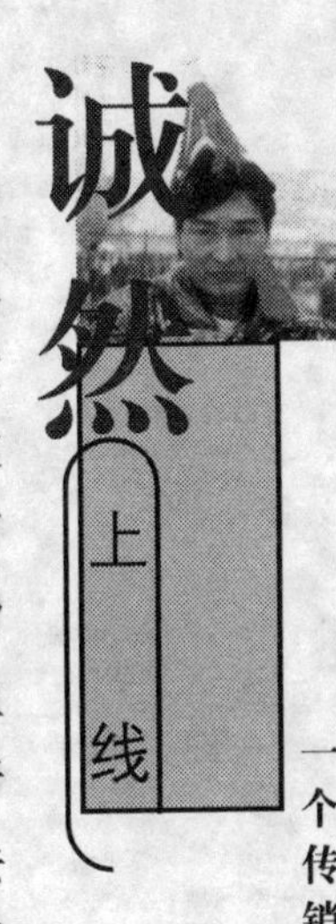

我说："这倒是个问题，咱们首先分析一下普通公司或者叫传统行业的营销途径。他们是借助大量的广告配合，然后从出厂到一层层的批发下去，最后通过店铺销售出去的，而大量的广告费用和每级批发的差价均打入产品成本中了。虽然这其中被瓜分的利润是巨大的，但消费者不易察觉，也就是带有一定的隐蔽性。但是，传销公司由于是经营者的同时又是消费者，每个人对差价都很清楚明白，就想物没有所值了。实际上传销公司的产品品质要高于传统公司的产品，而价位要低于传统公司，我们公司是采用'口碑'宣传，没有广告费，而又去了各级批发瓜分的利润。这样一算，大家就明白了。我们公司的产品出厂后价格又加价在30%至40%，而传统行业的产品加价百分之几百的也属正常。"

可能是由于我态度的转变，也可能是他们再也不敢提问题，怕自己最终下不了台了。于是就没人提问题了。

我就想，这根本不像端木木说的那么严重。但我仍觉得这样很不过瘾，我干脆来了个自问自答。

我大声说："如果大家没有问题，我有问题。有人说，花几百元钱买产品加入公司就能赚钱，可加入好几个月了仍没赚钱，是怎么回事？"

我又自答："如果是这样，我别说花几百元，我宁可花几万元我也做……这不是白日做梦吗?世界上那有免费的晚餐?就是到了共产主义按需分配了，提前还得各尽所能呢，是不是?实际上公司的事业手册上写的很清楚，一个人购买了产品加盟了公司只获得了经销公司产品的权利和推荐别人加入的资格，只有推荐人或销售出了产品，才有利润给您。也可能有人问，‘老鼠会’和正规传销公司有什么区别，这倒是我们应该会区别的。老鼠会是把产品几倍加价，然后靠拉人头收入网费为主卖产品为辅，而正规公司既推荐人加入又销售产品。简单地说就是只传不销是老鼠会，只销不传是直销，连传带销才是传销。而我们公司的产品好在是建立在家庭消费基础之上的，所以具有长久性。传销公司的产品也是有其原则的，就是高质量低价位的消费品。咱们分析一下，不是高质量没有市场，不是低价位的没有广大消费群，不是消费品不具有循环使用性。”

可能是我自问自答又激发起了他们提问的欲望，有人站起来问：“请问上线，听说传销公司的高级培训很残酷，内容不健康，是这样吗？”

我说：“请再也别用‘听说’‘据说’之类字眼提问题。没有亲自经历过，最好不要问。但我可以告诉大家，任何存在的都是合理的，用不了多久，在座的人都会登上更高的级别，都会接受这种训练，等你们参加了就自然知道了，我不好描绘。至于残不残酷，在坐的有没有当过兵的或者当过运动员的，如果想打胜仗，如果想出成绩，自己本事不硬怎么行，这就是从训练中得到的。如果训练像请客吃饭一样，那不是训练，而是请客吃饭。至于健不健康，我还是那句话，参加了你就知道了。你们上线参加过了，看他受训后有什么肮脏的表现吗？”一场哄笑。

可能是由于大家的哄笑，提这个问题的经销商有些尴尬，就有些生气的提了第二个问题说：“我使用了公司的增白霜都一个月了，脸为什么没有变白？”

我说：“这是个美容方面的问题，您下次听美容课时多注

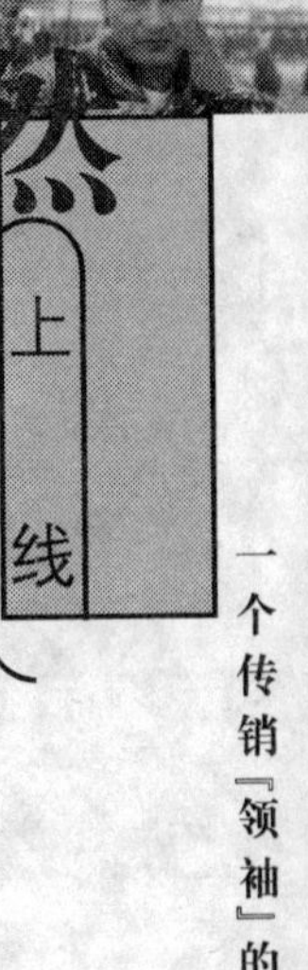

意听一下，就会知道黑色素是怎样沉着的，细胞是怎样产生经过多久又消亡的，我都可以讲，但这不能改成美容培训。不过，我可以这样回答您，不要指望任何一种护肤品能使黑色人种变成白色人种，也不要指望任何去皱霜把老太婆变成一个少女。这不是说产品没功效，而是我们总是对产品有太高的期望值，或者说增白去皱只是与自身皮肤相对改变而言的。不知道我说清楚了没有？"

这时候突然站起了一位男士，他手插在裤兜里，斜着身子，晃着脑袋问："咱们公司就不公平，不合理，你的奖金开了上万，我刚几百元，凭什么？"

我也站起身来，对他说："这位先生所提的问题，刚才好像已经回答过了，不过我还是愿意回答您的问题，因为您是一位男士，咱们整个体系中男士太少了，所以我常常会感到孤单。不过在我们进入讨论之前，我希望您保持一种良好的站姿，不然会误导别人这是男人的风度体现。我之所以纠正您的姿态不是我吃的太多为了消食，而是作为经销商在推销产品时，实际上是在推销自己。当然，推销自己和把自己头上插上草棍卖给别人是两个概念。所以要特别注意自己的仪表和形象。我今天为了你们体系的聚会，哭着喊着借了好几个地方才凑齐我这身服饰，为什么呀？是为了表示礼貌和对大家的尊敬呀！随便问一句，您做什么工作的？"

他站直了身子说："工厂工人。"

我说："我敬重工人，我过去也是一名工人，但您在工厂里注意到了没有，工厂为什么有一级工还有八级工呢。机关干部中为什么有科员、科长、处长之分。而一级工的工资永远没有八级工高，科员的工资也没有处长的工资高，职务高了领导别人不说，还有什么职务津贴，职务工资这公平吗？这合理吗？生活中那有什么公平合理可言，我们只能从不公平里寻找公平，从不合理中寻找合理，这是谁也无法解决的问题。作为传销公司，只不过采用了一种更新的营销手段来进行经营罢了。所以说我们既不要把传销公司当成洪水猛兽，又不要把传销描绘得尽善尽美，以平常心态坦然视之，这样才更好些，对吗？我觉得，传销公司相对社会其他一些行业还是比较合理的。我的姐姐和弟弟也都加盟了咱们公司，但他们的推荐和销售做得都不好，每月拿的奖金很少，甚至常常没有奖金，我作为本市的代理人，又是总上线也没有办法来帮助他们。假如我是咱们市的市长，在其他行业我都能使他们成为最成功的最有出息的。而在传销公司中，我对此无能为力。他们想要获得自己的成功，我只能背地里传授五个字的秘诀，这就是做做做做做！从来就没有什么救世主，神仙皇帝就更没有指望了，要想成功只有靠我们自己！”

我的话引起了一阵掌声。这时候我自己走下讲台，来到每个经销商中间，给他们分发糖果。我向每个人微笑着示意，并鼓励他们说：“大家多提提问题，这对大家以后运作都有好处，也知道如何回答别人，提吧，随便点，别像开记者招待会似的，那显得咱们之间的关系多疏远呀！”

一个女士用很亲切的口吻问：“总上线，您说这传销和传销公司能坚持多久呀，我真怕坚持不多久。”

我说：“您问的问题真是我经常想的问题，我会想得更多对吗？要是从咱们公司总体战略看，后市看好。因为我去公司的时候，公司正在大兴土木，扩建分装车间，而且每月都推出一种新产品，也真难为公司了。至于传销能坚持多久，那要看大家，要看所有传销公司的经销商。只要经销商能守法经营，产品销售业绩高，公司就有利润，就能长期存在下去。国家既然接受了这种经营形式，就不会轻易取缔，从长远发展看，国家也需要多元化的经济形式并存，政府也正在制定传销方面的法规，要用法律逐步规范市场行为，政府应该有这样的监管能力的，即使有一天会取缔，那就更需要我们加快运作步伐，把事业快速成功……"

这时又一位女士凑过来，我根本不认识谁是谁，反正都是女士，她说："上线您是个男士，怎么做起化妆品来了？"

我说："这有什么奇怪的，现在什么怪事没有，什么三条腿的鸡，两个头的羊，一只眼的鱼。男人变女性了，女人改成男人了，我真见过女的长胡须，何况男士销售化妆品，我不但销售，我每天还使用呢，自己不用怎么知道好不好，说实话，我用过咱们公司的化妆品后，明显感觉皮肤变白细了，可过去我没用化妆品时，又黑皮肤又粗糙，走在街上人家直躲着我，用完之后，很舒适……另外可能因为我比较爱美，美容可不是女人的专利。男人女人都应该美容，在一些大城市和经济发达地区，有很多男人去做皮肤护理。这很正常。我们是少见多怪，现在只是因为我们经济条件不好，加上地区偏远，还没达到那种男女老少皆美的文明程度，在观念上有误区，美是属于全人类的。我敢预言，下个世纪，男士全都会用护肤品，会去美容院做护理，会去做整容手术，这就符合人性了。爱美之心人皆有之么。"

又一个女士问：“上线，您真用咱们公司的化妆品吗？”

我说：“当然，己所不欲，勿施于人，我怎么能不用呢，这么好的产品。大家也看见了，我快40岁的人了，保养这样容易吗，特别我这双手尤其光滑，哪位女士不相信可以来摸一下。要不是合作伙伴的关系一般人我是不让摸的，我这人这么严肃。”

1998年夏在漠河北极村。

这时会场又活跃起来，有人在混乱之中问：“上线您整天在女人的包围之中，感觉如何？”

我说：“感觉好极了，这个世界上再也没有比女人更好的了，很温暖、很滋润、很幸福、很快乐，尤其是某个女士使用了本公司化妆品变得更美丽时，我这种感觉来得更强烈……”

这次聚会，成了对我专场提问会，我希望他们提问，并觉得他们太容易答复了，一点高难度没有。其实我是更希望有人提更难更深的问题，但是没有。

我又一次带有挑战意味的鼓励大家说："大家好好想想，再给我提点问题。就算我求你们了,刚才提的问题不过瘾,就可怜可怜我,再给我提个问题好吗？"

接着我这句玩笑话,果然有位女士举起了手,女人可能比较心软,看我这么希望提问题就满足我一次吧。她问："上线，您整天和女人在一起，会不会慢慢的喜欢上哪一个或把上下线关系发展成其他关系？"

我听了这个问题先是一惊，我想是不是有人知道我和冰怡还有漂亮女人她们的事情。一想,绝不可能。我就平静地说："像这类问题我可以拒绝回答。既然大家这么关怀我,这么想知道,大家又谈地这么畅快,我也不管人说我什么了,我就大胆的暴露一下自己的隐私,不然大家早晚也得知道,还不如先坦白,坦白了还能从宽,但有一点,大家千万别传出去,知道了就知道了。再者说,传出去之后,我这个总上线就不好做了,弄得下线的老公们整天提心吊胆的,多不好。说老实话,经销商里真有让我心动的女人,那种身高、那种体态、那种气质、那种面容,真好,可我不知道人家看没看得上我,我也没敢问,有时候美丽是无法阻挡的……这又恰恰是传销人的大忌。试想一下,如果我真去做了什么,然后一层层的复制下去,那我们体系就会变成'情场'了,那怎么行呢。再说句老实话,男人的身边要是没有女人真是挺痛苦的,但话又说回来了,要是整天在美女之中,还真有点腻味,所以我总希望我的体系中多加盟些男士。可男士中像我这么优秀的又太少……别笑,当你们都成了'传销领袖'的那一天就懂了。被众人爱也是一种痛苦。"

随后我又讲了一些法则,在结束这次问答时,突然爆发出一阵掌声。

这时我身边围满了肉乎乎的人,有和我合影的,有让我在他们业绩手册上签名的,一阵友好相处之后,所有的经销商不约而同地把我送到了火车站。

我装作领袖向他们挥一挥手,火车就开动了。

这样的情景我后来又重复的经历了好几次。

15. 等级是这样产生的

可能是自从有了人就有等级的存在了。人们很厌恶等级,却又向往着等级。

在我走市场的时候,又发现了一个问题。很多经销商还没有搞清楚公司的领导经销商等级。因为大多数的经销商还没有做到领导级,所以并不注意领导经销商以上的级别。就好像是一些普通老百姓根本不管干部中有科、处、厅、省级一样。因为他们离这些太远了,而传销人必须清楚这一切。不清楚就不会朝这个目标靠近。用郑木的话说,就不能做到人类因有梦想而伟大。

普通经销商是这样的,而那些代理人几乎也是这样。我想,应该激发一下他们的欲望。我知道,人的各种稀奇古怪的行为都是由欲望引起的。而人的欲望通常都是在潜意识里潜伏着。不激发是不会产生出来。这就像当初,冰怡、漂亮女人、来临,如果她们和我在一起的时候都非常正统的接触,我的欲望也许还在潜意识里沉睡，一旦这种东西得到了激发，欲望就会像火山爆发一样。我必须激起下线们的欲望。我就把各县的代理人召集到市里来，大家坐下来研讨一下经销商的级别问题。这很有趣，我脑子里顿时出现了这样一种影像，一帮散乱杂人，凑在有着阳光的墙根下，很郑重其事的研究关于谁当市长、谁当省长的问题。而且还都要明白自己达到了什么条件可以当上这些。这在现实生活中其实是不可能的，属精神妄想范畴。而在传销公司里，这种不可能就能够成为可能。这里不需要其他附带条件，只要达到了业绩标准，就是那一级的领导经销商。为了让大家知晓如何成为领导经销商并牢牢记住所要达到的条件，我来了一次问卷考试，只有一道题，这题就是答出美商东方公司经销商有多少级，而每一级需要什么条件可以达到及每个级别可享受的待遇？

卷子发下去后，这二十几个代理人埋头在答卷，等我把答卷收上来后，这些人中竟没有一个人全部答对题的，女收发员也参加了问卷考试，她虽没再推荐人，也没销售多少产品，但她姐姐业绩很高，就自然把她推到了领导级别。我看了看她的答题。她答的内容是：传销是人性化感恩的事业，我们东方公司的经营理念是诚信、务实、公平、守法，我们有正确的经营理念，有优质的产品，有良好的售后服务，我们的产品是建立在家庭消费基础之上的，反正你平时也得买，在哪买不是买呢。

我看后真是哭笑不得。这都是哪跟哪呀，乱七八糟的，她有很高的热情，又不能打消她的积极性，由她去吧。

但从中我也看到了体系中的问题。我庆幸自己发现的早，不然他们怎么做到最高层，我发现这其中的培训是有漏洞的。开始时都讲 OPP,激励人们加盟,接着讲 NDO,调整心态,再就是便于经销商运作讲美容知识,讲产品成分和功效,而恰恰忽略了等级制度。大家都是做到哪一级就了解了哪一级。也不去深研究更高级别的。

我开始给他们讲课了,我说:"普通经销商有百分之四、百分之八、百分之十二、百分之十六,也就是说按着经销商三个月的推荐和销售积分垒计计算,销售产品达到十万积分以下的,按不同的档次,分别获得以上这四种奖衔。十万积分大约得销售近二十万元的产品。也就是说三个月,销售产品达二十万元以上的,就达到了十万积分之上,这时候就成了领导级经销商。我在一个半月就达到了这个级别,也称 LD,享受百分之二十二奖衔,所有领导经销商最高也只能享受百分之二十二。而领导经销商又分四个等级,就是 LD 领导经销商、翡翠领导经销商、钻石领导销商和皇冠领导经销商。"

大家答卷中,基本都答出了普通经销商的几种达成条件,而没有答出四个级别的领导经销商的达成条件。

我说:"大家都知道,我是翡翠领导经销商,这从我手上戴的翡翠戒指就看出来了,难道你们没发现我第一次戴的戒指上面仅有 LD 吗。难道你们没有注意我手指上的戒指又变样了吗?戒指对于你们是多么的重要啊。特别是钻石戒指。"我以为,女性喜欢钻石。

上官兰马上问:"上线那得什么条件达到钻石领导经销商呀?"

我说:"这就是我亲自培训你们的目的。你们都做到了 LD 或接近 LD,竟连如何达到钻石领导经销商还没搞清楚,这要是被人传扬出去，你们还怎么做高一层的经销商。达到第一个LD领导经销商的标准你们都知道了，也就是你们自己加上你们的下线垒计销售十万元以上的产品，我就不用细说了。可达到翡翠的条件你们知道是什么吗？上官兰回答。”

上官兰有些脸红的站起来说：“要达到翡翠领导经销商，必须有三个获得LD领导经销商的下线。”

我说：“这道题你只能得五十分，只答对了一半。不是说你下面有了三个LD就是翡翠级，而是有三个你自己的直接发展的下线有三个达到才算数。在你一条下线中发现十个LD都没有用，那只能算一个。”

司马欣问：“上线，这我就不明白了，为什么不行呢？”

我说：“这也很简单，举例说吧，你发展了一条下线，而这条线中的最下层出现了一条LD领导经销商，所以从他往上就都成了LD了，可能推上来三五个，也可能推上来十几个LD，但这不算你们的能耐，是下线把这一层层的上线推到这个位置的。这不算数，有多少个都没有用。而有用的是，你直接发展的下线有三条，分别都达到了LD领导经销商才算数的。公司之所以这样规定也是为了竞争的公平。这就需要你们不断的再去拓宽网络，把面铺的更广。所以说，既使你达到了领导级，你也必须去不断的运作，不然不就成了坐享其成了吗?这样，经销商们也许会问，再做下去还有什么用，反正已经成为LD了，奖衔也达到了百分之二十二，还努力干什么，另外，一种奖励又出现了。也就是说只成了LD领导级不享受在这以外的待遇。比如出国旅游基金，住房基金，购车基金。我现在的翡翠级，仅仅可以获得出国旅游的基金资格。而后两项我

也没有资格得到。要想得到后面的奖励，我必须上钻石，上皇冠。”

欧阳凤又问：“如果是这样，你的下线成为了LD领导经销商，那么这些下线都达到了百分之二十二，和你一样的奖衔，那你不是做得越高越没什么好处了吗，你拿不到差额奖了？”

我说：“你说的对，假如我所有的下线奖衔都是百分之四，而我是百分之二十二，我就可以从所有下线销售额中得到百分之十八的差额奖，也就是说，我的下线们卖出一百积分，只得四元钱，而我就可以得十八元钱，因为我奖衔高，就像工厂里一级工和八级工同样是做一天工，但八级工的工资就高一样。但是，等你的下线全成了LD，全都和我是一种奖衔时，公司又为我这一级的领导制定了另一种奖励方式。你们都成了LD，是不是有我的功劳，我为公司培养出了这么多领导级，公司发展壮大了，公司是不是应该感激我。公司就设了一个感恩奖，不管你们做多少业绩，公司根据整体业绩，又给个人积百分之三的出国旅游基金。我的奖衔除了百分之二十二以外，又增加了百分之六的感恩奖。这就又调动起了翡翠领导经销商的积极性。”

端木木问：“要是再往上升会怎样呢？”

我说：“我下一个目标就是钻石领导经销商。也就是说我同时有六个直接LD下线，钻石比翡翠又多出了百分之三的奖金，同时又多了百分之三的住房基金。也就是说，当我上升为钻石经销商时，我每销售出一百积分的产品，也就是二百元左右的产品，就可得三十四元钱，实际上加上旅游和住房基金我的奖衔是百分之三十四，这再看一看，上的越高待遇是不是越高。这还没到顶级。顶级是皇冠，也就是有十二个直接LD下线，既有旅游基金，也有住房基金，还有购车基金，而且最诱惑人的是，到了皇冠级，就是总公司的股东了，可以直接享受总公司的分红了。现在全公司只有两个皇冠，皇冠在公司的地位几乎和副总平起平坐，所以说，我要成为总公司的第三个皇冠领导经销商。”

上官兰说：“我的妈呀，这得发展多少下线才能达到哇！”

我说：“从目前看，公司有几十万名经销商，也就是十万中有一名皇冠。但要想尽快达成，可以不用那么去傻乎乎的发展那么多人，我可以布线，有意识的培养十二条直接LD不就够了吗。要是任其发展，可能发展到了二十万经销商也不一定成为皇冠，因为偏线。线偏了，发展多少都上不去，就像我的上线冰怡，从她往下数经销商已经无数了，可她还是LD，因为只有我这条线达到了百分之二十二，她再也没有达到LD下线的了，我上线的上线小妖，也仅仅是翡翠，她只有三条LD下线，另外再也没有线了，所以说她们俩几乎再也没有机会上升了，而我有这个条件，我自己就发展了四十八条直接下线，这是一种太阳线，我从中培养出十二条LD，我的最高目标就达到了。虽说我有可选择的余地，有四分之一成为LD就可以了，但这是不确定的，有的时候扶持下线是一方面，另一方面还得看这个人是否具备先天条件。有的人天生无能，任你再去扶持也没有用。他本来就不是那块材料，别人有什么办法，所以我要往外省拓展，公司给过我允许无限发展的承诺，你们也可以这样发展。把自己的疆域扩大，就离成功不远了。但我可以告

诉你们,皇冠的标志是很惊人的,一只用五十八克纯金铸造的皇冠,而在皇冠的正面还挂着一只可以取下来的戒指,也是纯金的,戒指上刻有皇冠的图案。不然领导经销商聚会的时候,其他领导都戴有不同级别的戒指,皇冠领导怎么办,也不能头上顶着几十克的黄金呀,再说也不安全,有了皇冠戒指,只戴戒指就可以了,别人一眼就能看出是皇冠。再说,就是不注意戒指,从聚会时的坐次也能看出来,皇冠坐在第一排,第二排是钻石,接着往下排。这种等级座次是很严格的,在那一级的坐位里,只能是那个级的才可以坐,如果那个级别没有人,也只能空着座位,就像是过去土匪排座次一样,是不允许跨跃的。”

培训过后,代理人们开始对戒指感兴趣了,因为戒指不单是证明你获得了什么奖衔,而是在传销人中高贵身份的象征。传销人谁不希望手上戴着皇冠戒指,戴着这种戒指,无论到什么地方,只要是有美商东方公司经销商的地方,人们见到这种戒指,就像百姓见到了皇帝的令牌一样。只能顶礼膜拜。这枚戒指将给人带来多大的风光啊!

我最后激励这些代理人的话是:“愿大家的手都戴上皇冠戒指!”

我就想,人如果戴上了这种戒指,准会出现神灵在时刻保佑着。越想这些,心里越是激动。我要快些的使自己戴上皇冠。要加快这个步伐,只有再培养出两名 LD 领导,而且还必须是我直接发展的下线,我开始翻开网络图,在我直接发展的四五十名下线中寻找重点扶持对象。这里面已经有十名成为了 LD 领导经销商了。我开始分别找我这些直接下线谈话,我

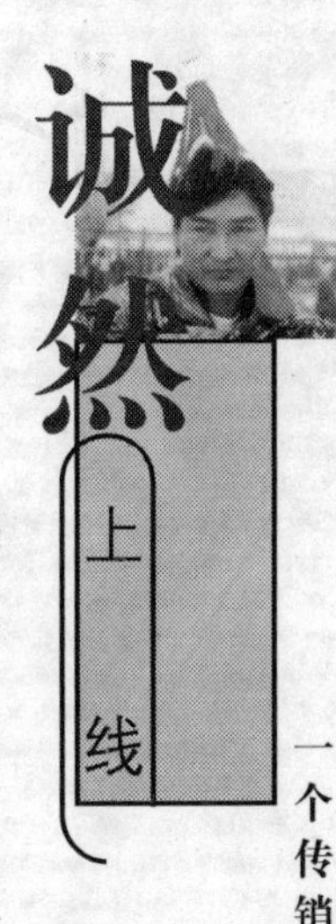

要先看一看他们的态度和打算。统统谈过话得知，有一些直线由于当时加盟后并没把此事当成什么重要的事情，只是觉得朋友推荐了，不好推迟，加入后并没有运作，加之我当时要管理一个飞速发展的体系，没有时间复制他们，就成了死钱，当他们看见这项事业真的可以做的时候，其他下线都已发展成一定规模了，就丧失了信心，恐怕追赶不上，也就放弃了，已经到了这种时候再来追赶，显得很没面子。

还有一些下线，虽然也在运作，但心态一直没有调整过来，想做又总是羞于和朋友们说，处于一种守株待兔的状态，在和他们谈话时，我同时也在激励着他们。其中有两名经销商开始产生了热情，听说我们可以亲自帮助他们发展下线，无论省内还是省外我都可以陪同，他们来了劲头，这俩个经销商一个是男的，另一个是女的。女的就是女收发员，上次去省城没带上她，这次我把她带上了。他们都希望去省外发展，这样可能是想避开身边的人，免得人家说三道四的。我说好吧，你们选地区，最好离咱们市不要太远，而且那里的亲属和朋友能力越强越好，让他们作为代理人在当地发展壮大队伍。

我把去外地拓展网络的想法同郑木汇报后，郑木表示支持。我又要求公司负责我们四人的差旅费用，郑木也同意了，我决定去四个人是另外带一名讲师，这是我体系自己的讲师，也就是端木木的妻子。我们四人坐上火车向邻省的几个城市进发了。四个人外出很好，男男女女的在一起说说笑笑的可以打发旅途的枯燥，而且还可以凑在一起打打扑克什么的。

我们原本是想上火车后就打扑克的，但到火车上却没有打扑克，而是趴在车窗上望外面的景色。这时是春天，这个省份拥有无边的草原,绿草刚刚钻出地面,像一块无际的地毯盖在广阔的大地上,一丛丛不知名的黄花点缀在其中,成群的牛羊在草原上悠悠的吃草,说来也凑巧,我们四个人中除了女收发员外,大家平时都喜欢写作,这就使我们无比兴奋。男经销商和女讲师开始诗兴大发,背诵一些描写春天,描写牧区的诗词。什么风吹草低见牛羊啦,什么芳草萋萋鹦鹉洲啦,什么离离原上草,一岁一枯荣什么的,这一路让人觉得很文学,很艺术。我已经很久没有这种文学艺术感觉了,我甚至对自己的世俗与现实感到害怕,我怎么变成了这个样子!

我们采取的是先到最远的那座边境城市,然后往回开拓,到了那座边城,我们先是到了与异国的贸易城,在边境线上眺望一下异国风光,仔细端详一下异国的男人女人,玩够了,才回到市里开始寻找亲友。那座边城里我也有一位朋友,找到他后,他很盛情的招待我们几个人,然后女收发员和男经销商就忙碌起来,通过亲属找朋友,通过朋友邀他们的亲属。由于他们都是零散着被邀来的,没法开OPP课,我就请我那个朋友借来一台放像机,把公司录制好的录像带放一遍。来一两个人就放一遍录像带,录像带里的内容很全面,除了OPP课之外,还有介绍公司背景,生产车间,产品介绍等等。我们陪同一遍遍的看那些几乎能背下来的录像带。为了感染新人,我们还要表现出对录像带极大的兴趣的样子,带子看多了就产生一种晕车的反应。但仍旧一遍遍看着。看过后,再对来者详细讲述一些运作方法。几天之后,我的那位朋友和男女经销商分别约来的一些人都加盟了公司,我们又到另一座城市里去发展了。

我之所以选择这个邻湖的城市，是因为我喜欢有水的地方。我是非常喜欢吃水产品的，海鲜也好，淡水鱼也好，我都喜欢。我想这段时间太累了，找个有水的地方，自己亲自钓些鱼吃，那种感觉是和酒店里买的鱼的感觉是不一样的，而且我很会钓鱼。

在那座城市，我找到一个农贸市场，选了些鱼具，又到近郊的菜园子里挖了些蚯蚓，我们就向那个湖进发了，一路上再见到牛羊的时候，我已很熟悉了，好像都认识了，这可能是在另外的草原上住蒙古包，骑马，吃手抓肉的关系，这时候真的有一种亲近之感。想一想动物活着也挺不容易的，又让人骑，又让人宰割的，没有道理好讲。我越来越觉得这些动物的可爱。

讲师说："上线，你怎么总朝车外看呢？"

我说："我越来越觉得对不住它们了，人家招谁惹谁了，咱

1998 年夏在内蒙额尔古纳河边。

们又骑人家，又吃人家的肉，咱们太残酷了吧！”

女收发员也说：“我小时候就生活在草原，我还记得跟在大人后面，看大人挤牛奶，那是一头大花牛。你们快看，那边有一头大花牛，那肯定是奶牛。”

男经销商看了看说：“那不是奶牛，连奶都没有，是什么奶牛。”

女收发员说：“不对呀，我小的时候看见的那头奶牛就是白花的。”

男经销商和我会意的笑了笑，然后说：“白花的难道就是奶牛吗，刚才我还看见一个人穿着一件白花衣服呢。”

我们一齐哄堂大笑。连汽车司机也忍不住笑出声来。

我马上警告司机：“你好好的开你的车，别跟我们这些疯子笑，小心把车开到沟里去。”

司机说：“没关系，离湖还有一段距离，这都是平道，真到了湖区我可真得小心，那里地形复杂……”

车又开了一段路程，就进入了湖区。这时的路十分难行，几乎没什么路，我让车停下来，站在一个高坡，看那个湖。我原来以为湖都是整片的，集中在一块洼地，不料想，湖是由许多个水洼形成的，似连非连的，望不到边。

我说：“这样吧，咱们也别往里去了，去远了怕找不回来，再说里面也危险，万一谁陷进湖里还怎么成为传销领袖。现在咱们开始选水域，就像传销一样，看谁能找到有鱼的水域。”我们就分头的找水域。

有些事情说起来容易，我给下线们讲课时还教给他们如何选水域，到真的选择时，还真是不容易，这些小水面看上去都一样，很难看出哪个地方深，那个地方浅，想找到鱼就更难了。

我把鱼钩拴好，又索上蚯蚓，往水里甩钩，看哪里有鱼咬钩。甩了好一会儿，也没有鱼咬钩。我一下想起，这不是钓鱼的季节。

我觉得很没面子，自己来的时候还自吹如何的会钓鱼，曾经钓过十五个小时没动地方，钓过一盆的鱼。现在连钩都不咬，显得我太无能了。

我把裤腿挽起，走进水里，讲师说："上线，你疯了，你穿的可是名牌裤子。"

我说："我一想到鱼连命都可以不要，我还管它什么裤子。"

我往深水中走了走，然后把钩甩出去，很快便有鱼咬钩了。我猛的把竿挥起，一条白鱼被我钓上来了。见此情景，他们几个人也都纷纷下水钓起鱼来。

我觉得这种情形与做传销有惊人的相似。人们见到了利益就会不顾一切的跳下水来。真是应了那句古话，人为财死，鸟为食亡。

我开始借着这个机会又来复制他们了，我说："这就如同做传销，传销也如同钓鱼，经销商自己首先要知道自己的特长，你是喜欢用网捕鱼，还是喜欢用鱼竿钓鱼，再就是用炮炸鱼。选择了自己喜欢的方式后，还得考虑自己对哪种捕鱼手段熟悉，你明明不会撒网，拿着网也不会用。更可怕的是，你们不会用炸药，却要用炸药炸鱼，鱼没炸着，把自己炸死了，那怎么行。我上次去端木木的那个市场就是采用的轰炸法。对了，就

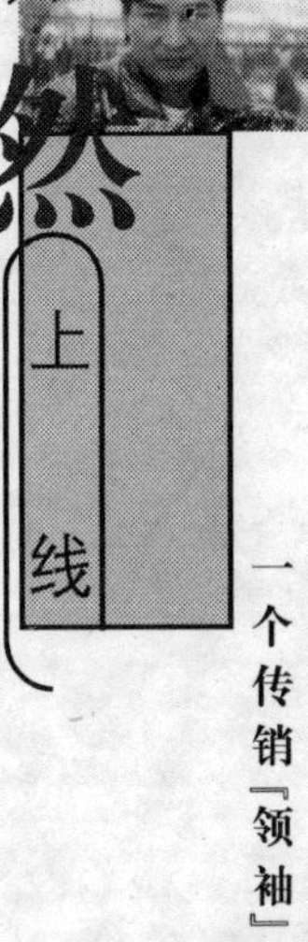

是咱们这位讲师的老公的那个市场。我一上台就来了一番轰炸,结果全炸昏了。"

女讲师说:"那次咱们总上线去,我都捏了一把汗,你们俩不知道,我们那些下线可凶了,总上线没去之前差点把我们夫妻给吃了,总上线去了,和他们一顿对话,都老实了,从那以后,可敬重我们夫妻了,没事的时候还说,总上线真厉害。"

男经销商说:"咱们总上线是谁呀,不厉害还敢当总上线……"

我们又钓了一会鱼,我在水里站的时间长了,水很凉,我有些吃不消了,就跑上岸来,把我们钓上来的那些小白鱼串在一起。

男经销商也上岸来,看着那些白鱼说:"这鱼身上也是白花,不会是白花奶牛吧!"

那个女收发员很不好意思地说:"你们就别说了,抓住话把就没完,以后我不说白花奶牛不行么!"

我们把那些鱼带回城里,找了一个饭店加工了一下,美美的吃了一顿,我们又去了另外一个城市,我们到了这个城市后,就去找有特色的食物。正巧在一个熟食店里发现了煮好的羊蹄和牛蹄。我说:"要说咱们残忍呢,又把那些动物的蹄子吃了一遍,那些动物今后还怎么奔驰在草原上了,这不是坑人嘛。"后来一想,动物不是人,又改口说了句:"这不是坑动物吗。"

在这个市,女收发员没有熟人,女讲师陪着男经销商到朋友家 OPP 去了,我和女收发员闲着没事在房间里看电视。看了一会儿电视,女收发员说:"上线,咱们是老同志了,自从你做金锁链我就跟着你,你也不好好帮着我发展,我到现在还没什么业绩……你是不是看我长的不好看……”

我说:“没有,没有,有些事别人是帮不上忙的,全得靠你自己。”

她突然说:“你咋不奖励我了呢?”

她这一句话把我吓了一跳,我知道奖励就是亲吻她,这词是我当初发明的,但现在我们的关系不同了,上下级之间若是那样,肯定乱套的。

我忙说:“奖励不好,这要是传扬出去,那些女经销商的丈夫和家人们听说此事,肯定不让她们做了,整个体系就得解体了,你别多想,我会力所能及的帮助你的……”

我刚说完这些话,男经销商和女讲师就回来了,我当时有些后怕,这要真在奖励她的时候被他们碰上,那我这一世英名也就毁于一旦了。再说了,就是奖励那么一下,又能怎么样,那样的结果会误事的,她接受了奖励之后,逢人再到处说,总上级奖励我啦,那就麻烦了。有时候,人真得学会克制,不该奖励的时候,不能瞎奖励。当然了,必须奖励的时候也不能太吝啬了。

我们每到一处, 都发展几名下线, 并且放在那里一些产品,让他们继续销售。

等我们回来的时候,已经发展了十几名经销商。我原以为那块市场被我们开发出来了, 不料想, 一些麻烦的事情发生了,那几个城市分别来电话,要求去人培训,而且需要产品。这看起来是好事,但路途遥远太了,为了几百元钱的产品,为了发展几个人,有些得不偿失。那里发生的业绩太少,而花费的

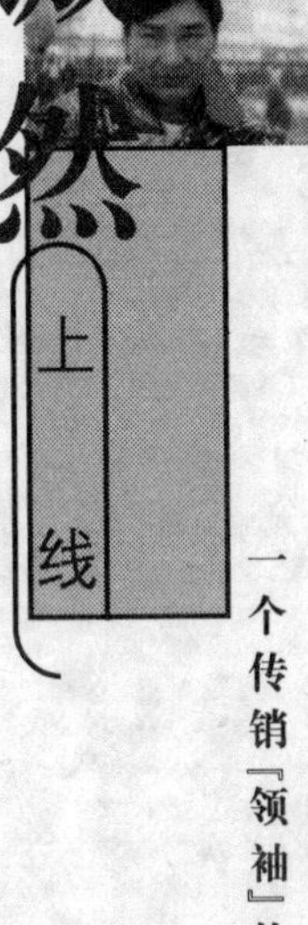

费用太高。我说再等一段时间，等那里把前期工作做好了，觉得去一趟值得，我们再去。

这时候，体系里有好多事要做，暂时把那几个城市的事情放下了，这一放，那边的线全都死掉了，就再也没有捡起来。

16. 形形色色的下线

我知道如何来统御一个体系，在这个体系里我有很多称呼，体系领导人、总上线、传销领袖、高级经销商、优秀传销人、线头等等。不管叫什么，我是富成体系的领导人。要想统御这么庞大一个体系，其实是很不容易的。在这众多的下线当中，真可谓是藏龙伏凤，各个阶层，各个行业，各色人等都在其中。无论是什么样的人，只要一做了传销，就很容易把这个人的品行检验出来。这时候，就会现出每个人的原形。有人宽宏大量，有人斤斤计较，有人大智若愚，有人耍小聪明，有人挥金如土，有人视财如命。面对这么复杂的人群，我要具备火眼金睛才能看透所有人的心思，才能对症下药。否则就容易出现问题。我只好逐个研究分析各小体系的领导人和一些奖衔高的经销商，也真的很伤神。没有办法，如不这样，就不能预先发现问题，不能及时去预防一些事情，体系就不会稳定。

我通常使用的办法就是能拉则拉，能打则打，倾斜扶持弱体系，放任势头强的体系，尽力使各体系均势力敌，平衡体系，使各体系齐头并进，相互争宠，并形成一种讨好取悦总上线的风气，以使我这个人的威望达到一定高度，并用这种威望统领体系，这也许就是我的独特之处。

这时候，上官兰又来找我了。她还是要求在端木木那个县城再设立一个提货站，专门供应他们体系的经销商产品。我想，她可能是开始对我讲的钻石、皇冠级发生兴趣了，想尽快壮大自己的网络体系。我知道，在一个地方谁获得了代理权，谁就获得了此地的霸主地位。为了能始终掌握控制住各地的代理人，在与他们保持亲密关系的同时，我会在各个小体系中去寻找强线，并暗地培养。这样做是留出另外一条途径。以防本体系代理人不服从调遣或是丧失统御能力，我就可以重新撤换或让其顶替他们。这使得各地代理人有了危机感，也加强了我这个总上线的集权统治。

想来也自觉好笑，怎么像古时一国的君主似的，这么劳心。其实就是这样，大同小异，凡有人群的地方，就是如此。各地经销商获得代理人资格之后，就像是得到了一块疆土，这倒不是说，公司给什么优惠，这些代理和公司接不上轨，是我的代理人。我几乎没给这些代理人什么特殊优惠。但他们在本地也是很“牛”的。原因很简单，假如一个经销商来到代理人的购货点，代理人如果不冷不热的接待或者透露出销售人有一些零售毛利给顾客，那个顾客肯定很不高兴，认为赚他的钱。如果代理人帮助推荐人领来的人介绍一下产品，并说这为了你好，他又不挣钱帮你选好产品之类的话，顾客就会坚信这话是真的，就会购买产品，这就是 ABC 法则。具体地说，就是 A 领来 B，由 C 劝说 B 购买产品或加盟公司。

所以说，当地的经销商都敬着这个代理人，另外的原因

是，各地的代理人都是总上线选定的，就一定是总上线信任的人，这也是能靠近总上线的一条途径。

我不愿意多扶持上官兰的另一个原因是，这人没有感恩心理，对她的上线都不感谢，漂亮女人是她的上线，当初漂亮女人没少帮助她，而且再三嘱咐叫我关照她，结果她的体系发展起来了却瞧不起漂亮女人了，而且还说她上线不如她做的业绩好。这种人一旦得到位置，那就会目中无人的。

上官兰做传销发展快的原因很简单，见人便夸张地说，这种产品可有效了，这个公司可好了，加入了就赚钱。有一次她正说到加入了公司就赚钱的时候，我有些忍不住了。我必须要找她谈一谈。她这样做，当时会很有效果，人家听说加入就挣钱，肯定就会加入的，但接下来人家就在家里坐等开奖金了，最终没开，人家就会说上当受骗了，说开奖金没开奖金。世界上哪有这么好的事情，不运作哪有奖金开。人家要是把这事传扬出去，就会造成不好的后果。有一次，体系聚会，我对上官兰

1997 年在马六甲海峡教堂前。

说，聚会结束了你到我办公室来一下，聚会结束后，上官兰来了，我办公室里有经销商找我谈事情，我走出去，我把她叫到另一个办公室，狠狠的对她说："上官兰，你现在已经做到领导级了，怎么这么不懂规矩！"

上官兰脸有些红，但还是笑着说："我怎么啦？"

我说："你怎么了，你怎么连三捧都不懂。你难道不知道要捧公司、捧上线、捧产品吗？你说什么，你的上线是你推上了领导级，没有上线哪有你？还说什么公司产品质量不如从前了，你化验过么，凭什么说的。尤其你复制下线的理念太成问题了，什么加入了就能赚钱，赚不到钱你负责呀。"

上官兰好一会没说出话来，后来还是承认自己错了，但她却说，自己的做法很有效，体系发展的很快，销售业绩也好。还说我对待人不够公平，说我对司马欣和欧阳凤过分偏爱，扶持照顾的太多，而对她上官兰照顾的不够。我没有和她再说什么，我也在想司马欣和欧阳凤的事情。

我本不认识司马欣，她只是众多下线中的一个下线，我的所有下线都认识我，知道我，但我没有办法认识所有下线，让司马欣代理那个镇的商务，是司马欣的妹妹女收发员极力推荐的。由于女收发员开始做的业绩很好，加之运作积极，并有许多优点，我想，姐妹俩都应很相似的，所以我就同意了司马欣在她们镇做我的商务代理，我去过她那个镇，业务拓展很慢，但司马欣还是很努力的四处游说，嘴上不停的和人家唠叨着，而我每每有什么安排或提示性的话，她都虔诚的点头服从。所以我也很愿意扶持她。加之我看在她妹妹很早就同我合作做过"金锁链"的情份上，我也就全力扶持她了。

实际上做传销单单用嘴说是远远不够的。而是应该用心来做。一个经销商每天不停的和身边的人反复重复那些话,不但不会有结果,还容易让人厌烦。这要动些心思,要抓住对方弱点。选人也是有诀窍的,要选些急需钱用的人,选些仕途失意的,选些愿意出风头的,选些有威望的人作为发展对象。急需用钱的,就像我一样,一旦有了挣钱的机会,是不会放弃的。而那些在仕途上失意的人,必然想通过另外一个领域,获得成功,如平衡仕途失意心理。选愿意出风头的人就更好理解,在这个圈子里,一旦有人获得成功,必然受到宣扬,在体系聚会时肯定会被推上讲台,让其去和大家作成功的分享。而有威望的人一旦加盟,靠其自身的威望就会推荐一大批人加盟,这就是心计使然。

而欧阳凤的情况就尤为特殊。说起欧阳凤还得从我的上线冰怡说起,当初在我和冰怡开办公司的那个城市,在我第一次参加 OPP 创业说明会的会上,冰怡站起来很激昂的表示了一下自己的决心,并说要把自己的体系拓展到本省最北一个县城。实际上她当时说这些话也是大家相互激励的一种需要,然而我却当真了,我知道,冰怡所设定的目标,就在我们市管辖的县中,所以当分公司郑木经理带众人第一次来我市时,冰怡也来了,我当时陪同他们游览了很多地方,就包括最北边这个县,我牢记着冰怡当时的表态,我就下决心,一定实现我上线的承诺。后来我才明白,冰怡当时在众人场合说的那番话实际上并没往心里去,只是借此激励一下大家。而我却把此事当真了。我想,既然说过此话,若是没有做到,会使人不信任的。很久以后我才明白,话尽管说,说的越大越好,没有人跟踪检

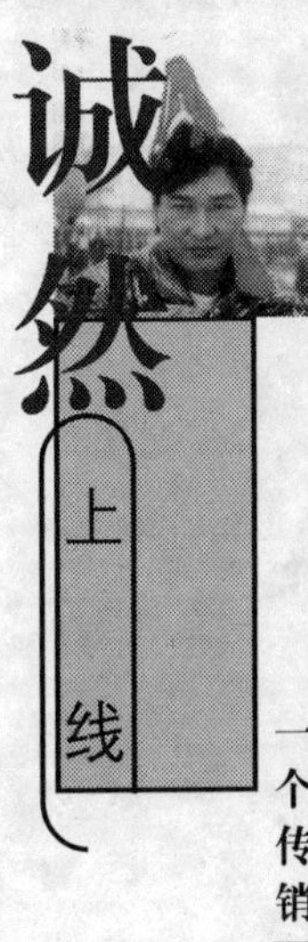

验这些话是否兑现，当初为此事我费了好大气力。

我在这个县里找到了一位朋友，我请这位朋友把他们单位的女士都请到会议室来。我们没有讲 OPP 课，而是想用介绍产品导入。总公司的男讲师站在会议室中间，同四周坐着的人说：“我给各位女士讲一下我们的产品。”

坐在我身边的女人对另一人女人说：“一个男人还给咱们介绍化妆品！”

男讲师说：“我们是美商东方精细化工有限公司的经销商，我们的化妆品是全天然植物经过低温氮化处理提取的营养化妆品……”

旁边的女人说：“现在都说自己的产品是全天然的，要是冻了那不变质了。”

男讲师说：“我们的产品是低价位高质量的产品……”

旁边的女人说：“还低价位呢，比我用的那种贵了好几倍，上那去少花钱能买到好东西，便宜没好货，好货不便宜。”

男讲师说：“我们的产品针对皮肤不同需要，生产了几十种成为一个系列，有日霜、晚霜、防晒霜、眼霜、生化霜、去皱霜……”

旁边的女人说：“那么多的样，抹得过来吗，就是想办法让人多买，要是按他说的，那脸上得抹多厚一层。”

男讲师说：“我们这套化妆品是根据东方女性的皮肤特性研制的，最适合东方女性使用……”

旁边的女人说：“美国人能有那么好的心眼？还为东方女性研究的，外国的东西谁敢用，别带着艾滋病过来。”

我在旁边听着，心里十分生气，听她们的对话又觉得叫人哭笑不得，我看了看她们，我心里十分着急，我感到事情有些不妙，这种用产品导入的办法不好。肯定是过去他们见到太到太多这样推销产品的。也许还上过当。要是采用OPP课也不行。因为下边全是新人，没有经销商配合，通常都是先有了一些经销商，经销商各自约新人参加，如果有新人提出异议，约新人的经销商就会在下面制止，维持讲课秩序。加之经销商鼓掌等行动，会影响新人的行为。这吓坏了，我们竟处在了新人的包围之中了，这样推销产品必将失败。那个总是在下边接话茬的女人冲着我问："你说，我说的对不对？"

我没有回答她，用眼睛朝男讲师看了看，示意上边在讲解，她并没有停止说话，反而说："听他在那白话，谁不说自己东西好，王婆卖瓜，自卖自夸呗。"

我对她说："听他把话说完。"

她大声地说："听什么都没用，都是骗钱的，要不然谁跑这么大老远的扯这个，要是东西好还用往外跑推销，别的咱也没见着，也不说，就说我现在买了你们的化妆品，要是用了不像你们说的那么好，或是发生了过敏，你们拍拍屁股走人了，我们上哪去找你们去？"这个女人的一番话，把那些原本感兴趣的人说的也没有了兴趣。

我马上说："我是市里的商务代表，有问题我来解决。"

那女人说："谁为了那么点事坐一宿的火车上市里找你，再说找着你，你要是不管谁也没有办法……"

我说："我们公司首先是诚信，我们会像对待上帝一样的对待顾客。"

接下来我们又继续展示产品，但产品展示之后，并没人太

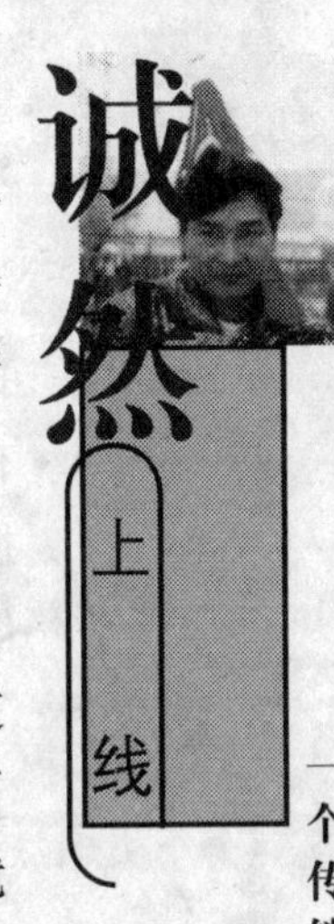

感兴趣,主要原因是不太相信这种产品会有什么功效,另外一个原因是单位的领导命令他们到会议室来的，这多少带有一点强迫开会的意思，所以心里不愿意接受，并且排斥这些产品,人们很快的散去了。

男讲师非常生气地说:“这些人都他妈是‘约翰·强生’,飞机都起飞了,还在那瞎研究呢,怎么就不相信呀?”

冰怡问我怎么办,我说必须要寻找到一个代理人,不然这次就白跑一趟了。我当时要坚决把此事办成已不单单是为了兑现冰怡的那个承诺了。这时已渗进了一些叫板的成分。我就不想信找不到人加入。用名誉和金钱可以把任何人打倒。这其实是人自身无法克服的与生俱来的弱点。人群之中可能有人不为金钱所动,也可能有人淡泊其名。但名利夹击就很少有人能抗得住。为了能使我马到成功,我暗自进行了一番策划,为了较劲,我选择这个反对我们的人进行攻克。我和冰怡随后又来到这个单位,选择了一个对产品比较感兴趣的女士。我马上想到了坐在我身边那个总是接讲师话茬的女人，从心里我当然很讨厌她。但是,她那种表现恰恰说明了她对此感兴趣。她这种语言的排斥实际是自己内心斗争的一种表现。如果人对此真不感兴趣,绝不会接那么多话茬,完全可以不去听……我和冰怡直接去找她,才知道,她就是欧阳凤,冰怡拿出产品为她做了皮肤护理,她马上感到了皮肤的舒适和一些变化。但她只是想买一套产品自己使用。

我说:“你既然买了产品,就已达到了成为经销商和加盟公司的条件,何不加盟,还可以作为我在本县的商务代理。”

她说:“我嘴太笨,也不会跟人家介绍。”

我说:“你的嘴还笨?这没关系,下一步,我们会来培训你,也会帮你培训你的下线。总之,我急需有人给我在本县代理,我可以给你如下承诺。第一,你先使用一段时间产品,如产品有问题我给你无条件退货。第二,你按我说的推荐人,召集人加盟,如果公司不给你发奖金,我个人给你发。第三,我可以无偿的先期给你供货,销售后付款。”

就这样,这个在听课时表现得最不接受我们的欧阳凤成了我的代理人。欧阳凤的体系也逐步形成了。但是我仍不满意,她并没有努力的去做,我多次带讲师去欧阳凤的那个县,她甚至连召集一些听课者都不能,那是一块很好的市场,我一直想找一个能开拓市场的代理人,但一直没有出现这样的人。

我开始在这个庞大的体系中使用奖励机制了,我所采取的办法其实很简单,一是各地的代理商总体销售每月达到5万元的奖励一套产品。二是个人当月推荐5人以上加盟公司的,奖励3样产品,如此等等,这个奖励制度的推出,当月的业绩直线上升。这道理很简单,很符合人情。有了这种奖励制度,各地的代理人就有了积极性。平时他们的下线们做的好与坏虽在利益上与他们也有关系,但他们还是会把精力放在自己发展和推销产品上,这其中个人利益会更大。而这种奖励政策一出台,他们就会去呵护所有下线,动员他们共同努力。因为奖励的一套产品也值一二千元。所以我的整个体系的总体业绩提高的幅度就大得惊人了。真应了那句话,重赏之下必有勇夫。

小妖打电话来,祝贺我体系的业绩的迅速增长。

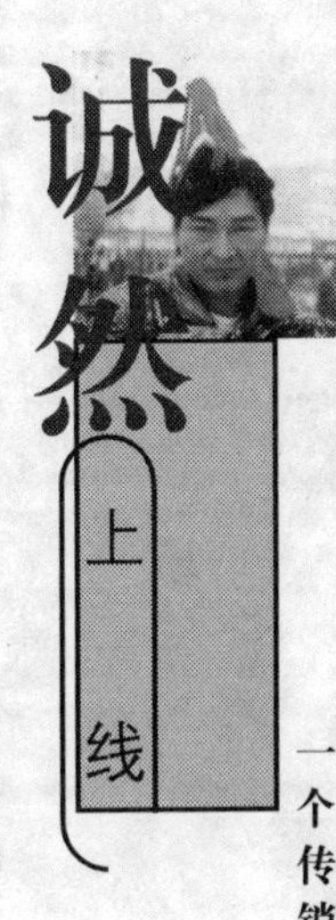

郑木也以分公司的名誉,发来嘉奖信。

就在这时总公司经理助手打来电话,说老总要会见我。我很高兴,因为来临就住在总公司所在的那座城市,上次来临从我处走后,一直也没有她的消息,无论怎样,我和她还有那么一次亲密接触,所以难免会经常的想起她。无论男人还是女人都会是这样的。我很想去见一见来临。

这次去总公司去见总经理,倒不如说我是为了见来临才去的。我知道来临已经离开了总公司,但我相信她不会离开那座城市。因为她对我说过,她想结束过去那种流浪似的生话了,那样她会感到身心很疲惫。

在去总公司之前,我没有与来临联系,在火车上我也没有传呼她。我想到那里再看情况。看总公司找我什么事情,然后再说。火车快到站的时候,我改变了主意。我觉得应该先和来临联系一下,探听一下消息,也可以让来临带我去总公司,省得我自己四处打听公司地址。

到了那座城市,我就在出了火车站不远的地方打她的传呼,她很快回话了。她回话时并不知道是我的手机传的她,因为她从我这里走的时候,我还没有用手机。当她在电话里听出是我的声音时,很高兴。

她说:“老兄,你怎么想起传我了……你在哪呢?”

我说:“我就在你们市火车站的出口处。”

她说:“真的!你没骗我吧?你就等在那,我马上过去接你。”

过了一会儿,她真的来了,我和她相视的笑着,她说:“你傻笑啥呢?我以为你和我开玩笑呢,没想到你还真来了,走,吃饭去。”

我说：“我见到你真是高兴，我都不想吃饭啦！”

她说：“别净说好听的，你不想吃饭，想吃啥？”

我说：“你！”

她说：“你别在这儿出洋相了，听话，咱吃饭去。”

她请我在一家麦当劳吃了些东西，在吃东西的时候，她还不停地说：“你别光喝饮料呀，吃点东西，不然一会儿又该饿啦。”

我又笑了。

她问：“你又傻笑啥呢？”

我说：“我听你说话，觉得特耳熟……对啦，我妈总这么说我……”

她说：“你算了吧，我可不敢当大辈……说真的，你怎么突然就来了，干嘛来了？”

我说：“总公司老总要接见我，谁知道他要干什么。”

她说：“我说么，你不可能是专程来看我的……”

我说：“天地良心，如果你不在这，我真不一定来，还是你对我有吸引力。”

她说：“别说的那么好听……不管怎么说，到了这你还能传我，也算是没忘了我，多少还有点良心，我就不批评你了，快吃吧，吃完了办正事去。”然后就领我到一家离公司比较近的宾馆办了住宿手续，就带我去总公司了。她没有亲自带我去见总经理，而是在她原来工作的总训部等我。

说是总经理要召见我，但总经理并没马上会见我，而是安排了公司生产部和公关部的人员陪同我参观了公司的生产车间。生产车间很正规,但没有我想象中的规模大。我当时有些奇怪,就问陪同我的人:“这就是公司的整个生产车间吗?”

陪同者说:“是,你是不是觉得规模小……你知道这些设备每天的生产量是很大的。”

我说:“从公司产品介绍的成分看,要用好多种天然植物提取加工,需要好多种比如研磨、液氮冷冻什么的,这个车间能够用吗?”

陪同者笑笑说:“那些过程都在美国和法国完成了,也就是说咱们公司从美国和法国将那些生产出的成品用大桶大包装运过来,是按原料报关进来的,可以免去成品进口税,这里只有把大桶里的成品再分装到小瓶里……你看生产唇膏的流程,那些膏体都是成型的,在这里只是置入管中就可以了……所以用不着太大的生产车间……”

我这才明白,有好多产品在这里只需重分装。

陪同人还在向我显示公司产品优质时,无意泄露出了一

2002年秋在黑龙江兴凯湖上。

个秘密。他说,公司老总原本是世界那家最大传销公司的一个国家的代理。那家公司的产品要比咱们公司同类产品价格高三倍,其实咱们公司就是采用的他们的配方,价格下浮了,品质相同……

我当时并没有马上联想这是在仿冒别家公司产品,我还为此而高兴,因为我们顾客们可以用低价位使用高品质的产品。

参观完生产车间,又请我吃了饭,然后才安排总经理接见我。

总经理热情的接见了我。总经理是美籍华人,所以对中国国情十分熟悉。他首先向我表示敬佩,说我作为一名政府公务人员,又是文学家,能投身传销事业来实现自身的价值,很有勇气,这是本公司的荣耀等等。我心里想,这是因为经济困难,什么勇气不勇气的,没办法。他还说,如果我原意的话,可以和总公司接洽业务,条件会比分公司优惠,以后就不用归分公司管了,说着还拿出一份合同书让我签,我当时心里一阵激动,但我又冷静一下后,我觉得甩掉分公司这种做法很不好。郑木和分公司一直对我不错,如果那么做了就好像我这人有奶就是娘了。我说让我回去再考虑一下,就推辞了。

总经理当时感到很失望,但他会敬佩我这种忠诚。我离开总公司后,就和来临去文化街闲逛去了。然后又是品尝风味小吃,又买特色纪念品的直到天都黑下来了。

她说:“你累吗?”

我说:“不累,见到你我就有精神了。”

她又问:“坐了两天的火车,又转了一天,你真的不累吗?

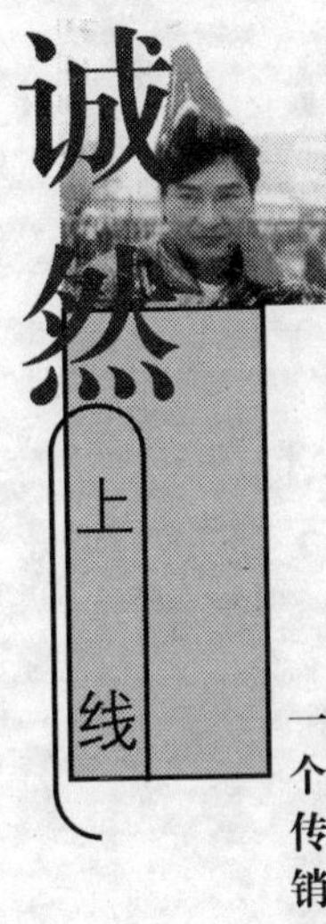

已经结婚的人精力还那么旺盛！”

我一下想起我曾同她开的玩笑。

我说：“难得这么久了你还能记住我同你开的玩笑。”

她说：“何止是玩笑呀，我都记着呢。”

听到这，我心里涌起一股暖流，我伸出胳膊把她揽在我怀里，在夜色中沿着那条贯穿市区的河，慢慢的向前走着，河里倒映着明亮的灯光，这种感觉真好。

我说：“这么久了，很想你，真的。如果那次我要是不生病，你还会多呆几天……谁知你这么快的离开了公司，有什么原因吗？”

她说：“什么原因都没有，想走就走，我这性格是改不了了，老总和你谈了什么？”

我说：“老总想让我直接和总公司开展业务，好像是想把我从郑木那边撬过来，但给的待遇和优惠比郑木给的高，我没同意。那样做了别人会说闲话的，和郑木合作挺好的，不变了。”

来临想了一下，然后说：“这里可能有问题，是不是郑木有什么动作被老总察觉出来了，老总是想削弱郑木的实力，不过你这人别把义气带到生意场上来，老总主动让你过来，你还讲什么义气，哪方面有利就随哪方，咱们不就是为了赚钱吗，老兄不是我说你，你这可有点大姑娘要饭死心眼了。”

我说：“你怎么什么话都敢说，一个大姑娘别瞎说。”

她说：“我怕什么呀，本来么。”

我说：“你这种责怪是没有道理的，大姑娘要饭是因为她饿了，没办法，不要饭怎么办？这是守洁。我这也是守洁，不然谁给好处就跟谁，那不成了汉奸叛徒了吗。”

她说：“你算了吧，我可看见你守洁了，还守洁，守了多少个了？”

我笑了，我小声说：“在你面前我没话说，谁叫我跟你没守住呢，你当时要是不开发我的潜能，有那么大潜能吗？”

她说：“咱别说这些了，让人听见还认为咱俩在这买卖呢，看前边摆的什么滩，还有人围着，过去看看。”

我和来临来到那个滩前，原来是气枪打靶游戏，这下我来了精神，我一见到枪就有一种本能的冲动，就想打几枪。打枪的感觉非常好，枪膛里压满了子弹，在扣动板击的同时，带着声响子弹冲出枪膛，再让子弹击倒目标，或将目标打碎，那是一种别样的快感。就像把胸中压抑的东西释放出来，也是一种宣泄。人在适当的时候必须有这样宣泄的过程，否则人是很难受的。就像我此时创作这部小说，向人讲述一种亲身和心灵的体验，也不能不说是一种借助文字语言的宣泄。

我记得当年和冰怡在一起时，也是这样，弄得冰怡见到这种游戏的地方就拉着我绕开走，实在绕不开了就陪着我在那一局一局的打枪，最后得了一堆没用的小纪念品回去了。我挤进去就开始打枪，这种枪一般都不准，但对于我不管什么样的枪在我试过几枪之后，我都能把枪校准了，我打了几局，每一局环数都挺高，弄得那个滩主直冲我说好话，我才罢休。滩主说这些纪念品可以由我选择。我选了几束红玫瑰送给来临，来临十分高兴，这是我有生以来第一次送女人玫瑰。

她接过玫瑰说：“谢谢，没想到你枪打得那么准！”

我说：“这算什么呀！这两年眼神儿差了，过去，我可是神

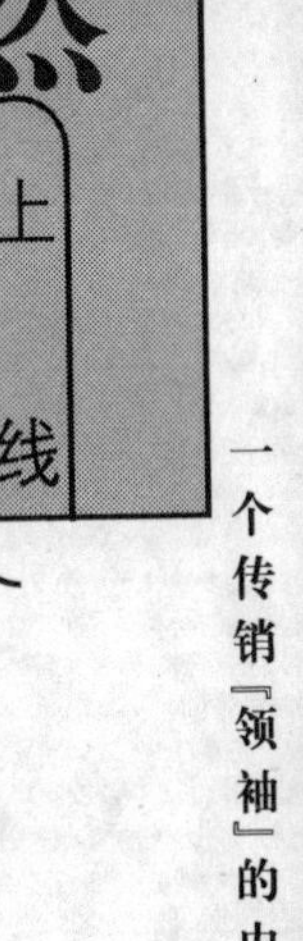

枪手，连枪见了我都颤抖……就别说多少年前，就是前年，我和冰怡在一起办公司时，我见到枪就打，一打一堆奖品，后来把冰怡吓的都不敢和我去打枪的地方……”

她说：“你俩在一起的时候不光打枪吧？”

我说：“你又来了，还在追问我她入没入股是吧?过去的事都过去了，别提了，往事不堪回首啊！我饿了……”

来临说：“到了这，你就听我安排吧。”

随后我和来临又是喝酒又是打保龄的到了半夜。这次和来临喝酒我没有多喝，我知道我喝多少都喝不过她。再说还要去打保龄，我要是真喝醉了，击瓶的可能就不是球了，很有可能是我的脑袋。况且像保龄球馆那种场所，也是很高雅的，我要是醉酒进去会惹来白眼的，别让其他顾客以为我不懂规矩。保龄球我是经常玩的，这几乎成我锻炼身体的惟一方式，但我总是打不出高分，锻炼身体而以，做完了这些之后，我看着来临。

我问来临：“你去哪住？”

她说：“我回家住。”

我说：“这么晚了别回去了，你一个人走我也不放心，去我那住吧。”

她说：“我跟你去住那算怎么回事呀？”

我说：“你就别气我了，咱们找一家好宾馆，白天登记的那家宾馆房间里不能洗澡，而且还有别人住。”

她说：“那就把房间退了，我领你去一家三星宾馆。”

我们退了房，来到那家三星宾馆，包了房间，就和来临住在了一起。我之所以喜欢住大宾馆里是因为在房间里可以洗澡。最主要的一点是没人来打扰。住普通旅店，领着个女人，还要查验结婚证，就像当年那个台商来我市住宿时，一查验结婚证弄得人很尴尬，好像是做什么见不得人的事似的。就是不查验结婚证，服务员走来走去的，也让人心里感到别扭。这家宾馆很好，登记之后就再也没有人来打扰了，要想找服务员有事情，也得打电话服务员才能来。而且像这种星级的宾馆，公安部门都不会来查房。这很让我放心，我可以在这里随心所欲。我脱去衣服，来临问我："你想干什么？"

我说："一个男人和一个女人在一起，你还不知道要干什么……我要洗澡，你以为我要干什么？"

她说："我什么也不以为，我也想洗澡！"

我说："那咱俩就一起洗吧！"

来临听后就咯咯地笑，还说："这不成了鸳鸯浴了吗？"

我说："你怎么什么都知道，上回你乘我喝醉了酒让我失了身，这回我得把你拿下，不然传出去，我可怎么做人呀！"

她说："还指不定谁把谁拿下呢……"

和来临在一起洗澡很刺激，我的潜能又一次开发出来，我把她拖到床上，狠狠地用身子拍打她的身体。之后，我软软地躺在床上。

她笑着问："战斗就这么结束啦？你也太没有战斗力啦！"

我从床上爬起来，在冰箱里拿出两小瓶洋酒大口喝起来，她也随我一起喝着。喝过酒，我和她的第二次战役又打响了……随后，我和她谈了我拓展网络的想法。

我说："我下个月就有可能达到钻石领导经销商，要是达到皇冠还有些困难，我必须要把网络拓展到省外，再培植几个

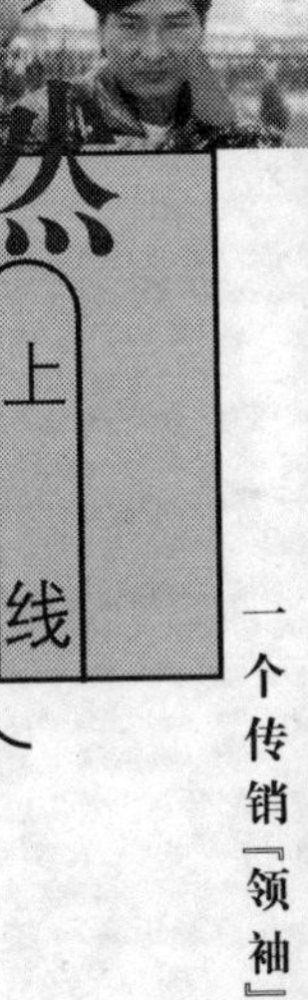

LD,就有希望达到最高级别了。”

来临说:“真烦人,什么时候都说这些破事,你怎么对东方公司有这么大劲头,东方公司赚钱比别的公司少,这要是在其他公司,像你这么大网络,那可真赚大钱了。”

我说:“在东方做天时地利人和的挺顺心,就这么做下去吧。在北京有我一个文友,我应该把他拉进来跟我做,让他在北京附近运作,可我离他太远,无法呵护他,要不这样吧,你先做我的下线,然后让他当你的下线,你就可以经常去复制他,还可以让他召集人你去讲课,你还能供货,怎么样?这都是为了我,我回去把你加盟的手续办了,明天你陪我去北京,反正路途又近,你也去和我同学认识一下……”

来临最后同意了我的这个计划,并陪我到了北京。

我这个文友一边工作一边在一家很有名的文学院进修。我在文学院找到了他。我发现文学院里有好多来自各省的男女学生。我想,这要是发展好了。各省几乎都有我的下线了,那我的体系真的可以倍增了。

我把这个想法和我这个文友说了一遍。我文友竟然还不知传销为何物,怎么对他讲,他也听不明白,他准是研究学问研究的,自己发傻了。但他同意找他那些同学。我让来临和他约定时间,他约些人,来临来给他们讲课。然后再研究下步发展。我和文友在一起吃了一顿饭,我和来临就离开了北京。

来临也回到了她那个城市。当来临在火车站和我告别时,我看见了她眼睛里含着的眼泪,我心里一阵酸楚。我不知道以后应该怎样的对她。我不知道是我给她带来了欢乐,还是带来了痛苦。而我对她却又多了一份牵挂。

我回来后，把这一切告诉了分公司的郑木，郑木听后很是激动，拍着我的手说："您真是义气……您可能不知其中内幕，总经理听了别人的挑拨，说我要搞全省独立，要个人控制这块市场，加之省分公司业绩比较高，老总怕失控，就想把您这样有实力的直接掌握在总公司手里，来减弱我的实力……"

我听后不觉好笑，这怎么像军阀混战那年代拟的，拉队伍占地盘的。

事情的发展正像郑木说的那样。总公司做出了一项任命，任命郑木为三个省管理处处长，不再负责本省分公司工作。从表面上看，郑木升级了，实际上这是一种明升暗降，郑木很聪明，他并没有到外省去办公，只是在外省租了办公楼，而那个办公楼装修好后，一直空着，他仍留在分公司，仍没有放弃分公司的管理权。

但是，这个时候没有一个人察觉郑木的另外一个大胆的计划，包括我在内仍坚信着分公司或三省管理处做出的任何决定。郑木以三省管理处的名誉，重新制定了一套奖金发放制度，这套制度几乎背离了总公司事业手册上的规定。乍看上去，只是让人觉得这个新制度有些极功尽利。有明显的短期行为，实际上这时发出了一个危险信号，但没人怀疑什么，大家并不愿意去怀疑，就没有人想到其他问题。各地照样运作着。新制度中有一项明确规定，各地从此不许借贷，必须拿现金购买产品。有一种甩货意味。

我找到郑木，并和他谈了我市场需货量之大，库存量之多，无法拿现金购货，请他相信在我的市场不会出现任何问题。郑木见我这么坚持，又考虑到这一年多来合作的比较愉快,并坚信我不会出问题,就同意继续借贷给我。因为郑木心里非常清楚,像我这种情况,在我们市我也算是个公众人物了,而且身在国家机关工作。不可能骗取他们的产品,即使我做了那种事,他们也很容易通过法院来处理此事。他们料定我不是那种人,也不可能因为一些货去丢那种人。我是很注重自己名声的人。郑木照常借贷给我,而且需要什么就发什么。所以我的市场丝毫没受什么影响,似乎比先前业绩更高了。

过了一些天,我打电话给来临,问她:“你在北京我同学那里下线发展的怎么样啦?”

她说:“别提你那同学啦,还有文学院那些学生,他们好像很瞧不起你做传销……”

我说:“怎么会呢?我和他们谈这件事的时候,他们表现得十分热心,而且很羡慕我一边从文一边经商,还说以商养文很好,要不然连进修学习的钱都没有,还怎么提高自己,经济基

作者近照。

础是很重要的。”

她说：“他们当着你的面这么说，可是我再去的时候他们就摆出了一副很清高的面孔，颇有不为五斗米折腰的意思。”

我说：“那你怎么不跟他们OPP呢？”

她说：“你还不了解你们这些文人，死要面子活受罪，一个个的穷酸样。”

我说：“你这话也不对，文化人当然有文化人自己的追求。一点骨气都没有那还叫文化人么？不过，和他们相处得讲究点方法，尤其得让他们有面子，你是不是说的太直白，伤了他们的自尊，再想想办法……”

她说：“我可没有办法了，都那么不识抬举。本来是为他们好，让他们赚钱，还像是去求他们，我吃多啦？”

我说：“你这脾气谁能接受得了，总带着一种总训师的态度对待别人，那怎行？好啦，这事先放一放吧，我再想办法开拓其他市场，你也别生气了，他们不识抬举有什么办法，谁像我这么通情达理。”

我们通过话，这事就再也没有提及。我又去忙其他事去了。

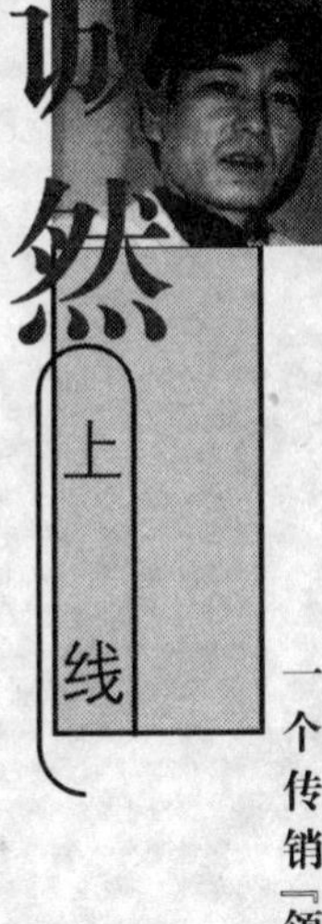

第　五　章

17. 高潮在这里形成

传销市场是需要培植的，就像一个花园里的花需要园丁经常的施肥和浇水一样。我就是园丁。

我总是不停的察看市场，而每次出行都跟着讲师和随员。这很像领导去各地视察工作。每到一处都会受到意想不到的热烈欢迎。此时我很满足，我不知道人活到了这个份上还求什么，各地的代理人这样做对他们来说是有益的。

这天，我又乘上火车去察看外地市场了，让我感到惊奇的是，我刚坐到卧铺车厢，就有一个列车员凑过来问："先生，您是总上线吧。"我下意识的点点头，那列车员很快的离开了，随后又拥来好几个列车员，都围坐在我身边，热情的给我倒茶，递水果。

我不解地问："你们怎么记得我，我好像并没什么印象。"

一个心直口快的列车员说："那当然了，您是总上线，总是高高在上的，怎么能认识我们这些小经销商，我是在公司杂志上看过您的照片才认出您的……她们几个也都是您的下线……”

此时的我已拥有我几乎无法掌握的无数名下线了。我拥有了一张庞大细密的网。这张网笼罩在各行各业，各个领域。我只要想办点什么事情，只需说句话或拨个电话，什么事情几乎都很容易办到。我掌握了各行业的动态，特别是关于传销方面的，目前有多少家传销公司在本市运作，商务代表是谁，什么制度，什么产品，什么价位，有多少人加盟我无一不晓。而其他传销公司却没有我这种能量。这时候有个别的传销公司时常会受到工商、税务部门的光临指导，而我的代表机构，可以在那个最大宾馆里明晃晃的聚会、讲课、销售产品，从来没有人来过问过是否注册，是否纳税。一是因为我在这些部门有众多下线，同时他们也清楚的知道我在本市可以呼风唤雨，谁也不想来自找没趣。

我和她们说笑着，讲着公司的新奖金制度，不知谁还拿来一部照相机，她们紧紧的围住我后合了个影。

我说：“你们去忙吧，这么陪着我会影响工作。”她们先后都离开了，都去忙她们的工作了。但还不时过来问我有没有什么需要。这使我有一种成就感。为此我也很满足，我现在已经拥有了数不清的下线了。我几乎每到一处都有人主动过来和我亲切的打招呼。去商场、去医院、去工厂，到处都布满了我的下线。这也着实方便了我的生活，真体现了认识人好办事。这也使我必须时刻保持谨慎。把我身上所有会导致人们能对我产生不好印象的毛病都改掉了。因为我不知道在何时何地能

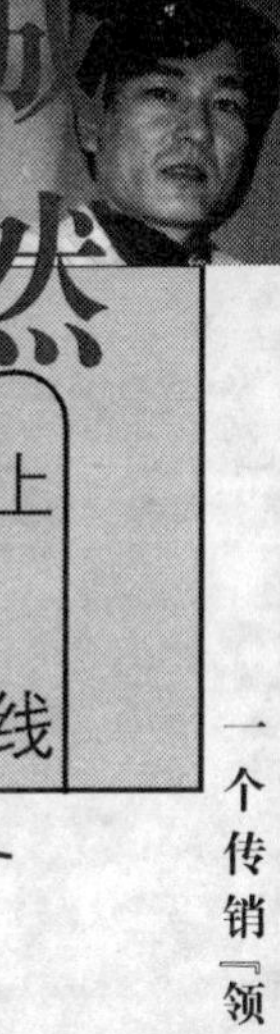

遇上我的下线。假如我说了脏话,或吐痰,若是刚好被下线听见看见,下线会觉得我没有修养,会感到失望。所以我常和好友们说,我整天活的像个神仙似的,弄得我一天挺累。看来公众人物真是不好当……

邻铺的几个人很奇怪的看着我问:“您是铁路局的吧?”我没有说话,只是笑笑。

随我去的讲师说:“他是铁道部的。”

那人听后说:“怪不得她们对你们这么热情,难怪。”

我对讲师说:“有的时候我真有种成就感,你说说,我每次去酒店也好,去理发也好,甚至走在大街上,都有人和我热情的打招呼,而我根本就不认识他们。咱们的事业真是太好了。”

讲师说:“这也得看是谁做,我见其他公司的经销商不但不对上线感恩,还指责上线呢。”

我说:“我也不图下线们怎么感恩,到头来别落一身不是就行了。”

讲师说:“那不会,您都对得起他们,还哪有赚到了钱说不是的。”

就在我到达一个镇上,还没和下线们见面时,我的手机又响了,这回是总公司经理助理打来的电话。总经理助理是个女士,她用很柔美的声音说:“您是富成先生吗?我是总经理助理,我转告您一个好消息,您的业绩符合今年出国研讨的条件,您和您的夫人在下个月一起参加公司在新马泰举行的海外高级经销商研讨会。祝贺您,请把您和夫人的身份证、照片、证明马上寄来,公司为您办理出国手续……”

我欣喜的说:“谢谢您,替我谢谢总经理,我马上寄去!”

我的讲师和随员听到这个消息,立刻跳跃起来,逼着我请客。

我说:“请客是小事,我们要把这件事作为激励经销商的事例炒作,大家想想,什么行业能和我们传销公司比,做的好就奖励出国旅游,不好好做还等什么……”

随员们听后马上表示:“就是,就是。”

我把这个消息告之了我到的每一个县镇的经销商,这种轰动的消息传遍了体系内也传到了社会上。在这么一偏远的城市,人们哪敢奢望过出国,并且是公司出费。也就在此时,一封检举信寄到了我所在的机关的有关领导手上。领导找我谈话后我才知道。有人反映我不好好工作,整天卖化妆品,而且天天和一些女人在一起……还说把机关大楼那个女收发员培训得见谁都贯输理念,推销产品……

这封信没署姓名,领导不知是谁写的,我也猜不出这是谁的杰作。我根本也没时间理会这种事情,我有这么轰轰烈烈的传销事业,早已不把我机关这个工作放在心上了。我做传销一年赚的钱是我十年的工资。我传三年,就够我花到老了。

领导找我谈话时,说的也很技巧,说有同志写信反映你工作有些涣散等问题,多注意,有则改之,无则加勉……

我知道,我要出国旅游,惹得哪位先生或女士心里不平衡了。对于这种事我根本就不怕。我怕什么?谁又能如何我?说我在职经商,可我没影响工作,我本来就没有什么事做,谁叫他们领导把我安排在一个无事可做的位置上呢,影响工作方面找不着毛病。要是说我这个公司没注册,没申请执照,我可以拿出来分公司开具的上级公司代纳费税的证明。有事找省公司去，我这只是个供货站。要是说我是党政干部不允许参与商业活动，我加入的是夫妻卡，我可以推到妻子身上，是妻子在做。妻子又不是什么重要人物，也没有什么可约束她的。更主要的是我这样天不怕地不怕的，倒使别人惧怕我了。在我和妻子将要免费出国的事情上，公司开始大作文章了。

公司很会宣传，接下来的一期杂志上刊登了公司要在国外举行研讨的消息，并把我们这些出国人员的姓名、照片都印在杂志上面。这使每个经销商都受到了巨大的鼓舞，这回他们开始相信公司在事业手册上的出国旅游基金原来真可以兑现的。他们也由此相信，购房基金和购车基金也一定是真的。

所有的人都会为手册上制定的目标而拼命运作，都相信自己能实现这种梦想。

在这种出国旅游的激励

1998年冬与妻子女儿在哈尔滨公园观赏冰灯。

下，我体系的销售业绩像长了翅膀一样，飞起来了。人们都是很现实的，现实得只有前边那个人弯腰捡到一块金子，人们才相信地上有黄金。在此之前谁说都没人相信。

让我没有想到的是，我一要出国旅游就引起了这么大的反响。这时候要想出国旅游是很难的，不要说普通人，就是县长、市长也没出过国。况且是我和我妻子两个人免费旅游。

能免费出国旅游，就象征着事业上有了巨大成功，同时也标志着一个人高贵的身价。

这时候，传销商们不在觉得做传销不好意思了，包括总是羞于向人开口的欧阳凤也开始大张旗鼓的宣传公司，宣传产品了。因为这些代理人觉得，下一年出国的就将轮到他们。于是他们十分卖力的运作着。下面各体系的业绩几乎都翻了一番，当把货款汇集到我这里时，我惊呆了，一大堆人民币堆到了桌子上，还不时的有人来补业绩。

我说："别交了，已经统计不过来了，等下个月再报吧。"

但我的话无计于事，一笔笔货单和钱还是不停的报上来。我手下的几个职员从早忙到晚还是忙不过来，两个讲师也都帮忙。各地的代理人都来了，本市的经销商都个人报个人的，核算起来十分麻烦。而每个人都急于把自己的钱和货单早早报完。大家相互拥挤，各不相让，为此还不断发生争吵。

我说："你们都排好队，别乱挤，弄得工作人员都没法工作，怎么都像抢钱似的。"

我平时如果说一句话，下线们都会马上服从的，这时候连我的话也不听了。

我有些生气了，我说："你们这些人也真是的，都跟着凑什

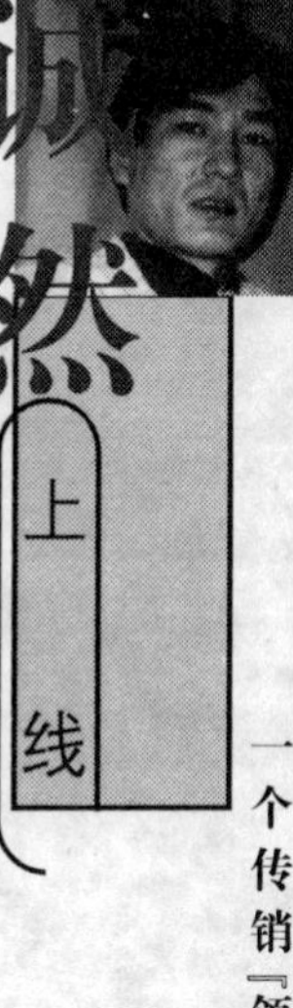

么热闹，这么多货单和钱，都无法统计了，工作人员还得把销售的每种产品数量统计出来，还得把积分统计出来，这么多钱查都查不过来……”

我手下的职员也说：“这些天我们连门都关不上，一个接一个的，挤满了人，太累了。”

来报业绩的经销商们赔着笑脸说：“上线，你们受累了，我们体系有好几个经销商要在这个月上奖衔呢，不报怎么升级呀，等一会儿我出去给你们买午饭吃还不行吗？你们想吃什么？说话！”

我说：“吃什么饭吃饭，哪还有时间吃饭，快报吧，明天我就去公司报业绩了。”

就在我说这话的时候，端木木又挤进来。我问：“前两天你不是刚报了业绩，怎么又来啦？”

他说：“上次你到我们县和经销商们对话以后，他们非常佩服你，还说跟着这样的总上线做准没亏吃，再加上你和我嫂子又要出国这多激动人心呀，这两天我那些下线又推荐人又销售产品的，都要求这个月报上来，我这不就来了吗。”

我说：“你竟给咱们职员添麻烦，她们都统计不过来了。”

端木木说：“我在家里都把各项统计出来了，我怕你们忙，都做好了。”

我说：“这还行，这些经销商和代理人如果都像你一样，咱们整个体系的活就好干多了。”

上官兰说：“职员不就是干这个的吗，不然要她们干什么？”

我说：“上官兰，不是领导批评你，你老考虑自己，就不体谅职员的难处，你什么时候能为别人着想一回……”

上官兰笑着说：“我这是开个玩笑，来，我这个领导帮着你们统计，不然领导又要批评我啦，我总是挨批评，什么时侯领导也表扬表扬我，我做的又那么好。”

我说：“好，你做的好，大家都要向上官兰学习，向上官兰致敬。”大家一片哄笑。

这种现象的出现是很奇怪的。过去都是我来动员他的加盟，现在倒过来了，他们像是在求我。我要是不高兴，那他们就只能推到下个月来报业绩了。他们想着法让我高兴，有人给买烟，有人给我送礼物，我真是尝到了作总上线的这种快感，心里真是舒坦。

一个月有这么大的销售额，有这么多钱，这让我有些为难。线太重是一方面。另外，有太多的人知道我每月带着现金去公司，这是很危险的。虽然我是坐软卧，但软卧里更易于抢劫分子作案。这又不能像当年假称携带绝密文件那样，让乘警在包厢外保卫。我又不喜欢找保镖在身边，那样也太不自由。

看来这回我无法自已背着货款去公司报业绩了，钱太多，太沉了，我背不动了。

我只好办了信用卡，这样可以异地存取。当我把货款从省城银行提出来送到分公司后，郑木也惊呆了，他无论如何也不相信，我一个月怎么能做这么多的业绩，郑木激动的又破例发给我一大笔奖金，并让我享受了更高规格的款待。

郑木还握着我的手说：“富兄，在省城你想要什么，除了省长的位置外，您要什么我都给你。”

我说：“该得到的，我都得到了，我还要什么？再说，什么都

想要的还是人吗，那整个是神仙了。”我们放声大笑，笑得开心，笑得时光过的豪迈。

小妖在旁边乘机说：“原来富哥笑起来也这么动人，还挺迷人呢！”

我说：“所有的笑都是迷人的，所以公司要求经销商学会握手、鼓掌、微笑，这是三个法宝，这你比我懂。”

小妖说：“我哪有你懂呀，你是大线头，比我奖衔高，比我收入高，我可没法和您老人家比。”

我说：“上线，千万别这么说，你这不是折我的寿吗，你永远是我上线的上线，当然了，你更是我的上线，请上线多多关照。”

小妖说：“你还用我关照，上有老总，下有分公司经理，都是你好朋友，再说了，你和郑木俩人穿一条裤子，总在一起搞阴谋诡计，我可排不上号。”

郑木说：“两人穿一条裤子是怎么回事，你是说我俩穷，买不起裤子？”

我说：“我们再穷也不至于穿一条裤子，两个大男人多别扭，这要是和个女的俩个穿一条裤子，穿也就穿了。”

小妖说：“富哥你有点学坏了，怎么又扯到女人身上去了，你原来也不这样啊！”

我说：“这不是做传销做的吗，一做传销什么样的好人不得学坏了。”

郑木说：“打住，怎么又扯到这来了，照你这么说我成了罪魁祸首了。”

小妖说：“你以为你是什么好人呢！”

我听得出小妖这句话里有其他内容。小妖这是用话来点示他。我不太知道郑木在这方面的具体情况，只知道他那次来我市有一个女讲师和他住在一起。但我能想象得出，作为他现在所处的位置和他抒情的女人不会少。郑木也是个男人，男人身上的东西他当然都有，而且他的年龄，他思想开放的程序，很可能会有好多女人。这很合情合理。我见郑木有些不好意思，就努力把话题岔开。

这时候，我突然想起了一个问题，就问小妖："上线，这次出国也有你，那冰怡呢，出国名单上怎么没有她的名呢？"

小妖停顿了一下，然后凑到我身边说："也是因为你。"

我很不解地问："怎么能因为我呢，我可太冤了，我这么拼死拼活的干，到头来还怪我，你说这上哪讲理去。"

小妖笑笑说："这也不能怪你，但你这条线太强了，如果冰怡再有一两条像你这样的线，她能平衡了。可惜，再也没有这样的老鹰线了。所以她就不能做了。"

我凑趣问："那她那些都是小鸡线呀！"

小妖笑着说："可不是嘛，都让老鹰叼去了。"

这时候郑木笑着说："你们俩在这老鹰叼小鸡吧，我出去安排一下公司的事。"

郑木走出去了，我问小妖："郑经理不是提三省管理处的处长了吗，怎么还管分公司的事。"

小妖又把门关了关说："他才不愿去那个管理处呢，那是个空架子，总公司的意思你还看不明白，明升暗降，但是，郑木这人也不是善茬，他现在可要弄大事情了……"

我不解其意，难道郑木还要政变，篡夺总经理的位置。这不可能，公司是美商独资企业，郑木又和美方没什么关系，只不过是个高级别的打工者，那他可能是想捞钱，但捞钱也不是件容易的事。我知道他每月要把贷款汇到总公司的。分公司只留经销商的奖金和分公司的费用。他能弄什么事呢。

我问小妖："他在弄什么大事？"

小妖说："别问了，你自己想去吧，我可不能说。"

我不好再问什么，但我仍觉得冰怡这事是个问题，我又问："冰怡现在究竟怎么了？业绩不至于做到这样。"

小妖坏笑着看着我说："我一想你就只关心冰怡的事，又想她了吧，有情为重啊！但她究竟怎么了，我也不清楚，反正各方面的事都挺烦心，她那个公司上的，家庭方面的，都凑到一块了，她还有心思做传销的事，想想她也是挺不容易的，一个女人孤身在外闯天下，也没人帮她了。"

说到这，小妖还特意看了看我。让我觉得很不自然。我知道小妖的意思，她的意思是说我和冰怡关系那么好，我也不去帮她。

我可能是个很自私的人，平时只顾了自己。但我也恨自己，如果我现在是独身一人多好，无牵无挂，什么也不用想，想去那里就去那里，想做什么就去做什么。可我现在就像武侠小说里说的那样，人在江湖，身不由己呀。又要治国，又要齐家，又要平天下，我哪有那么大的本事。就说眼前，说的好听点，别人称我为"传销领袖"，说的难听点，还不是挖空心思赚点钱，养家糊口，要是再有别的好办法，我才不扯这淡呢，整天上下左右的多累呀，赚点钱我容易吗。这话又能去对谁说，谁难受谁自己知道。再者说，男人和女人之间的事，谁能说清楚。稀里

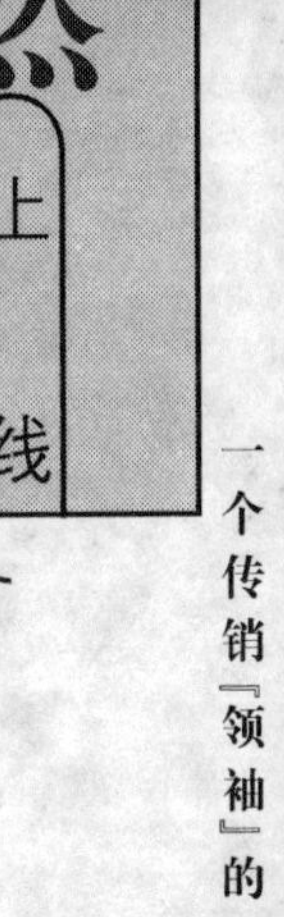

糊涂就那么回事吧。我现在也想把一切都停下来,平平静静的过日子,可是既然走进去了,就必须走下去,而且还要加快步伐,不然就会被后人追赶上,就会落伍。人一旦落在了后边,从上到下就没有人瞧得起。所以我拼命似的运作着,整天忙的什么都不顾不上了,我现在的情况,怎么去帮她,我真想能帮帮她。金钱她不需要,事业上她早早的脱离了东方公司,我无能为力,家庭上我就更没有办法。除此之外,她还需要什么?而且我此时一个人时间都不够用,每个月要巡察市场,要参加各地办的培训班,还有市里每月三次聚会,讲课,处理体系和经销商的各种问题。还得亲自去分公司几天,把业绩上报。另外再抽几个上午或下午,到办公室装作办一下公。我是拿机关工资的,长期不上班也说不过去。我真想把自己一个人分成八个来用,否则真是难为我了……冰怡的事情可怎么办呢?我真是替她发愁,一个女人想干点事业真是不容易。

我没有再往下想冰怡的事情,我几乎都不敢往下想,无论怎样,我都希望她一切都好起来。

18. 踏上异国的土地

出国的日子一天天临近了,我从未像企盼出国这样的企盼过什么。我太渴望出国了,加之所有的下线见到我都在打听我们什么时候去,这就更增强了我出国的欲望。又像是不仅仅是为了自己出国。

这时候，中国和香港正在办理香港回归的事情，出国旅行的手续非常难办，原计划还要去一个国家，但由于这种重要的事情要进行，所以这个国家拒绝接受游客的入境签证。见护照迟迟没有办下来，我有些担心。这其实不是怕自己这次无法成行，是怕由此会对整个体系产生反作用。要是那样，下线们就会想这是个骗局，由些就会不信任公司，也不信任我。还以为我是在吹牛皮呢，那样的话问题就大了。再说什么好听的都没用了。谁都会想，你们公司是在逗我们玩，今天出国明天奖励小轿车的，原来是扯蛋。为此，我每到一处都先打预防针似的告诉他们护照难办的原因，还有意把这种办照的难度夸大一些。这还胡编了一些说法。我说，东南亚有些国家见咱们中国马上就把香港收回来了，在这个时候他们都很害怕，中国现在这么强大，中国人又都这么厉害，在这个时候大量的接受中国游客，万一中国这些游客一心血来潮，顺便把他们那些国家也

1994年春与妻子在北京颐和园昆明湖船上踏浪前行。

接收过来，归中国管了，他们能不害怕吗。再者说，要是普通的工人农民去了他们还不怎么担心，可这些人都是传销精英，都这么有号召力，又都当传销领袖当惯了，又都不满足自己统御的仅有地域，是不是让他们别国害怕。就是退一万步讲，不收他们国家，要是这些人利用观光旅游之机，到处和他们本国人讲 OPP，迅速发展下线，大量往他们国家传销化妆品，就那些个小国家，用不了多长时间，就得把他们国内的化妆品生产企业全弄倒闭，让他们进出口贸易出现逆差……你们说结果是不是挺严重，他们在签证时能不慎之又慎吗？听过我这番话，下线们都开心的笑个不停。但我心里是企盼着早日能出国。

我开始觉得，梦想中的东西真是太美好了，这个梦想终于在一个上午让我接到了公司用特快专递寄回来的两本护照，这是我第一次见到护照，暗红色的护照上印着金色的国徽和字，我一遍遍的翻看着，就这么一个小本子，就可以去外国。

我和妻子到了省城，与郑木和小妖她们汇合后又坐飞机到了总公司。到总公司接受出国前的有关培训。培训的内容很散乱，讲了这几个国家的概况，讲了一些注意事项，还有一些细枝末节的事情。比如到了泰国别摸人家的头，到了马来西亚别用左手乱比划，因为左手通常是用来洗不洁净地方的，而右手才是用来抓饭的，过海关时别带水果，人家怕把水果的病虫传过去，咱们国也这么要求外国游客。到了伊斯兰场所女士别露太多的肉，那样容易吓坏了那里的男人，这是种族习惯。马来人娶四个妻子也别笑话人家，那是合法的等等。

接受了半天的培训，快要结束的时候，总经理出现了。总经理宴请了我们，这次有七八十人一个大团，包括老总，都一

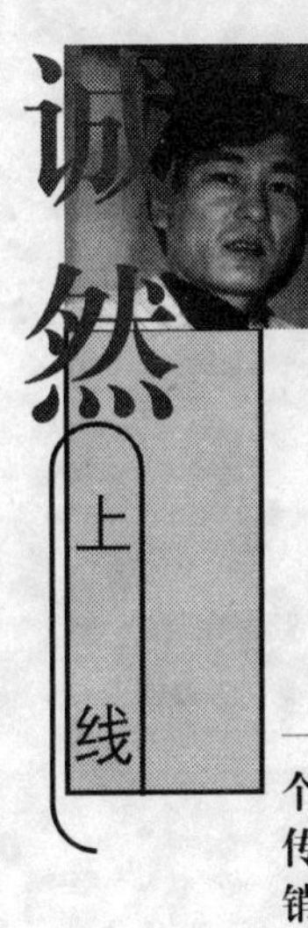

起出境，老总在宴会的祝酒辞中祝贺了我们后，他说，在明年的这个时候，再出国旅游，就不去东南亚了，而定在了夏威夷和檀香山，去美国更会开眼界。宴会厅顿时爆发出热烈的鼓掌声，并演变成有节奏的“爱的鼓励”的击掌。

当晚，我们在一家奢华的大酒店过了一夜，第二天就又乘坐飞机飞往广州的白云机场。当飞机缓缓降落在白云机场后，已近黄昏，又通过出境口检查后，再次坐飞机直飞马来西亚的首都吉隆坡。

我没有这么长久的坐过飞机，也没有像这样的长时间没有吸烟，我极想吸一支烟，但机场机上全都禁烟，我实在忍不住了，掏出一支烟叨在嘴上，我没有点燃，只想闻一闻烟草的味道。但空姐笑吟吟的走了过来极温柔的对我说：“先生，机上不能吸烟，真对不起。”

我问：“如果我吸了要罚多少钱？”

空姐笑着说；“凭您的身份，肯定不在意罚钱，但您肯定不愿意让周围的乘客看见您那样。”

我笑了，把烟塞回烟盒里，我明白空姐说的意思，这事不在于罚多少钱，而是那样丢不起那人，我还是忍着不吸烟。

国际航班上的服务果然比国内航班的服务要好。这可能是因为乘机人的档次不一样。飞机上的免费餐十分丰富，而且精美，饮料、啤酒、咖啡几乎是不间断的一趟趟送来。所以我几乎是不停的喝咖啡和啤酒。也不停的去洗手间。反正这些东西不喝白不喝，喝了也白喝，谁叫他们不让我吸烟了呢，闲着没事就喝呗。为了促进喝啤酒，我还和另外一个市的代表打赌，看谁喝的多。谁要是输了，就给对方买一条烟。我虽然喝白酒不行，但我喝起啤酒来相当厉害。最后那个代表输了，他只好在飞机上给买了一条日本的“七星”烟，这种烟是正品，是免税的。在飞机上，大家很开心。

几个小时后，飞机终于降落在了吉隆坡国际机场，这时的夜色已笼罩了这座城市，我们排着长队，经受着关检人员慢腾腾的检验。当我见到关检人员那没有表情的脸和听不懂的那些指责的话时，我的心有些冷，我原想我们也会像外国人来华访问那样倍受欢迎的，而感到的是一种漠视，哇哩哇啦的指着我们这些人关者。我想，这些人可能真的怕我们入关会收了他们的国家。要不干嘛这么紧张。我们来你国旅游是给你们送外汇来了，还不热烈的欢迎。或者人家那样说话并没有什么恶意，只是一种发音习惯，说不定是在说，我想死你们啦，你们可算来了……

待全团都通过了边检后，有一些人举着横幅标语欢迎我们，我们被接到了一家餐厅中吃了一顿快餐，然后，安排到据说是一家四星级酒店，但我一住进去就怀疑这不够四星级。国内的四星级酒店中备品用具，饮料啤酒在房间里是很齐备的，而这里没有，甚至都没有开水和托鞋。后来才知道，这是他们的规矩。我们也只能入乡随俗了，谁叫人家就是这么规定的呢，待在房间里没事做，很难受。出国的目的是想多到外面走走看看的，看一些国内没有的东西，才不枉来一回，要是只待在房间里，就失去意义了。因为房间和国内的没太大区别。我平时公出，从不待在房间里，要是待在房间里还不如在自己的家里更舒服。

闲下来没有事做，就趴着窗户望外面的城市景色，看腻了

就打开电视，但仅有几个频道，都说着无法听懂的马来语。

妻子说："就在这屋里呆着，没什么意思，不如外边夜景好看。"

我说："咱俩出去走走，看看外面什么样子。"

妻子说："人家导游不是说谁也别私自行动啊，说语言不通，又辨不清方向。"

我说："不管他，腿长在自己身上，走。"

妻子随我走出房间，我们走出宾馆，这真是个极好的地方，宾馆前边就是海岸，涛声拍打着岸边，一缕缕印度洋的晚风夹带着空气中弥漫的花香扑面而来，这真是一个香风沉醉的晚上。在海与宾馆间是一条平坦的街道，街旁灯火辉煌，我和妻子照了一些相，沿着海边的灯街漫着步。街边是成排的椰树和槟榔树，草坪中各种艳丽的花在竞相开放。我就从没见过那么多种艳丽的花。在椰子树下，不时的有从椰树上熟透并自然掉在地上的椰子。我这是第一次用手触摸椰子，我把椰子拾捡起来，在手上摆弄着。我想把椰子弄开，但我没有工具。起初我是想把椰子拿回宾馆的。妻子说："别捡了，让人家笑话。"我一想也是，我一个堂堂的传销领袖怎么能捡地上的椰子呢，这要是传扬出去，不但有失国人身份，更主要的是以后没法在江湖上混了。我就又把椰子扔在地上，和妻子亲密的挽着胳膊，漫步在异国美丽的夜色中。这时候我还触景生情的哼唱着那首"月儿像柠檬"。

这种浪漫我没敢持续太久，我怕迷了路，然后又回到宾馆。我们没有再往远处去，怕走失了会给全团带来麻烦，宾馆的底层有供客人采购的小商场，我和妻子走进去看了商品上的价格签,吓了一跳,都是些普通的小纪念品却都标着很贵的价格。

我说:“算了,那些小玩艺都快赶上金银贵了,不买。”

妻子说:“少买几个吧,回去送一送朋友。”我们就买了几个纪念品。

我和妻子又发现了一处热闹的场面，大厅的那边正有人跳舞歌唱,走过去见有两个菲律宾女郎载歌载舞的表演。我和妻子坐在那,叫了一杯饮料和一杯啤酒,喝着几十块钱换来的一杯东西,看着她们演唱。看了一会后,我两又去了迪厅,直到很晚了,我才和妻子回到房间休息。

这座城市给我的感受就是太昂贵。而且显得自己很没有钱。清早,房间里的电话铃响了,一天的旅程就又开始了。一群人被人指挥着逛庙宇,钻山洞。买金银珠宝。我觉得最有意思的还是看人妖表演。我们买了很昂贵的门票来到剧院。这里有一场歌舞晚会。晚会都要结束了,我仍没有看见人妖。我问导游什么时候能看见人妖？他说在舞台上跳舞蹈的这些都是人妖。我简直不能相信,这哪是男人,这些人比女人还女人的。演出结束后,这些人妖纷纷走下舞台,和观众握手,合影留念。我从未见过这么漂亮的像女人而又不是真正女人的女人。

在看过人妖表演回来的客车上,女士们的情绪很低落,这是因为见到了人妖,女人都失去了自信。再看看身边的这些女人,根本就不能算作女人了。平时看着有那么几个女人还算漂亮,经过这样对比,要比人妖丑好多倍。人妖的美不但在面容上,而且在体形上,高高的个子,细长的腿,高耸的乳房和优美的舞姿。再漂亮的女人也不敢与其比美。多么高傲的女人,见

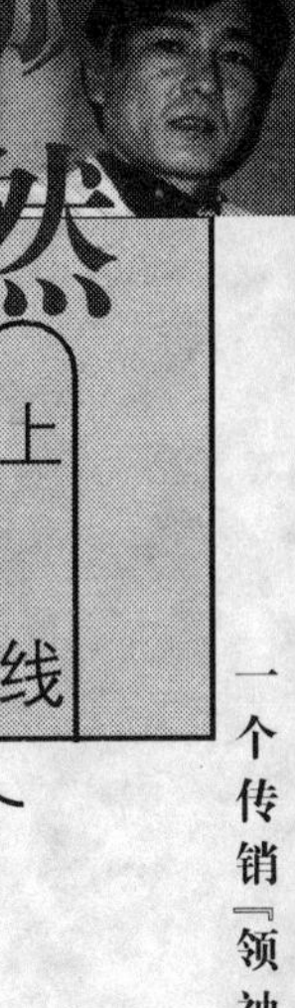

到了人妖都会马上没电。有什么办法呢。比不过人家，不败下阵来还在那装什么呀……

女人们都默不作声了，一改往常那种唱戏似的表现。而男人们都兴奋得眉飞色舞，导游可能经常会见到这种情景，所以很理解这时的女人们。导游为了缓解这种沉闷的气氛，大声用汉语说，女士们，先生们，我给你们讲个笑话，也是件真事。有一次你们中国大陆有一位官员来我们国访问，我方官员请他到一所大学去作演讲。这位官员想学一句马来语“谢谢你。”我方官员告诉他说，谢谢你这句话用马来语说就是，“带你妈看戏。”这位官员作完演讲后，大家都为他鼓掌。他一想，带你妈看戏是说谢谢一个人，下面这么多人光说谢谢你，那其他人怎么办？应该感谢所有的人。于是他灵机一动说，我带你们所有人的妈妈去看戏！

听到这，我们都笑了。

导游又说，不同的国度和文化，有时候差异很大，比如语言发音带来的歧义。马来语中的“您好”，用汉字的发音是“死了吗？”马来语的“散步”，用汉语就是“脚烂脚烂”，脚都烂了还怎么去散步。更有意思的是，马来语中的“吃饭”，用汉语言说出来是“茅坑拉屎”这都哪跟哪呀！

导游很有趣，时光过得也很快。就这样，来也匆匆，去也匆匆的结束了马来西亚的旅行。

接下来就是新加坡，泰国的快速旅行。

在旅游中间还开了一次颁奖会。这次颁奖会是一个上到了皇冠级的经销商获得了公司奖的一辆本田轿车。在会上公司没有把真的轿车当场颁发，因为不可能把轿车也带到国外去。总经理很有办法，临时买了一个本田车的小模型，双手捧着送给了那个皇冠级经销商。在场的经销商都很兴奋，人能获得这么一辆车当然是一件大喜事。也许有太多的人奋斗了一生，甚至几代人共同奋斗，到头来也无法获得一辆车。但这时候却觉得这件事很有意思。我隐隐约约的听说这个皇冠级经销商的达成，其速度之所以这么快，好像是总公司在暗地帮他，也就是说总公司将一些零散的线和小体系都排列在了这个人的体系之中，公司这样做的意图其实很明显，就是想尽快的让公司里出现一两个达成获得楼房和轿车的经销商，用以证明公司的制度中设置的最高奖衔是能够达到的，同时也是给更多的经销商以激励。我发现激励对一个人来说是很重要的。这至少对我是这样的，我们原本已经觉得有了一种满足感，尤其是这次还带着妻子出国旅行，这也会给妻子带来极大的满足。妻子是一个很普通的女人，所以在平时不大会引起别人的关注。这件事足可以让她身边的人羡慕不已了，妻子会昂着头走路，心里还会想，别看我很普通，可我老公厉害，夫贵妻荣嘛。

这时的我见到了有人得到了轿车，我也开始想轿车了。我要是也得到一辆，平时没事的时候满大街开着玩，或者去全国各地旅游一下，那是什么感觉。

开完奖励会依旧是旅游。

这些天真的感到了一种疲惫，甚至在赌城里赌钱时都提不起精神。按理说，人要是进了赌城，都会来精神的，那是一种说不出的刺激。眼看着自己的筹码输光了，又眼看着自己赢了一大堆钱，没有人会不心动，小妖起初是不心动的，她不想参赌,但见周围的人赌得热火朝天,她也试着换了些筹码。几轮下来之后,她已经不能控制自己了。频频的去换筹码,而且一次比一次换的多。我拉住她说:“别玩了。”

她说:“不行,我就不信我赢不回来!”

我说:“我求你了,别闹了行吗,别让我操心啦!”

她说:“你以为我是你女儿呢!”

我们都忍不住的笑,她才罢手。就这样急匆匆的周游了几个国家。最后,只买了很少的纪念品和照了数十卷的照片,这就是出国旅行。

回国后,我才感觉到这种旅游实际上没有多大的意思,来去匆匆,过眼烟云似的。

但我妻子对这次旅游格外兴高采烈。在国外的那些天里,她一直处于极度兴奋状态。买时装、购物十分欢喜。直到很久以后,当提到这次出国旅游仍然眉飞色舞,带着一种十分满足

1989年与女儿在家中亲情相拥。

的口吻对别人说，和富成过一回能随他出一回国，我就知足了,外国真好……

但当我回到自己的体系,面对众多的下线,我把这几个国家的见闻仔仔细细的讲给他们听，而且把那些照片装满一个大影集,边让他们看着照片,边讲述着那些奇闻怪事。我说,在新加坡的时候,中国有两个游客见到一个黑人,这两个游客在旁边很好奇地议论说,这人的皮肤真他妈黑,你说他还穿白衬衣,能洗得过来吗……这时候,那个黑人转过脸来很不高兴的用汉语说,你们他妈说谁呢？原来在那里,有好大一部分人都使用中文。我告诉他们,在国外走路要靠左侧通行,而那些汽车白天都要亮着灯,那些国际品牌、名表名装是如何免税的,那些椰子从树上掉下来都没人捡，那里的小男孩从小就当和尚,那些人妖长的比女人更漂亮,诸如此类的大力渲染一番。我深信这些见闻通过我赋予文学色彩的嘴说出来之后那些国家准会成为天堂。真是应了那句老话,看景不如听景。

女收发员坐在我的办公室里一遍遍的翻看那些照片，边看还边催我再讲讲外国的事。

我说:“你快回收发室吧,送报的快来了。”

她说:“没事,保干在我收发室呢。”

我说:“你还是多注意点，让你们领导发现你不坚守岗位会批评你的……”

她说:“我才不怕呢，等我把业绩做起来，也挣你那么多钱,我连班都不上了,那么个破班有什么好的,在大楼里我算最低等的人了,将来我也像你一样出国……”

在我的再三劝说下,女收发员才离开我的办公室。

我知道，我此次出国旅游，对各地的下线都有很大地激励作用。

我一个市场一个市场的走，又一遍一遍的对下线们讲述，当讲到最后时，下线们都听傻了眼，而且再也不想这么活下去了，他们都想要出国，他们说，如果没出国他们就睁着眼睛离开这个世界。我一时没想出来睁着眼睛是什么意思，原来是死不瞑目。

我用出国来激励下线的目的达到了。公司的目的也达到了，而众经销商的目的还没有达到，都拼命的运作起来。实际上，这才是公司奖励一部分人出国的最终目的。

我和妻子出国的事情还在下线中相互激励时，又一个消息从总公司传来，那就是，我的购房购车基金快到那个数目了。公司在杂志上列出了我们的名字，而且又制定了一个规定，房车基金只需积到一半，就可申请购买，也就是说，一台新车 20 万元，个人只需积到 10 万元，就可以向公司申请购买，那 10 万元公司贴补，购房也是如此。

我算了自己一年多来的业绩，尽管这两项积金是业绩的千分之零点几，但也积到了很大一个数目，我推算了一下再过几个月，最晚在春节之后，就可达到这个数目，也就是说，春节过后，就意味着我拥有了一台自己的轿车和一套楼房。

对于轿车我没有太大的兴趣，得到后我可能玩够了之后就放置在什么地方或者卖掉。而那套楼房，我会选一处很好的地方，好好的装修一番，我宁愿同时拥有两处住房，而两边换着住，也绝不卖掉一处。当年，我为了得到现在这套面积很小的住房，经受了多大的艰难。为了凑够买房的钱，在梦中都梦

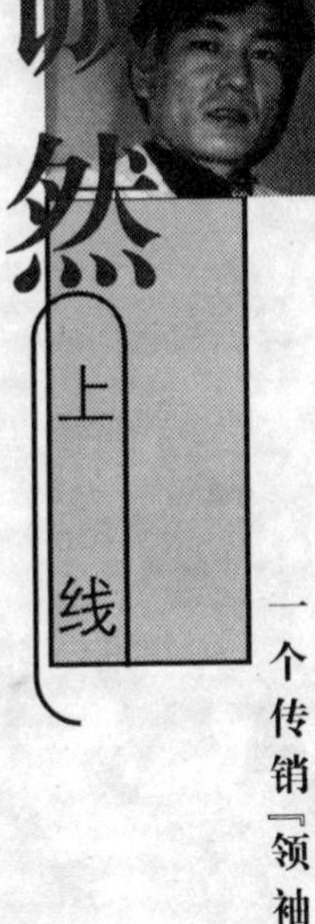

见自己去卖淫、去贩毒、去抢银行。岁月不堪回首,我甚至觉得自身的兴衰荣辱都凝聚在了住房上了。而我的这种成功,也源于当时这套房子。

这又是一个惊天动地的消息。这时人们对我的传说已不仅仅在传销体系之内了,而社会上突然关注起我这个因传销而暴富的人了。也是在这个时候,我才真正的领教了大众传媒的厉害和不可思议。其实有好多事情原本很平常,要是经过社会上那些好事者们口口相传,再加上人们不断的润色加工,到最后就会成为天方夜谭。所以我从不相信别人的传言,也不传这类东西。我甚至讨厌那些热衷传言讲故事的人。所以我遇到这种人,总是生发一种厌恶感,包括在一段时间里流传的各种政治生活笑话。但确有一些人对此乐此不疲。这其实就是一种俗文化传播方式的改版。每到这时我就会躲开,我觉得这样的人太浅薄,至少是没有思想。人云亦云的,很无聊,很可笑,又很可怜。要是想显示自己的本事,应该自己去创造一些东西,比如像我创造出的关于东南亚一些国家害怕中国游客把他们国家接收了的虚拟片段。版权归自己所有,盗版和仿冒太没出息。

我不时的在一些场合听见我不认识的一些人聚在一起议论,说有个叫富成的人搞了传销挣了大钱和妻子出国玩,又得到了一辆小轿车和一套比市长住的面积都大的楼房……听说这小子原来穷的都吃不饱饭,过去什么本事都没有,好像连个工作都没有,做传销一下子发财了……

听到这些街头巷尾的议论,我觉得很好笑,有首歌里唱过,人怎么能随随便便的成功。我成功首先是因为我是一个精英,是精英总会成功,不是在这方面就是在那方面。但我不敢再听下去,这样传下去,最终我会被传成一个傻子和白痴,因为搞了传销骗了百万人,成了亿万富翁。说不定最终会传言我想买下这座城市自己想当市长呢。人们都喜欢这么传言事物,把事情传得反差越大就越能显出所传事物的神奇。生活中有许多奇闻都是这样产生的,而事情本身并不是如此。

不管怎样,听到这样带有传奇色彩的东西我很高兴。我能引起社会这么广泛的注意,也很是不容易了,尤其像现在人们都对别人漠不关心的时代,这是多大的荣耀啊!

生活就是这样,它会用一种无形的东西逼着人改变自己,我原本还是比较朴素的,生活也并不奢侈。只是后来想尝试更多的一些东西。但经过这次社会渲染之后,我不得已的重塑了我自己一次,我要穿最名贵的衣服,进出更高级的场所,做出一掷千金的姿态,不然别人就会说我吝啬,就会被人瞧不起,这是一个传销人所必须显露的,只有这样才能激发更多人的热望,才能有人投入进来。这也是一种游戏规则。而这种所为却是我内心里感到厌恶的。我失去了我真实的自己,在一种虚幻中,在一种奢华里很累很累的生存着。

19. 手段寻找终极目的

不知是由于我和妻子的奖励出国旅游,还是由于我又要获得住房和轿车了,经销商们开始了更狂热的运作。加之一些人受过特训，为达目的开始不择手段了。

开始我并不知道上官兰和端木木是由于抢线才产生矛盾的，我还以为是他们性格不同，相互才不欣赏的。他们各自都有自己的体系，而且上官兰在市里，端木木在下面的县城，本不该有什么冲突的。突然有一天，端木木给我打来电话说，上官兰抢他的线。

由于出现抢线，也出现了经销商要求变线事情。抢线在传销中是不守规则的，就像是有一个男人已经和一个女人谈了好长时间恋爱了，突然杀出来另一个男人，甜言蜜语的让这个女人嫁给他。而变线就更加可怕。变线还不像是生活中发生婚变。一个女人又改嫁给了另一个男人，充其量带着一个孩子走了。而经销商的这种变线后果就严重了。经销商带过去的不是一个下线，有可能是无数个下线，甚至是一个体系。这样一来可就真的乱了套。比如我手下的几个大体系，都强烈要求改成小妖的直接下线，我就成为光杆司令了。而我不可能袖手旁观，白白把一个体系这样交给别人，由此而引发的争斗甚至是战斗，最终会造成两败俱伤。我开始重视这件事了。

几乎是同时，上官兰来到供货站找我说："上线，你管不管，端木木和我抢线。"

我有些生气的对她说："你们究竟是怎么回事，究竟是谁抢谁的线？你们都是领导级经销商，怎么能在你们身上发生抢线的事呢？这是传销的大忌，你们懂不懂？"

上官兰说："是这么回事，在他们县城有一个朋友。我都和朋友说好啦，让她加入到我下边，可是到端木木那提货办手续时，端木木又说服我那个朋友加入到他下边，还说我离她那

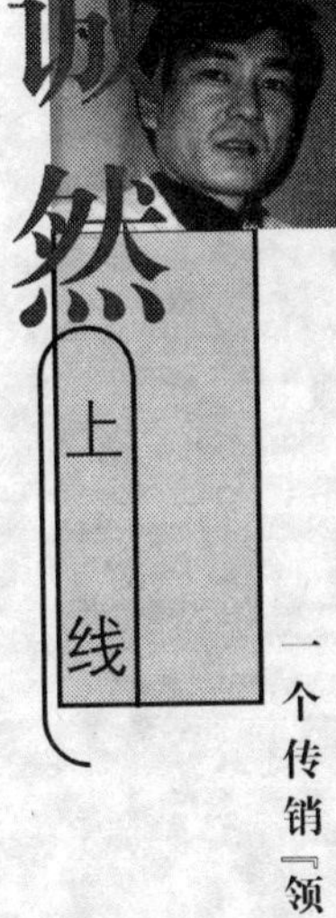

远，无法照顾她，还说他是那个县的代理人，又是供货点，可以供应她比较紧俏的货……”

我问：“你说的是真的吗？”

上官兰说：“你不信可以核实。”

我又问：“那你那朋友就加入到端木木的体系啦？”

她说：“最后谁的也没加入，我那朋友能力可强了，要是加入了准是条强线……”

我说：“这就是犯忌的原因。一抢线，结果肯定造成人家的不加入，你想想，加入了一方就得罪了另一方，也就只能不加入了，要是这么互相抢线，那不就乱了套了吗？我找端木木，挺老实个人，怎么搞的！”

我马上拨通了端木木的电话，我没好气地说：“你跟我反映上官兰抢你的线，怎么她说你抢她的线，她都和她那个朋友说了，上你那买产品办理加盟手续时，你一抢结果人家就不加入了，有这事吗？”

端木木诺诺的说：“我也没说非得让她入我的线呀，我就是随便说说，那她不加入也不能怪我呀……可上官兰前几天从我手里抢去一条线。我市里有个朋友，我都说好了，那朋友要加入我下边，结果上官兰也认识我那个朋友，他们遇见后，上官兰就抢过去加入了她下边。”

我说：“还是你没说清楚，你要是说好了，人家既然答应你了，怎么可能又加入到她下边？”

端木木说：“我问我那个朋友了，他说上官兰对他说了，等加入到她下边以后，上官兰给他下边排线，让他很快就成为领导经销商……”

我说:“好了,以后注意,别让我再听到类似的事。”

我转身问上官兰:“我的上官兰领导经销商,你学到的本事不少哇,除了会抢线你还会排线,你还会不会屯货,传销上这点不好的东西你都学会了是吧?”

上官兰说:“发展下线这事谁也不能说是谁的,谁发展过来就算谁的呗。”

我说:“要是这么说我跟你打个赌,你明天领几个新人去供货站,你都跟他们说好了加入你的体系,我对他们每个人只谈五分钟,就能让你领去的人加入我下边,你信不信?我是这的总上线,谁能抢过我,谁能有我给他们的利益大?要是那么做,那不就乱套了吗,还有公平可言吗?”

上官兰说:“我这么卖力的拉人加入,最终不也是为了你吗?那个端木木傻了巴叽的,发展了人也笼不住,还不如我来复制,是不是,别生气,上线我下回不抢了还不行吗,他抢不过

2002年初于内蒙“鄂伦春旗民族博物馆”与动物标本合影。

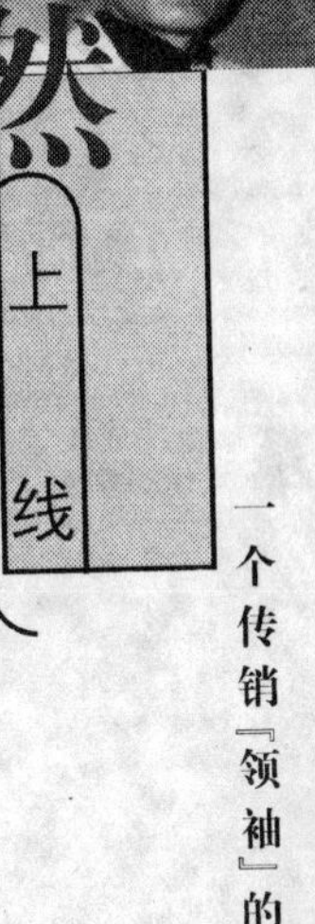

我那是他没本事，现在传销公司越来越多，不抢过来还不得让别的公司抢去了……"

我说："别在这没理辨三分的，你排线是怎么回事，我先不说你有没有这种让别人上领导的能力，就说你这种做法要是如此的复制下去，那不把下线全惯坏了吗？都让上线帮着续线，他们坐享其成，这怎么行，而且排线本身这不是套公司的奖金吗？我明白你的意思，这样不但套奖金，你还能往更高领导上攀，这样做后患无穷你知道吗？"

上官兰说："你和夫人都出国了，房子和车也快到手了，我要是不抓紧上级别，什么时候能得到这些呀！"

我说："就这一次，不然让公司知道了，取销了你的经销商资格，到时候我可没办法帮你。"

上官兰说："公司就是那么说说吧，多拉人员多销货，公司高兴还来不及呢，不过，你别生气，我不这么干行吗！"

刚刚送走了上官兰，司马欣又来电话了。

她说："上线，我跟您反映一个事，我听我的一个朋友说，欧阳凤为了上奖衔这个月她屯了不少货，都是好销的货，我们这缺那几种货，都让欧阳凤屯起来了。"

我说："你说的这事准确吗，不能随便说的。"

司马欣说："千真万确，"

我说："好啦，我知道了，好好把你市场搞好就行了，这事我来处理。"

我放下电话，心里十分生气，这都怎么了，怎么都来毛病了，这些东西不用人培训，怎么都会。看来欧阳凤这次也心动了。过去那么长时间，她都觉得做不做无所谓。这回看到公司真是兑现承诺,也开始着急了。她能改变的另外一个原因我想是这种氛围。无论她过去多么不在意这些。但她毕竟是一个经销商,而且还是一个县的代理人,但她毕竟是一个经销商,而且还是一个县的代理人,业绩总这么平平常常,别人不会说她不稀得去做,而是说她没有使自己成功的这个能力。要有能力怎么没有好业绩呢。

人要是进入了这条运行轨道,有时候是不容自己想如何如何的。而常常是身不由己的。就像是一个学校里毕业出来三个学生,到了社会上,几年以后,有的同学当上了官,有的同学经商赚了钱。而另一个同学要是说,我这人生来就瞧不起当官的,更不看不起有钱的。这话说出来可以,可是谁信呀,人们肯定会认为,这个人无德无才,所以什么也不是。而且还会加上一句,别看他话是那么说,要是让他当市长,得把他乐的屁癫屁癫的,要是给他一百万,他宁可累断了腰都得背回家。事情就是这样。

其实,对于欧阳凤的屯货问题我也有所察觉。在她报上来的购货单中我看到了是欧阳凤自己购买了好多同一品种的产品,而且都是比较好的品种。通常经销商销售或者是推荐新人加盟入网购货都是选好多种的,而欧阳凤个人购货单的单一肯定是在屯货。

按理说,经销商一次买一大批货不是什么坏事,问题是这些根本就没有销售出去,压在自己手里。自己花钱买一大堆货,是为了上更高的奖衔可这样往下线复制下去,都花钱屯货,一旦卖不出去,经销商有压力,就会大批的造成死线,容易使一个体系瓦解。

我给欧阳凤打了个电话，问了问她们体系的销售和推荐情况，最后很含混的讲了讲经销商屯货会造成的不良后果，我觉得她听明白了我的意思，我就把电话挂了。

我发现这段时间，又出现了好多家传销公司的代理机构，也有好多朋友和下线劝我同时做其他公司。因为我有这么庞大一个体系，只要我一加盟就可以把所有下线一层层的带过去。来劝我的人都说那些传销公司奖金利润高。有一家传销公司，为了能把我拉进他们公司，派一个长得很漂亮的女人和我接触。这个女人首先花了几百元钱加盟了我们公司，而且成了我的直接下线。她经常的单独和我请教如何运作的问题。还不时的请我去吃饭，因为我没有时间，推脱过好几次，最后一次实在无法再推了，就应邀去和她吃了一顿饭。在吃饭的时候，她极力劝我喝白酒，并也陪我喝白酒。这期间我几乎是不喝酒的，甚至在众人面前连烟都不抽。我这样克制自己是为了保持住自己的形象。我不能因为这些小事而破坏掉我已经被神化了的形象。我没有喝白酒，只喝了很少的一点啤酒。她在席间和我说了很多听起来很推心置腹的话。后来，她说她喝醉了，让我把她送回宾馆。她是外地人，说是来我市找些挣钱的事情做，实际上是一家刚来我市的传销公司的人员，这是在我与她的谈话中让我发现的。她加入我公司是说她从没有接触过传销，而且还总是来请教。但我已知道了她的身份。因为资深的传销人员从外表、言谈举止都能看得出。加之她无意中说出的关于传销的一些很内在的东西和看法，这是非传销人所不知道的。她在我陪她去宾馆的路上说，她当时之所以说自己没做过传销是怕我不接受她。她说她确实在另一家公司里做，但没有业绩，所以希望我也加入到她公司，做她的下线，这样大家互为上线也互为下线，就扯平了。我心想这可不是扯平了。她加入只一个人，我要是加入就会跟随过去数万人。我明明知道她的用意，我就想看一看她们究竟是什么样的公司和产品。

当我把她扶到她房间时，她躺在床上，对我说："你帮我把门关上。"

我把门关上，她说："我胸闷，帮我揉一揉。"我没有动，我之所以没有动不是我能抗拒得住美人计，关键是我此时根本就不缺少美人。加之我看过人妖后，在我眼里她根本就算不上美人。

我笑了笑，给她倒了一杯水。我说："你还是起来喝点水吧，喝了那么多酒也真难为你了……说老实话我这人和女人没少接触，在这睡我也不害怕，问题是不可能达到你想要的那种结果，所以我不能借机占你便宜，那我成了什么东西了……"

我说过这些话后，她很不好意思的爬起来坐在那喝水。

她说："我输了，说实话，我苦心设计出来的一下子让你识破了。当着真人不说假话，我们公司刚来本市开办业务，你要是能把体系带过来，你过去的待遇我们全给，而且还有更多附助的好处……"

我帮她分析了一下她们公司的制度和产品，最后很真诚的告诉她。一是把我收编过去付出太大，而效益不可能在短时间产生，弄不好倒亏损，而那种产品也很难打开市……我还说，如果她有其他困难，我会尽力帮忙……。

我和她说这些话是真心以后。大家都是作传销的，声势越大，对大家就越好，互相帮助也是应该的。再者说，她能这么挖空心思的来挖我加盟她们公司，也算是看得起我，过后，我又请她吃了一顿饭，也买了他们公司的一份产品，也算互不相欠了。

但在体系聚会或是去外地参加小型聚会，我好几次讲到这件事，我是说，作为一个传销商就应该有这样一种精神。说到这我还开玩笑的说："我这不是让你们去拖美人计，但要是觉得自己长的还可以，适当的利用男人的爱美之心去接近一下，也未尝不可，我是说推销产品，可不是说让你们躺在床上说胸闷让人家男人揉……"

后来，我们市里又挤进了一些传销公司的分支机构。为了弄清那些家公司的情况，我带着手下的职员扮作新人到其他公司的授课会场去佯装听课。听了几家公司的 OPP 课和产品介绍后，着实吓了我一跳。我发现这些刚传过来的公司大都没有执照，即使有也不是传销公司的手续而是传统公司的执照。而且产品价位高的惊人，讲师都在无限夸大产品的功效。由于这些公司这种运作，真的有好大一批人都加盟进去，连我的体系的经销商也都悄悄的又去做其他公司。我开始担心，因为我知道，这样下去的话，传销市场就会混乱起来，而这种副作用也会直接影响到我们的公司和体系。于是我在体系聚会时含蓄的提醒我的下线们不要盲目加入其他公司，但是似乎没有效果，这时候的人几乎都疯了。

为了适应这种形势下的传销环境，我开始改变运作策略。但又不能大张旗鼓的号召所有下线采用和创造一切销售推荐技巧进行运作。只是在体系聚会中和在给高层领导经销

商开会时,流露出一些这种意思。也就是说,市场已然乱套,我们也可以采取各种手段介入市场……

就在这个时候,又有人传言说,传销都是骗人的。

正当我不知何故时,我发现一些媒体和报刊开始很含蓄的指责传销公司了,尤其是报道了一些个别的因做传销而上当受骗的案例。还有因传销患了精神病,还有跳楼自杀的。

这种现象的出现,是我始料不及的,我当然知道,有风就有雨,这是我多少年来所总结出的经验。我开始发现,我那些下线开始人心惶惶。我感到了问题的严重,这不是一个体系发生了问题,及时诊断及时处理,而是来自上面的一种意思,我当然知道,这种日子不会维持太久了。其实当我加盟传销时我就知道,这事总会发生变迁,正因为如此,我才紧紧抓住这一时机,拼死达到成功。

我想,我该采取一些其他的措施,来稳定住这个体系或者说尽量让这个体系多坚持一些时候,我一下子想到了我的上线冰怡,我不知她现在怎么样了。

我经过了多方周折,终于打听到了冰怡的电话,她早已离开了我同她开办公司的那座城市,回到省城去了,我拨通了她的手机,我能听得出她说话的声音是很沉重的。我知道了她已经和她的丈夫离了婚,她还说她已经怀孕了,我一时不知该说些什么,我不知道她婚姻发生了问题是不是由于我。我没有提这个话题,只是说:"现在对传销的各种传言很多,也不知道咱们的公司会不会出问题?"

她冷冷地说:"我早就和东方公司脱离关系了……其实你早就应该明白,这种公司不会长久存在。"

我说：“我知道，可是我不愿意这么想，我一直认为大家都遵守规则的运作，就不会出问题。”

她说：“这本身就是个骗局……你要把握好了，自己别损失就行……”

然后，我和她就没有什么话可说了。我此时的心情也很沉重。

当我把这些情况告诉小妖时，小妖并没有表现出有什么惊异，小妖说：“你用不着责备自己，这些事情是很难说清的，你有点太自作多情了吧，你怎么知道她这么做是为了你……人都有自己的想法和做法，她的婚姻在你出现之前我就知道他们……”

小妖的这些话让我想到了很多事情，也给了我好多的安慰。

我到办公室上班的时候，那个漂亮女人又出现在了我面

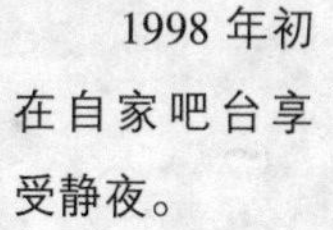

1998 年初在自家吧台享受静夜。

前，她问了我一些有关内幕的一些事，这时候我一下子想出了一个措施，漂亮女人经常的当一当业余主持人，我何不举办一次新年晚会，凝聚一下人气，正好让漂亮女人来筹备这件事情，当我把我的意图告诉她时，她有些激动起来，这是她加盟公司后，我第一次安排她做一些事情，她也许会想，我终于眼中有她了。

体系的日常事务我已不太过问了，我让妻子在那坐阵指挥，我之所以这样是让我自己慢慢的闪开，一旦发生什么问题有妻子挡着，特别是听说，有关部门经常检查一些传销公司，不是没收了产品就是把人带去。对于这些我并不害怕，我有众多的像网一样交织的社会关系，那些部门不会轻易的到我们的供货站去检查。

闲下来的时候，我总是请一些人到酒店里喝酒。我觉得自己应该放松一下了，喝过酒后去歌舞厅，我这时候进歌舞厅可不像当年和郑木他们去时那样了。我进了歌舞厅就活泼起来，小姐们再也看不见我正人君子的模样了。我成了歌舞厅中的高手。无论是唱歌，还是跳舞，就连让小姐坐我的台，我都会弄得与众不同。曾几何时，我让小姐们耻笑，说我只花钱，其他什么都不会，近乎把我当傻子。我现在让一切都反转过来。只要我看中的，只要我想要，我绝不怜香惜玉，反正大家都各得其所。但我更多的还是来散心凑热闹，因为我不缺少女人，我犯不上惹上什么麻烦，只是寻一寻开心就够了。然后又去打一打保龄。我这时候打保龄已不仅仅为了纯粹的去锻炼身体了。要想锻炼身体，我还不如整天在身上背几块大石头呢，我花钱去挨累，我有病呀。我是去提高自己的技术，听说中国几乎没有专业保龄球队，练好了，我要是不愿再做传销，我可以进国家保龄球队。当个世界冠军什么的也不错。

我整天不务正业到处玩着。

这时候，我突然接到一个电话，从声音我一下子听出了是来临。

我说："你去哪里了？我很想念你。"

她说："老兄，体系现在怎么样了？"

我说："业绩明显下滑，人心很浮躁，肯定要发生什么事情。"

来临说："算你老兄聪明，我还以为你还在那傻干呢，上边对传销可能要有说法，究竟结果会怎么样，现在还不好说，也可能是整顿传销市场，清理那些非法公司，然后对现有正规公司加强管理，也许取消所有传销公司。"

我说："取消的可能性不太大，因为公司被又一次核准后，还要半年后才到截止日期。"

她说："难说，多加小心。"说完电话就挂断了。我还想问问她的情况，但电话断了，我从手机中调出来电话号码，拨回去，对方说刚才是有一位小姐打电话，但她已经走了，我让接电话的人帮我找一下，那人说我们这是公用电话亭，到哪里去给你找人。

我又拨通了郑木的电话，我想问问总公司会不会有什么问题，郑木说，不用担心，咱们公司是遵纪守法的，别管社会上怎么传言，咱们照常运作，而且多做些业绩，公司会在这个时候多分给经销商一些利润的。

我想，郑木说的有道理，在各地销售业绩普遍下滑的时

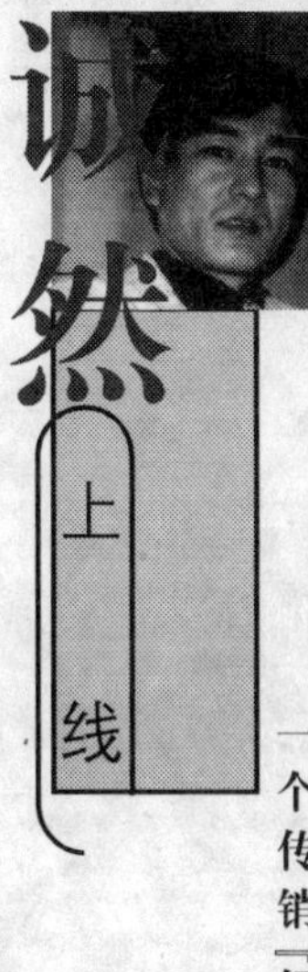

候,公司当然会制定更高的奖励措施。对此我深信不疑。

社会上对于传销公司的种种传言，真的影响到了我体系的运作。我发现好多很能干的经销商都停下不运作了。我侧面打听了一下情况才知道,他们也看到了电视媒体的一些报道,还听到了许多不利于传销的传言。有的说某某传销公司被国家有关部门封了。有的说某某传销公司的经销商被抓了。反正诸如此类的传言越传越甚。我们体系运作的一直都很平稳,现在体系里一些问题也出来了。过去做了这么久的产品销售从来未发生过什么问题，但近几日连续出现了好几例经销商要求退货退线的事情。

退货退线这在公司手册的规定中是允许的，但也是有条件的。比如在购买产品后不适合自己使用或者出现过敏或不良反应,是可以退货的,退线的条件是经销商迁往外地或由于特殊原因不能继续运作，可以退线，如果加盟的可以把货退回,如果已经有下线了,其下线归属退线经销商的上线。

对于正常的退货退线我不会在意。但是这几例退货退线的根本没有正当的理由。

第一个来退货的是司马欣发展的一个下线，从很远的县镇来到市里找我说:“我要退货，这种化妆品使用后皮肤过敏。”

我说:“你觉得有什么不适？”

她说:“脸发热。而且痒痒。”

我说:“你用了多久了？”

她说:“刚用了半个月。”

我说:“我看不出你脸上有什么明显的过敏反应，你可能

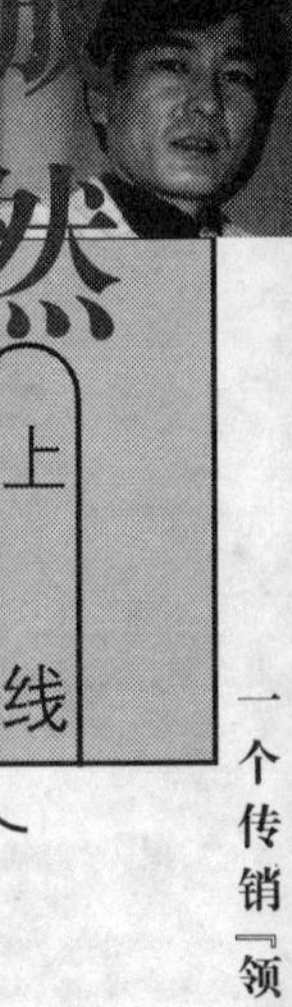

是饮食方面有什么反应，不是化妆品的事。”

她急了，大声地说：“你们这破化妆品不好，还说我吃东西造成的，你们就拿这玩艺骗人吗？”

我说：“你别吵，有话好好说，你本身是经销商，也肯定接受过培训，怎么这么对我说话。”

她说：“这么说话怎么啦？你不给我退，我就去告你。”

我笑了，我说：“多么大的事情，还值得你去告我，你把产品拿出来我看一下。”她把产品拿出来摆在我面前。我把每瓶的化妆品盖子拧开，我发现里面都剩下不多了。

我说：“你要退货的真正原因我不知道，但我可以告诉你，你已经快把产品都使用净了，这是不符合退货条件的，但是，我不想和你争辩这些事情，我还有好多的事要做，我现在就让职员给你退货，因为你这么远路程找来，就照顾你一下，我只说两句话，你慢慢去想。一是你的脸绝不是化妆品的过敏反应。二是如果有反应，用后的四十八小时之内就会有症状，你几乎把这都用光了才来……”她有些不好意思，但嘴上还强硬着退完货就离开了。

接下来又接二连三的来人退货。我都一一的给退了。

职员们说，那些人根本就没过敏，是存心捣乱，就不应该给他们退。我没说什么，我能猜出其中的缘由。肯定是有另外传销公司在拉线撬线，再加上社会上对传销的传言越来越多。这些人或是去加盟别的公司或是不想继续做传销才这么做的。我知道，我即使不给他们退货，他们也没有办法。但问题是无形中激化了一些矛盾，这样下去，就可能出现一些其它问题。我没有必要做这些因小失大的事。再说，我有连我都数不清的那么多产品，我会在乎这点吗。况且，这些人如果得不到满足，整天在供货站吵吵闹闹的，会影响新来加盟的。当我把这一想法同职员们讲过后，职员们都说我果然是成大事的人。

但对于来退线的人，我一时没有了办法。

那个来退线的人是上官兰从端木木手中抢过来的线。那个人很干脆地说："上官兰当时答应帮我排下线。马上就能让我成为LD领导经销商，还说一加入就能赚大钱，都快一个月了，我也没赚着大钱，你是总上线，这钱你给我拿，我拿了钱就退线……"

我说："你先回去，我和你的上线谈完之后，让上官兰答复你。"

他说："不行，她说她不管。"

我说："你先回去，我明天就给你答复。"

他走后，我把上官兰找来，我说："你那个要退线还要一笔钱的下线是怎么搞的，你怎么复制的？"

上官兰说："我和他不是什么朋友，就是见过几次面，那次他想加入端木木的线，来供货站办加盟手续，他问我这个公司情况，我给他介绍了一下，他就加入到我体系了，我怎么和他解释都不听，非要找你。"

我说："怎么样，让你抢线，出问题了吧。告诉你们多少次了，就是不听，不按规则办，要是推荐亲朋好友哪能出现这种问题，你自己处理吧。"

上官兰说："上线，您可不能不管呀，他要是这么死缠着我，我丈夫要是有什么误会，就麻烦啦，就算帮帮我，我求您了！”

我说：“好吧，这事我来办。”

我让手下的职员把这个经销商的家庭住宅和电话从加盟资料里查了出来，然后通知了几个比较野蛮的下线，到那个经销商的家中去好好的开导开导他。那几个下线很快就回来了，告诉我说，那个人再也不要求退线，也不要什么钱了。我问他们是怎么开导的。他们没有说，只是说，我们让他想通了。我当然能猜得出他们是怎样让人家想通的。这时候我的脑子里突然闪出了一个词，文攻武卫。这是几十年的词了，怎么一下子闪出这么个词。我没有继续想这件事，而是在想怎么才能保住我的体系。这时候脑子里又闪出一句话，中央我军占领南阳，我三十万大军横渡长江……以摧枯拉朽之势……我怎么总是闪过一句更比一句老的话呢？我干脆自己想老词吧，也用不着潜意识里提示我了。我想出一句更老的话，树倒猢孙散。我就是树，我要是倒了，那下线们就散了。我不能倒，而且连能动摇人心的事情都不能让其发生。要彻底堵住退货退线的口子。

我再也没有问这件事，但还是有人不停的来要求退货或者退线。我对那几个下线说，以后有这类事情你们几个就替我办吧。真需要退的就给退，如果是来瞎闹的，你们就开导开导他们。但是有一点，绝不能发生问题，尽量说服教育，别惹出其他麻烦……

我明白这样做不是什么好办法，还得采取一些更好些的办法，把这个体系维护下来。

于是，我计划着，通过搞新年晚会，做一下集体激励，凝聚一下人气，把业绩再往高冲一次。我要尽快达到皇冠级。既然

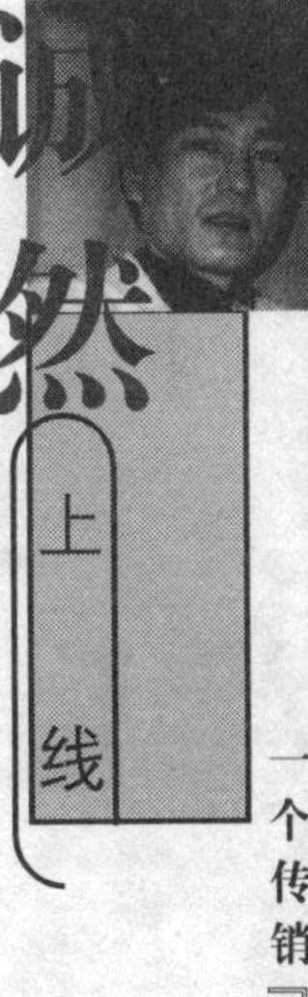

做了,就做到最高一级。

我和漂亮女人开始细致的策划，我要让这个新年晚会的规模超过市里的晚会,而且邀请一些名人,包括总公司和分公司的领导人,还要在晚会上奖励一批业绩突出的经销商,想办法把这次晚会办得轰动全市,也让那些说三道四的人看一看,我公司,我的体系的实力。

漂亮女人在筹划这台新年晚会开始是充满信心的，因为她参加过类似活动。她把晚会的总体构想告诉我说:“这个晚会首先是歌舞开场,接下来是独唱,再下来是器乐合奏……最后是大合唱,您看怎么样?”

我说:“不好,重新策划。”

她听后一愣,不解地问:“为什么?”

我说:“我要坚决不同于市里每年搞的那种晚会，要改变那种老套格式的上边演下边看的模式，看那样的演出简直是受罪。我要让咱们这台晚会有如下特色,轻松愉快,人人参与,别开生面,围绕传销。轻松愉快就是所有人都高兴都开心,人人参与就是没有纯粹的观众,都参加进来,别开生面就是不同于通常那种晚会，围绕传销就是让传销成功人士上台与大家分享,让节目与传销有关……具体的我亲自来策划,你就充当一个主持人,想办法把各节目连接起来……”

在举办新年晚会这件事上,我有另一种想法。我要办得独特、随便、轻松、自在。我谁也不跟学,别说是市里的晚会,连中央电视台的晚会形式我都不学。我学他们做什么,学人家的弄得再好还不是人家的吗?弄就弄成自己的。再者说,这个体系是我说了算,一切都得按我想的办,我可以随心所欲。

我开始挖空心思的在那想节目,想内容。我首先想到的不是演什么节目,而是办这台新年晚会所要达到的效果。从广大经销商的心态分析,他们处在了两难境地,做也难不做也难。心理负担很重,甚至痛苦。我要让他们开心、释放、表现、狂欢。我定了这个基调,接下来才考虑怎么样才能达到以上这几种目的。让经销商感到开心就是不去强制他们,努力把气氛弄得欢快一些。释放是让他们用各自的方式发泄一下。表现是让成功者上台与大家分享一下成功,也重新树立他们的自信。狂欢就自不必说,这样可以暂时忘记一些困扰他们的烦恼事。想好了这些,我就布置各小体系自己去创作排练了。

20. 激情在这里燃烧

新年联欢晚会在筹排了一段时间后,在新年到来的前两天的一个晚上,在一家大宾馆里如期举行了。

这是一个大会议厅,大厅里近千人围坐在许多个摆满水果和香槟、饮料的圆桌边,在《东方颂》的乐曲声中,漂亮女人身着鲜艳的服装,头戴狐狸面具轻盈地走上舞台。台下顿时响起一片呼喊声。我之所以放《东方颂》是因为我们搞培训就放这个乐曲。

漂亮女人将面具推到头顶,露出一张灿烂的笑脸,高声尖叫:“我心爱的朋友们,我爱你们!”说着双手做出飞吻抛向人群。

在一片喧哗声后，她故做郑重的说:“各位来宾、各位朋友,大家晚上好。美商东方精细化工有限公司,富成体系在这里举行1998年新年联欢晚会,让我们热烈欢迎我们最敬爱的体系领导人、我最崇拜的传销领袖富成先生作新年献辞！”

台下顿时掌声雷动,呼喊声、口哨声,夹杂着并不整齐的上线上线我爱你的叫喊声将晚会的会场推向了一个热潮。

我快步走向舞台,和漂亮女人拥抱了一下后,向台下挥着手,然后我想利用这台晚会,很郑重地讲一次话。过去在机关里我最不耐烦的就是领导在台上哼哼哈哈的讲话。但这次我却决定自己很正规的讲一讲话,而且还写了讲话稿。过去我总给市领导写讲话稿,现在我也为自己写一回,我也像领导似的在台上讲一讲话,除了这种想法,我也想验证一种什么。至少对以往的传销有一个总结。不管以后会怎样,我要把我想说的话都说出来,也许,不知在什么时候,就再也没有人听我讲话了。这时候离取缔传销仅有一个月零几天了。

我几乎是带着一种悲壮在高喊着:“我热爱的与我心手相连、携手共进的广大经销商伙伴们,你们好！此刻是一个将要告别昨天,迎接新年的日子,今天是我们东方精细化工有限公司经销商朋友因梦想而美丽的时刻；今天也是一个因平凡而伟大,因执著而辉煌、因东方而光明的夜晚。在这个充满着幸福与欢乐、成功与喜悦的分享盛会上，让我预祝大家新年快乐、心想事成、东方事业取得更大成功!今天,我和大家心情一样激动。在这几十年的人生道路中,我也经历过许多的凄风苦雨,也从事过许多行业。但是,我深切的感觉到,我从未经历像我们传销事业这样竞争公平、奖罚分明和事业所特有的成就感。过去的日子带着我们的成功悄然而去了，回顾那些匆匆而去却叫我魂牵梦绕的无敌岁月；回顾那些与伙伴们高举‘诚信、务实、公平、守法’的公司理念奔走相告的日子；回顾那些与我们的亲人朋友分享东方公司优质产品、正确理念、完善的制度、优良的服务的时刻。我心中涌动着几多伤感，几多欢乐。许多失落与丧失也难以忘怀。回想一下我们遭受过的拒绝、嘲讽，但我们走过来了。我们的脚下没有帝王之路，但我们会踩出一条帝王之路来！也许，大家还能记得，1996 年 9 月 12 日，我们第一次聚会讲课的时刻，我首先把我的名字写在了黑板上，我对大家说，我希望我的出现能像我的名字一样，能给大家带来财富和成功。当时，我还提醒大家，请记住这个日子，请记住这个日子，我重复了好几遍。我还说，这个日子将会在我市的化妆品市场和美容行业有一个划时代的意义，也许由于这个日子，会改变朋友们的生活乃至人生。15 个月过去了，是这样的吧？是的，是这

2000 年冬在自家居室“诚然书斋”中感受孤独。

样的。我的话得到了验证，我们的体系发展成几万人，有几十万顾客在使用我们公司的产品，有无数传销商和东方公司一起发展，一起成功。有的经销商在经济上得到了十分可观的回馈，这是自我价值的体现；有的经销商朋友在能力上得到了提升，这是自我潜能的开发和运用；有的经销商朋友在人际关系上得到了广泛的拓展，这是一种人脉、人气、人性的回归，使人与人不再冷漠；有的经销商朋友因东方公司、因传销才真正的感悟到了人生和生活的终极意义，这才是无憾的人生。传销事业会把人的狭隘与自私远远抛弃；传销事业会把浅薄和无知统统还给远古的历史；传销事业会把僵死的生活模式打破而去拓展一个新的生活，这就是传销！当我们把美丽、健康、财富带给亲人和朋友的时候，这才是快乐、也是因梦想而美丽的一个过程。祝所有的人都梦想成真！谢谢！”

漂亮女人说：“谢谢我们的总上线，说了这一番肺腑之言，为了让在座的朋友都有个好心情，在这个美好的夜晚，让我们举起杯，为 1998 的到来共同欢度。下面让我们热烈欢迎我们公司三省管理处的处长郑木先生和我们总上线到台上来给大家讲话，”

郑木和小妖走到台上，分别发表了热情洋溢的讲话，又引来了阵阵掌声。

他俩的讲话，产生了一定的稳定人心的作用。众经销商在这个时候都密切关注公司领导人的表现。郑木很会表演，而且表演得滴水不漏。还在讲话中强调了东方公司受到国家有关监管部门的好评，并被评为守法经营公司。同时还驳斥了社会上对传销公司的流言是一种不负责任的、是别有用心的人在

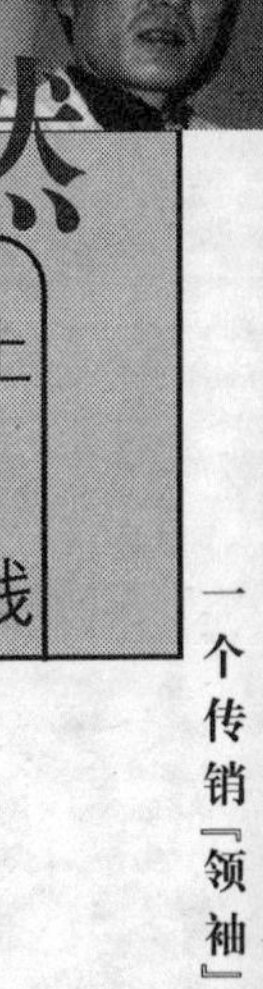

造谣生事。还说美商东方公司与大家长期共存……

随后，我又走上舞台，分别请成功人士端木木、上官兰、欧阳凤、司马欣等上台，与大家分享了他们的成功。所谓分享成功，就是让他们结合自己的亲身经历，说一说是怎样加入传销的，传销给他们带来了什么，他们都赚到了多少钱。他们讲的都很好，他们都讲了对公司，尤其对我的感激之情。我不知道他们是否发自内心的说了那些话，但我感到很安慰。在此，他们也谈到了对公司能够长期存在的理由。他们说，公司一直坚守诚信，说奖励经销商去省城旅游就奖励。说奖励杰出人员出国也如期兑现。还及时发放资金，按需保证供贷，这种公司的前途是有希望的。我发现，这些经销商现在真的成熟了，并且知道在什么场合应该说什么话，就连端木木也显得不同寻常，很在些传销领袖的风度了。

接下来演出的是由我改编的法国贝克特的荒诞剧《等待戈多》，有两个人做一些奇怪的动作，在等待一个叫戈多的人的到来，第一天没有等来，甲说："戈多是皇冠？不，戈多是下线。"

乙说："生活因梦想而美丽，梦想因梦想而梦想。"

甲说："我脚下有条帝王之路，己所不欲，勿施于人。"

甲说："诚信啊务实，公平啊守法，生存还是毁灭？"

乙说："戈多，你是我的体系，我要用网网住你，生活啊网。"

第二天还没有等来……

甲说："剥去你那厚厚的角质层吧，露出阳光！"

乙说："让香水浸香你的身子，我来拥抱。"

甲说："黑夜给了我黑色的眼睛，不是一切可以踩在脚下，烂在泥里。”

最后戈多的使者传话来说，戈多今晚不来了，明晚准来。几个人在舞台上戛然停住，剧终。

在演出时，漂亮女人用话外音在解说着：“此剧表现着一种现实生活，我们总是等待着幸福，等待着救世主，但最终的等待只是失望。我们原本就不应该等待，我们要行动起来，依靠我们自己去创造幸福的未来。我们的经销商更不能只是等待，我们去做，去夺取成功。”

此剧一结束，我高声呼喊：“我们是最棒的，我们一定能成功！我行、我能，我们成功！”经销商们随我一齐高喊。喊过口号，我和漂亮女人站在台上，带领大家一起唱《爱拼才会赢》我们边唱边做着动作，是随着不同的歌词做着不同的动作。台下的人都站在那做着动作，声音越唱越大，动作越做越热烈。

接下来，让所有的人都分别上舞台。每个人高喊一声，上线我爱你，下线我爱你。而且人们可以表演任何节目，自由发挥，只要开心可以随心所欲。有的在做后倒动作，前边倒下后边的扶起，有的在相互拥抱，有的在鼓掌做爱的鼓励……还有的人拿着口琴，在台上吹奏《唱支山歌给党听》，有人用短笛吹奏《红星照我去战斗》，更有意思的是，有一帮人竟然围成圈，玩起儿时玩过的丢手绢，谁要是被抓住了，就得上台表演节目，讲个笑话也行。只要大家开心什么节目都可以自由表演。

最后，每个人戴上不同的面具，开始了假面舞会，这是我设计的，我要让所有的人都戴上一个假的面具。我是想通过这一举动暗示给人们一些无法言说的东西。起初我是设想让每个人都戴着镣铐跳舞的，但我觉得那太沉重了。而当人戴上面

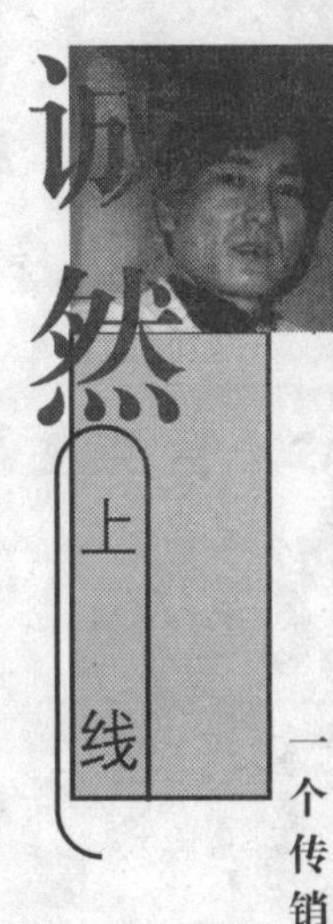

具之后,当人隐藏在一种面具的后面之后,就可以轻松起来。而且可以无所顾忌的狂欢。谁也不知道是谁,大家像是在玩捉迷藏游戏,伴着快节奏的乐曲,跳着每个人自己发明的舞蹈,我这才懂得了欧洲当时为什么这么盛行假面舞会,这可能符合人自身的一些东西,人有时愿意出现在前台,有时也想躲藏在什么后面。所有的人都尽情的跳着、唱着,一直持续到深夜。接着又开了一个冷食酒会,最后,大家一起唱起《明天会更好》这支歌。

这支歌是我体系的系歌,我们无数次的唱起过,但这次听到这歌声,自己在问自己,明天真会更好吗,明天又意味着什么,大家的歌唱完了,我宣布这个新年联欢会结束。这时我心里有一种莫名的感觉,有一种最后的晚餐的感觉。

我一直冷眼看着这台新年晚会,观察着所有参加晚会的人。在观看中我就想,这个晚会为什么能取得这样的成功呢?这其实很简单。因为这符合人性,这晚会正是达到了解放天性的目的。人们的压抑感没有了,人们的热情被调动起来了。人最大的快乐是为所欲为,而不受限制!人们的表现欲,人们发泄的畅快都在此得到了。

我很欣慰,能让这么众多的人欢乐一次,真的挺好。人是多么难得这么欢乐一回啊!我们人背负的东西太多太多了,这种背负使我们沉重。我们真的需要这种沉重吗?我们的沉重对这个世界有意义吗?我们除了沉重再没有别的什么了吗?

我找不到答案,我也不想去找什么答案。因为这没有什么意义。我不知道我搞这样的晚会有什么意义。我可能只想去证明什么,这仅仅是一种证明。在这种证明的后面有一种忐忑感，人需要掩盖，甚至需要自欺欺人。这可以算做是一种粉饰，除此之外我找不到更好的答案。

我敢说，这个新年联欢会在我们市里是空前的，每个参加晚会的人都玩的很开心都受到了震撼，而社会上都听说了这次空前的晚会情况，并羡慕不已。我证明给别人看了。

但是，除了公司的郑木和小妖从我的新年献辞中听出了尾声告别的意味外，再没有人知道这一切。这些人太善良了，这些人对美好的东西向往的太多了。当把自己溶入到对美好的向往中的时候，人会觉得幸福的，就在人们都感到幸福的时候，没有人能知道我的感觉。我想找一个人倾述，像几年前的那种感觉。把心里的话写信告诉离自己很遥远的一个女人。但是，我一直也没有找到。虽然我认识了几个女人，但她们都不是我倾述的对象。我身边有这么多人，但我仍然感到是那么孤独……我只有在心里哼唱那支歌，谁能告诉我是对还是错，问询南来北往的客……

从南来向北往是一个方向。也不知这条路还走多远，更不知在那路的尽头有什么在等待着我。

当晚，我和郑木、小妖都没有睡觉。我们走出了宾馆，想找一个肃静的咖啡屋或茶楼去静静地坐一会儿，我疯狂过后很想安静一下，但当我们走进几家叫咖啡屋或茶楼的地方，里面根本就没有咖啡，只有一些坐台小姐。我们三个人在街道上慢慢地走着。这时的天气已经开始冷了，这里的冬天已经来了，我们感觉到了，但还是向前走着。仿佛是走进肃穆的冬季去寻找一种冬眠。

走冷了，我说：“咱们去打保龄球吧，那样会暖和些。”他们

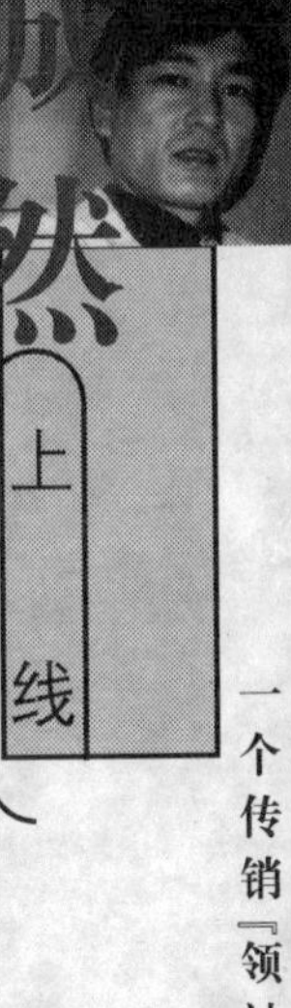

俩随我走进球馆，我们打了几局，但都没有心情。掷出去的球很没有力量，而且偏离了球道，撞击不倒瓶。

郑木说："咱们这是怎么了?平时成绩都挺好的，今天技术怎么都这么差？"

小妖说："这还用问吗，大家心里都明白为什么。"

我们三人索性不打球了，坐在那喝着饮料，抽着烟。

我突然说："郑处长，我敢说这个晚会之后，我们体系的业绩会马上增长好多。"

他说："这不更好吗？"

我说："越是业绩增长，我越是担心，我不知道最终该怎么收场，怎样面对他们。"

郑木说："富哥别想那么多，或许咱们公司能保留下来，咱们公司的社会声誉还是不错的，又没有什么违规的地方。"

我说："但愿如此。"

小妖说："富哥，你得有思想准备，现在的事不好说。"

我说："顺其自然吧，我又不能离开这个城市，我又能怎样。"

我们似乎带着一种绝望度过那一夜。

第二天，郑木和小妖走了，我把他们送上了火车，然后痴呆呆的站在月台上，火车已经开走好半天了，我才醒过来。我心里想，这也许是最后一次接送他们了。我油然而生一种对他们的眷恋，我很想留住他们，也是想留住公司，留住传销。但，火车还是开走了。

事情正像我预料的那样，经销商们的运作热情再一次被这个新年联欢晚会激发了起来。但我却高兴不起来。

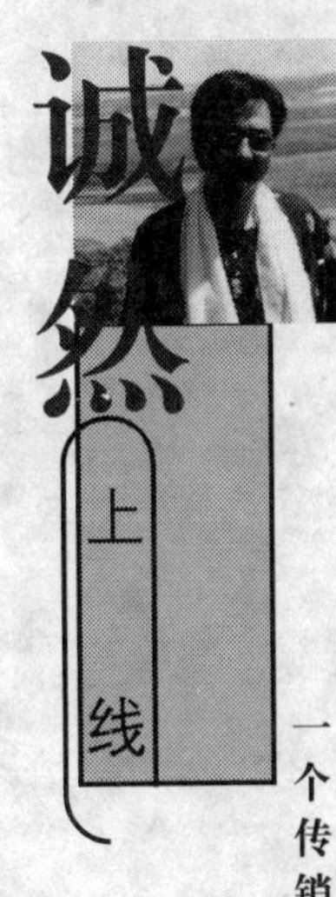

第六章

21. 危机四伏

这几天,我总是不声不响的一个人走出去,漫无目的地走着。

此时我的心情是极其矛盾的,我希望自己的体系销售业绩好起来,但又不愿意在这种时候还那么红红火火的。我一连几天没去供货站,除了四处走走就是坐在家里想好多往事。

正在这时,我自费出版的长篇自传体小说《寻找自己》的校样稿寄来了。我把自己关在屋子里,校对我的长篇小说。这样可以分散一下我对体系的注意力。

这篇小说是从我记事写起的。这部小说不像通常见过的那种小说。

我没有仅仅记录我的生活,而更多的是对每个时期自己生存状态的一种追问,这三十八年,我经历了许许多多的事情。我一直以为像我们这一代人生活的很不幸,赶上好多天灾人祸，经受了太多的沧桑与苦难。我出生的时候正赶上三年自然灾害。母亲那时已经随父亲在内蒙工作了，由于工作繁重，生活艰难，母亲只好辞去了工作，回到了农村老家。那时候的农村虽然生活也很艰难，但至少能解决人的吃饭问题。母亲不用下地干活，在村里教学生挣工分，加之父亲每月寄回些钱，就维持着过了几年。文革开始后，因为母亲是党员，又是村干部，就参与一些是是非非的事情。今天割这家资本主义尾巴，明天抄那家的家，母亲感到厌恶了，就又一次来到内蒙古的一个小镇上，于是我们一家人又生活在一起了。就在第二年，全家搬迁到这个城市后，我上了小学。学校里搞批斗、搞运动，老师又无法教学，我们整天的开大会、喊口号的，批判这个打倒那个的。从小学一直到高中毕业，除了学工学农学军，学到一点常识外，文化课几乎什么也没学。这时候文革结束了，我也高中毕业了。毕业后下乡插队。两年以后知青大返城，我回到了城里，但仍没有固定的工作，于是我又报名参军。在部队同年战士中，我还属于比较有文化的，我本想在部队大干一番，不料想部队在提干和入党方面进行了两项改革。也就是说没有在部队被提干的希望了，我复员到了地方，成了一个普通工人。

我觉得我是个很倒霉的人。这时候我有了个女朋友，多少还算是个安慰。但没过多久，连女朋友都没了。我很后悔，后悔当初没把这生米煮成熟饭。我当时要是把她煮了，也就没人要了。大家都买生米，谁买熟饭呀。我心里想，不就是个女朋友吗，还不理我了，走着瞧，有朝一日我让你看看我能不能找着，我要多煮几锅来让你看看。我起初像是为我失去的那个女朋

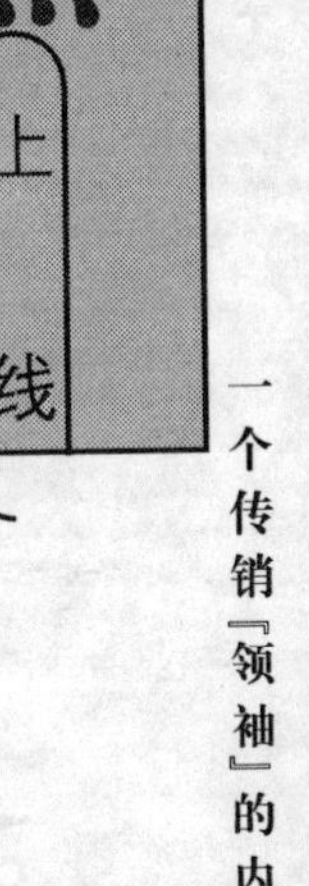

友才去努力改变自己的，爱情真是很有动力。我就是为此才奋斗下去的。

我一向认为我是一个不满足现状的人，我不甘于当一个工人，就奋发读书，而且搞文学创作。在单位几乎不和别人往来，整天蹲在一个角落里看书。生活有时也很公平，一个自学考试的机会来了，这是全国第一批自学考试。我选了写作专科，而且被录取了。接下来的三年里，我系统的读了好多书。当我毕业时，被录用为国家干部。从此，我的生活发生了变化，我被不停的一级级选调上来，搞宣传，当秘书，正好发挥了我的专长。又过了几年，我被提拔为科长，但我工作的单位是群团部门，后来又搞政策研究，这种部门是清水衙门，日子一直过得很清贫。由于我不愿服从上边的领导，而且有意违背上级意愿，并总是让决定我升迁的人难堪，比如我强行把家搬进了办公室里，还不服从组织对我工作的安排，所以我知道，我的仕途生涯就到此为止了。这是应得的下场，等下辈子再做人，我一定改掉这些，做一个适应一切的人。

在机关工作的起初，我还是比较积极上进的，不知为什么，当我把全部身心投入到文学创作中之后，我就觉得自己的一些想法与工作格格不入了。我好像是看破了社会上的一切，而且越加厌恶起来。日子一天天，一年年过去了，我在这个位置上被人遗忘了。直到住房改革，需要一笔买楼款，这时候我才发现，其实我很穷，我无力支付几万元钱，我就在这个时候做起了传销……而传销又将给我带来什么呢？

想想自己这些年的经历，看看自己目前的状况。自己有了住宅楼，可以安居了。自己很小就希望能成为一个作家，能出版一本书，这些也要实现了。而自己却不知今后该怎么办了。我可能迷失了自己。

人活在这个世界是真的很不容易，光靠精神满足是远远不够的，而只有物质又似乎缺少点什么，我不知道我要得到什么东西。

校对着自己的小说，突然产生一种悲凉感。

我知道这本书很快就会印出来，但我却不知道这究竟有什么意义。我的经历在芸芸众生中又算得了什么，谁会来读，又有什么可读的。谁拿钱都可以出版这类的书，我为什么要这样做呢？我发现梦是最美好的，当梦中的东西真的变成了现实，那种美好便消失了。

面对着桌子上的小说校样，我觉得自己很可笑。

我还是认真的把自己的小说稿校对了一遍，然后寄回了出版社。

这时候，妻子告诉我，这个月的销售业绩比上个月有大幅度提高。这是让我惊喜的，而电视媒体上频频对一些违规操作的传销公司的曝光，让我有些不安。我隐隐的感觉到，传销不会存在太久了。因为我知道传销领域已经乱成了什么样子，传销公司都使用起美人计来了，这怎么行。《孙子兵法》中有三十六计呢，要是都用上一遍，遭殃的人就多了。等到最后，传销公司再用第三十六计，拍拍屁股走了。那可怎么办，再者说，我这种预感是有根据的。只要平时留心一下就知道了。无论什么事都是一样的，新闻媒体一有动作，随后就动真的了。

这时，郑木打来电话，说："富哥，告诉你一个好消息，国家有关部门对传销公司进行了清理整顿。对那些没被批准的取缔了,也对一些违法经营的公司令其停业整顿,但国家还得保留了一些传销公司,像咱们美商东方精细化工有限公司就是被保留的……但,公司为了提高产品竞争力,决定扩建厂房,引进更先进的产品分装流水线设备,目的是把公司办成全国一流的传销公司。所以公司需要一大笔资金用于厂房扩建和设备引进。没有办法,公司急需用钱,就要求各分公司与各地市代理商协商,这个月的销售货款全额上缴总公司,不能扣留经销商的奖金。待下个月公司再如数补发……"

我说:"郑处长,这样做经销商恐怕有想法,加之新闻媒体这么多宣传报道,别让经销商产生误解。"

郑木说:"富哥你放心,公司不会有问题,你多向经销商解释一下,公司有困难,咱们怎么能坐视不管呢。如果公司真的不存在了,所有经销商都有损失。公司好了,咱们经销商就更有希望了。别想别的,退一万步讲,即使公司真的欠了这个月奖金,你手里还押着公司几十万元的货呢,怕什么。"

我一想,郑木的话也有道理,我就把各县镇的代理人召集来开了个会,说明了公司的决定并保证如果公司真的不发奖金,我从自己口袋里掏钱发给大家,我又跑不了。各地代理人一层层地把公司的决定传达下去。经销商们见有人保证也就同意了。也有一些经销商不同意,但事已至此,只好听从了。

我把整个体系全额货款都汇到了分公司。当我来到分公司时,发现情况不对。公司的各个部门都手忙脚乱的整理一些东西,也在销毁一些东西。工作上不像过去那么有秩序了。我有些心疑,但没人和我说什么。平时,那几个部门的负责人和我相处得都很好,要是他们知道有什么不测,他们会对我说的，至少会给我一些暗示，但没有，他们仍表现出很无所谓的样子。

小妖也来到了分公司，她说单独请我吃饭，我告之了郑木后就随她来到了一家酒店。

小妖急切地问："你把货款交给公司了吗？"

我说："交了。"

她又问："扣除经销商的奖金了吗？"

我说："没有，是全额返款的。"

小妖说："富哥你怎么这么傻，我发现郑木有问题，他肯定在做什么手脚，那天我在分公司听他接了总公司一个电话，总公司在催他返货款，他好像连上个月的货款也没给总公司返，你得小心点。"

我说："这是怎么回事呢，或许他不往总公司返款是件好事，钱留在分公司，公司一旦被取缔了，他可以拿这些钱给经销商补奖金。"

小妖没有马上说话，点了一支烟说："如果是这样就好了，就怕他不这么做。"

听到这，我心里一愣。如果郑木有别的企图，那问题就严重了。假如公司正常被封或者是倒闭，那还是会对经销商有说法的，按有关程序走，大家都没什么可说的。要是相反呢？要是郑木个人搞鬼，上哪说理去？我体系一个月的奖金加起来二十几万元，再加上出国旅游基金和房车积金，要几十万元。如果公司赖账，郑木逃跑，那可就麻烦了。那时候，经销商找不到郑木，肯定找我算账。

我和小妖随便吃了点东西，我回到公司找到郑木，我问

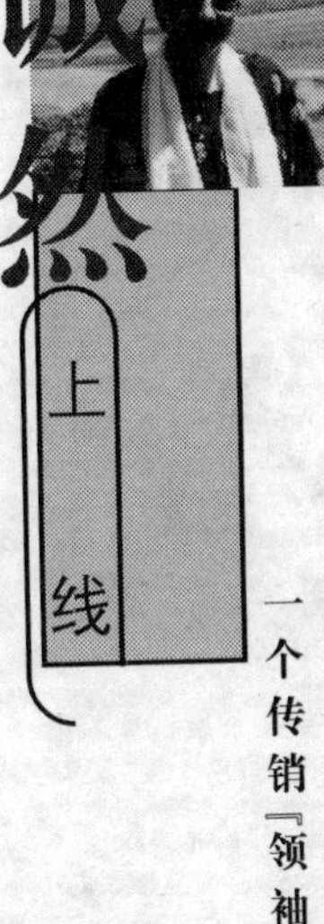

他："郑处长，经销商的奖金不会有什么问题吧。"

郑木说："你是不是听别人说什么了，你难道还不相信我吗，别听别人瞎说，这事一点问题也没有。我不是说了么，你手里还有好几十万元的货，你不用担心，努力吧，下个月争取多做一些，你马上就成为皇冠领导经销商了，有什么困难找我，我帮你解决……"

我将信将疑的回到市里。我发现这几天经销商销售的产品很慢，可能是因为公司没有发奖金的原因。我想，如果把奖金发了，经销商们也就放心了，销售业绩会马上起来。于是我把自己的存款提了出来，给经销商发了奖金。

起初妻子反对我这么做，她说："咱们这一年多挣的钱就攒下这么几十万，你拿出去十几万给经销商发了奖金，如果公司赖账，看你怎么办！"

我说："把目光放远点，如果公司发展更好了，咱们用不了几个月就把这钱挣够了，再说公司也不可能赖帐，要是不发奖金，经销商们都不运作了，那咱们还上哪挣钱去。"妻子虽然不情愿，但我还是把奖金发下去了。

发完奖金后，也并没有像我预料的那样。经销商们已经不愿意运作了。但还是有一些销售额的。郑木又发来一个急件传真，根据总公司最新规定，将月报业绩改为半月一报，也就是说半月就要将销售的货款汇给公司，并承诺这次报完业绩后，公司会将上个月欠经销商的奖金一次补发。如不按此规定办的地市，就不补发上月奖金。在这种情况下，我又将这半个月销售的十几万货款汇到分公司。我想，公司很快就会把欠的奖金发下来的。而我把这些业绩报上去后，刚好达到皇冠级领导经销商。皇冠级领导经销商是我盼望已久的。戴上皇冠就像皇帝国王一样的。那是什么感觉呀！这种皇冠虽然也是金的，但和那种国王戴的皇冠还是有很大差别的。相比之下，国王的皇宫更大，娘娘妃子更多。而我此时得到这顶皇冠，似乎有些时过境迁。也就是说这国王和皇帝马上就要被赶下台了，才戴上这东西。这是公司最高一个级别，那顶金灿灿的皇冠马上就会戴在我的头上。还有那枚刻有皇冠图案的戒指。我心里真的很陶醉，冰怡当年说的对，我真是一条黄金线，老鹰线。

22. 闪着金光的井

自从那次和冰怡通过电话以后，再也没有她的消息了。但

2002 年秋在漠河金沟林场白桦树丛中。

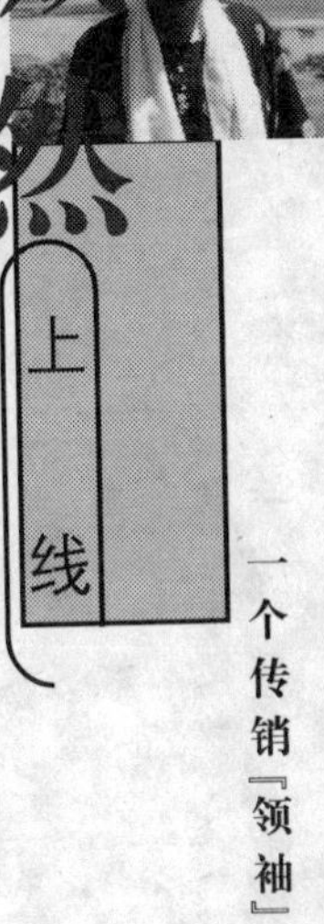

我心里还一直惦记着她。不管怎么说,是冰怡把我领进传销这个领域里来的。也正是她才改变了我的窘况。

我时常想起冰怡。想起我和她在那个城市里的那些日子。我甚至总能想起我和她在床上做爱的情景。那是一种无法让男人忘怀的景象,那种激情,那种冲动,像火山爆发一样。排山,倒海。

人和人之间,至少是相互热爱的人之间,可能会有一种感应。就在我不停的想冰怡的时候。她打电话来了。

当时,我正平静的一个人坐在家里。我的手机响了,我接听之后,她只喂了一声,我马上听出了是她的声音。

我忙说:“冰怡!是你吗?你想死我了,你现在在哪里?”

她说:“我当然是在家里,难道我还能在火车上面对着一个叫‘柳下惠’的人吗?”

我说:“接到你的电话真好,我以为再也找不到你了呢,我后来又打过电话找你,那个电话已经停机了。”

她说:“停机的事情是经常发生的,但人的激情是不能停的。”

我听出了她在电话里的声音有些兴高采烈。她能再次兴高采烈起来我很高兴。

我说:“找我什么事,是好消息吗?”

她说:“让你猜着了,是好消息,可能是我家庭的那段不幸换来的,人不能老走背运吧,就像你常说的,老天爷饿不死瞎麻雀……你不是总觉得我早早退出美商东方公司是件遗憾的事吗?你还说要是咱俩一直在一家公司做下去多好……这回机会来了,我再和你合作一次,弥补一下你心里的遗憾……”

我问:“是家什么公司?”

她说:“你别管是什么公司,但肯定比美商东方公司赚钱,美商东方公司是什么破公司呀,利润回馈那么少,卖一百元的产品刚得二三十元钱,这回让你赚一笔大钱,我怎么老是给你找赚钱的道呀!”

我说:“那是因为咱俩关系铁呗,咱俩什么关系呀,是不是?”

她说:“呸,就知道往自己脸上贴金。”

我说:“我也没少往你脸上贴金,我体系一有聚会,我就说我的上线如何如何好,去分公司人家让我作分享,我也总提到你……我们总公司有个叫来临的美容讲师,我和她说你,我往你脸上贴金,弄得她老怀疑咱俩有男女关系……”

她在电话里面哈哈的笑着说:“咱俩本来就是男女关系嘛,这很正常,要是男男关系和女女关系可就不正常了。我问你,你是不是也和那个叫来临的美容讲师也有男女关系了?”

我说:“没有没有,绝对没有,我什么样这你知道,我整个一个‘柳下惠’,柳下惠怎么能滥和女人有男女关系呢。除了你,我连别的女人看都不看,我整天戴着墨镜……”

她说:“你说的好听,谁信呀,藏在眼镜后边看人,更可恨,我看你现在也恐怕学坏了,这事可不好说。”

我说:“我学坏也是跟你学的,你老往邪路上领我,让我偷尝禁果……”

她说:“你没良心,我怎么往邪路上领你了,我给你指引的都是赚钱的康庄大道,你偷吃禁果也不是我引诱的,在这之前你还说不上吃了多少禁果了呢。还愣跟我装柳下惠,装真童子

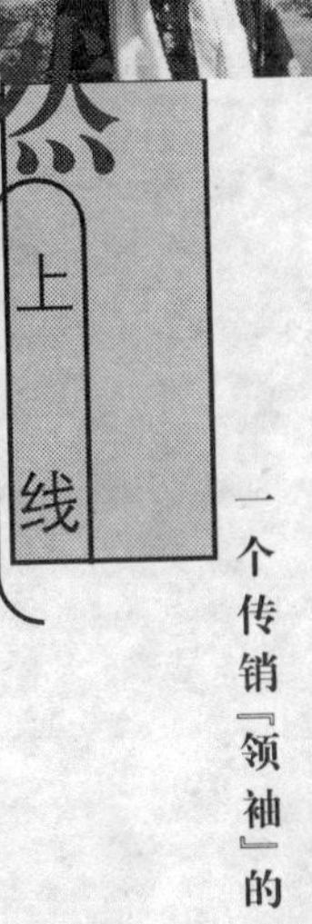

……好啦，禁果这事咱就不论了，谁让这世界上有禁果呢，又谁让人喜欢这种果呢。咱俩也论不清楚，还是说正事吧。”

我说：“那就说正事吧，怎么？好像咱俩过去都没说过正事似的。”

她说：“别耍贫嘴了，我说你学坏了吧，你过去可是个沉默寡言的人，怎么，深沉不起来了吧，什么好人身边整天围一帮女下线也得下水……我又接触了一家公司，这家公司的产品可了不得。”

我说：“有什么了不得的，说起来都了不得，实际上都那么回事。”

她说：“这种产品制造的是生命之源！”

我问：“生产乳汁呀？人生下来都得吃。”

她说：“你就下流吧，等我见到你看我怎么收拾你……这种产品是‘造氧机’，你说是不是生命之源？你每天能离开氧气吗？”

我说：“这倒有点意思，不过氧气这东西空气中有的是，还用机器造吗？”

她说：“现在人们呼吸的氧气都被污染了，大气都被污染了，其中的氧气能不受污染吗？这是制造一种纯净氧气的机器。”

我说：“纯净到什么程度？人住院抢救用行吗？”

她说：“别瞎打岔，这种造氧机是人类未来都必不可少的，人需要生存，而生存就离不开氧气，你明白吗？”

我认真起来，我当然很高兴，我又可能和她一起做些事了，但我也有一种不安。因为我感觉到了，传销的日子不会太长了。

我说:“从现在的形势看,对传销很不利,有一种秋后的感觉,恐怕做起来会有风险。”

她说:“你还是高层传销商呢,连这点道理都不懂,风险越大,利润就越丰厚,毒贩子为什么抓不绝呢,就是这个道理。你整天坐在家里倒是没风险,谁给你钱呀?就是整天坐在家里也不一定没有风险,说不准什么时候你家书柜倒了,还会砸了你脚后跟呢!”

我说:“你家书柜才倒了呢,你怎么那么尖呢?你家书柜怎么不倒呢!”

她说:“这是打个比方,人要学会抓住各种机会,机会是……”

我说:“你给我打住,别跟我来OPP,我可是高层传销商,我整天OPP别人,这你知道,来实的吧。”

她说:“这家公司聪明就聪明在经销了一种人人都需要的产品,而且采用‘双赢’的制度,让公司和经销商都赢,并且采用高科技手段,用电脑管理,采取电脑排序、排位,也就是说,你只要购买了产品,加盟了公司,电脑里就有你的名位,你不用自己去找下线,后边排上来的就是你的下线,你可以随着别人的加盟而自然升位……”

我问:“机器多少钱一台?”

她说:“一万元一台,是零售价,批发给咱们一台五千元。”

我说:“这不是打劫吗?”

她说:“小农意识,投资大才回馈高,买一台回馈五千元,你有几万名下线,只要有一万下线一人买一台,你的利润就是五千万元人民币，五千万元装麻袋里你知道得用什么车才能装下吗？”

我说：“你吓死我啦！这么多钱我可怎么花呀！”

她说：“这好办，你赚五千万，我再赚五千万，咱俩合在一起一个亿，到那个市再去开化妆品公司，这回去了咱垄断全市、全省……”

我说：“这可不是说着玩的，这么大金额的买产品，普通人是不敢做的。”

她说：“你有那么一个大网络体系，就顺着各条线发展下去就行了。”

我说：“公司合法吗？”

她说：“又问这么愚蠢的问题，合法能有这么大利润吗？这家公司就是乘这个机会，让大家都捞一把。再说我和公司一手交钱一手交货，也出不了问题，公司说如果销售不出去，还可以退货，这种电脑排序，越往前排越有利，买份额越多越好……公司另外还给奖金”

我说：“我和下线们商量一下，看看情况怎么样。”

她说：“我等着你的好消息。”

她把电话挂断了，我心里一阵激动。这种激动是我终于又和她联系上了，同时还可以在一起合作，赚一大笔钱。

我反复研究着她描绘的公司运作方式，觉得很有道理。电脑排位就没有了必须依靠自己去推荐人的压力，这种方式是越早加盟，越排在前面越有利。

这时候，我想到了小妖，有了这种机会我应该告诉她。我拨通了小妖的电话。小妖在电话里说：“富哥打电话有什么好

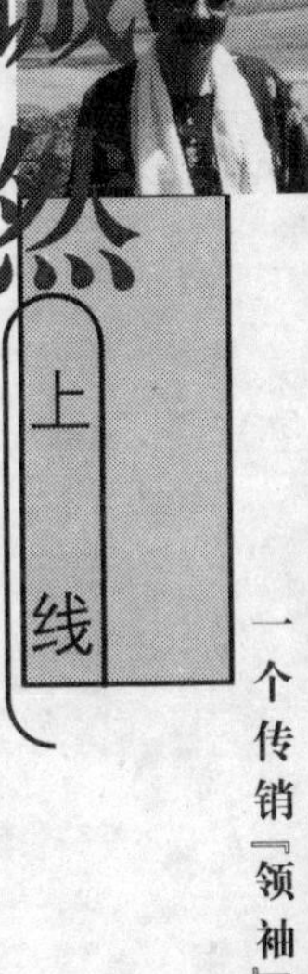

事呀？”

这时候，我们总是处在一种无尽的好事的氛围里了，一有消息就想到好事。这是一种积极的心态。

我说：“没有好事我就不能给我上线的上线打个电话请安吗？”

她妖里妖里气的说：“哎哟，这我可接受不起，您这不是折我的寿吗？”

我说：“你一天天的就妖吧，古灵精怪的可愁死我了。”

她说：“你愁啥呀？那么多女色围着你，开心还开不过来呢，有什么事？是不是又想从我这打听冰怡的消息，我告诉你，我可不知道她现在做什么呢，我也没时间帮你四处打探去。”

我说：“看把你吓的，还求你什么啦？我再不求你这事行了吧！我告诉你，冰怡给我来电话啦！”

她说：“我说你怎么这么兴奋呢，原来是你想念的人给你打电话了，按咱们传销的说法，你是想我和分享吧，好，我帮你分享，我帮你快乐……”

我说：“你怎么这样啊，我比谁都冤呀！怎么一说到冰怡，同志们对我的腔调都一样呢？看来我和冰怡真可能有那种特殊关系，现在连我自己都相信这一切都是真的了，好，就算是真的吧！”

她说：“怎么说算是呢，你可真有福气，听说总公司那个来临到你那搞美容，也让你犯了个美丽的错误，看我富哥，真有魅力，不管哪里来的美女，见到我哥都得拜倒在我哥的石榴裤下，这是没办法，谁叫我哥这么有吸引力呢……”

我说：“你就帮你哥吹吧，把我吹的云山雾罩的，早晚得迷

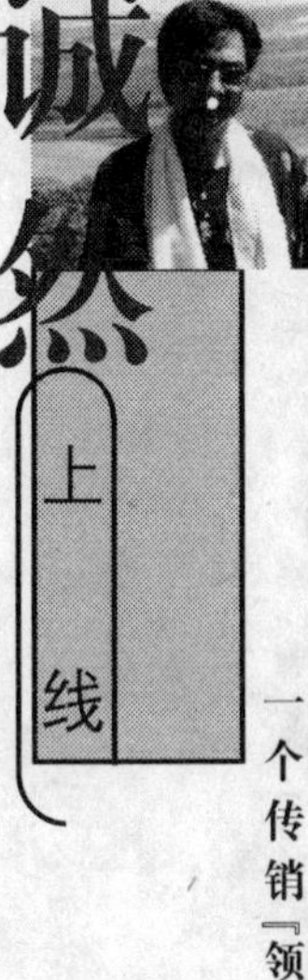

失方向，帮我吹的人怎么这么多呢，可烦死我了！”

她说：“你就美吧你，冰怡一个电话你就找不着北了，等我看见冰怡，我让她天天给你打电话，大不了电话费我付，我让你天天迷失方向……冰怡都说什么了，是不是也帮你吹来着？”

我说：“这正是我要请示我的上线的上线的事，也是告诉你这个好消息……”

我把冰怡要我和她做造氧机的事和小妖详细说了一遍，最后问她，觉得这东西和公司的双赢制度怎么样。

小妖好一会儿没说话。我有些奇怪。

我问小妖：“你觉得怎么样，说说你的想法。”

她说：“我现在没心思管理网络体系了，我就当我的美容师就行了，能当多久就当多久，这种形势又说不准，至于你这事，我不好说什么，你还是自己拿主意吧，再说了，冰怡过去就是你的上线，我不好说什么，你们俩的关系那么铁……”

我说：“你又来了，和你商量正事呢，你都表个态呀！”

她说：“我真不能说别的，你自己看着办呗！”

这之后，我又和她说到请她找机会来玩，我说我可以陪她去最北边的那个县里去玩，我说我越来越喜欢那个地方了。

说到那个地方，我猛然的又想到了来临。因为在那个地方，有我和来临发生的一段故事。

我打电话找到了来临。

来临一接电话就劈头盖脸的说了我一顿。她说：“这是怎么话说的，太阳从西边出来了吧，我昨晚也没梦见喜事呀，这可真不容易，这世界有什么事反常了吧，也没听说什么地方发水地震呀……”

我说：“你说，你说，你把京油子卫嘴子那套绝技都拿出来，我爱听，说吧，你就这点招人爱，我可喜欢死你了，喜欢得我直咬牙……”

来临马上换了一种口气说：“怎么啦哥？我也没怎么着你呀，我这不是激动的受宠若惊了吗！我怎么能承受得了你老人家打电话给我呀，我以为你早把我忘了呢，反正我现在也不能给你做魔鬼训练了……”

我说：“你有完没完了，你这张嘴可真好，不然怎么靠嘴吃饭呢！破瓶子镶了个金口，就嘴好，说真的，就因为你这点我才忘不了你，不然的话我早忘了，来临？什么来临？来临和光临有亲戚呀，我才不管呢……怎么样妹？又炒了几家公司了，炒老板是不是特好玩？你就不能安安稳稳的在一家公司干下去？炒什么炒，显你有能耐呀？”

她说：“我又没把自己卖给哪家公司，来去是我的自由，我高兴来就来，不高兴就走，管得着吗？”

我问：“现在是哪家公司？”

她说：“还是那类公司，搞‘双赢’的。”

我说：“我正要问你这类情况呢，‘双赢’公司怎么样？”

她说：“我就说太阳不能从西边出来吗，太阳有病呀？我就知道你有事才打电话给我。”

我说：“行了，别不讲理了，我心里还是有你，不然全世界好几十亿人呢，我偏给你打电话，你以为你是世界第一漂亮呀！”

她说：“当然了，我怎么能跟你那上线比呢，你上线才世界第一呢！”

我说：“你说错了，我上线可不是世界第一，她顶多是世界第七，因为第八个是铜像嘛，我问你这事还真是那个世界第七告诉我的，她让我和她做，你觉得怎么样？”

她说：“这种公司现在出现一批，反正都抓住这么个机会疯做，快进快出，不能恋线，不能按谈情说爱那样恋恋不舍，弄到手就拉倒，打一枪换一个地方，得像嫖娼似的，一手交钱，一手交肉，完事走人，谁也不认识谁……”

我说：“你能不能有点正形，怎么话一到你嘴里就变味呢？你就气我吧。”

她说：“这怎么是我气你呀，你们男人不就是这样吗，还说屈你们啦！”

我说：“就好像你多么了解男人似的，自己到现在还没弄到个男人嫁出去，瞎吹啥呀！”

2002年秋
在黑龙江源头。

我说:“我懒得找,满大街男人有的是,千万别让我看上,我要是看上没他们好……”

我说:“行了行了,不跟你瞎扯了,以后有机会来我这旅游,见了面咱俩在论战。”

她说:“好吧,有机会我还真想到你那去一趟,尤其是最北边那个县镇,前面时段我在电视上看见一个节目,介绍那个地方的风光,在电视上看,那地方更好看……”

我放下电话,就决定和冰怡共同做那个公司的产品,但我没想作到一万台造氧机。我想可以先按一百台来运作。一百台造氧机进货价就是五十万元,我手里的钱不够。

我把五个比较有钱而又得力的下线找来,把公司的制度、产品、回馈和他们说了一遍,他们考虑后决定随我作。他们的想法和我一样,真是什么样的上线复制出什么样的下线。他们也都觉得抢先把位置排在前面,而且多买几份产品,先屯一批货,然后再慢慢销出去。如果买的少,价格还要高。

我拿出二十五万,他们五人凑了二十五万,很快我们把凑够的五十万元钱汇给了冰怡,收到了一百台造氧机。

看到产品,我心里有些发毛。所谓的造氧机就是那种小型台式的换气扇,只不过处型设计得精美些。我知道,这东西连一千元都不值。但为了安慰自己,就想,这是高科技产品,是人类生命之源,不能算贵,再者说,机器销不出去还可以退货的。

于是,我们就分头的运作起来。

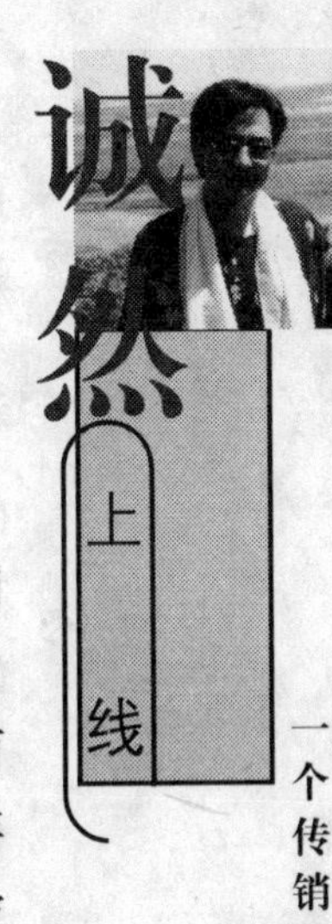

23. 取缔传销

就在这时，我在电视里看到了国家发布的取缔所有传销公司的通知。

听完通知我愣了一下，我并没有相信这是真的，因为美商东方公司执照上被核准的日期至九月份才到期的，还有半年的时间呢。我还盼着会留下一些公司，是不是还要公布一下被核准允许继续经营的。

这时候我家的电话和我的手机连连响起，好多经销商接连打电话询问传销公司被取缔的事。

我马上拨了分公司的电话，但电话没人接听，我又拨郑木的手机，他的手机也关机。我又把电话打到总公司，总公司也没人接听电话。

我知道，我担心的事情终于发生了。

我马上把我在宾馆设置的供货机构关掉，将剩余的产品收回。留两名职员接听电话，解答经销商的问题。我马上同各地市代理商取得联系，并约定一起去分公司。

我同其他各地市的代理商汇合后，一同去了分公司。这时分公司的牌匾已经被摘去了，而且各个办公室都锁着门，这时候我才相信，公司真的被取缔了。世界上的事情真是让人说不清楚，这个原本那么红火的地方，现在都关闭了。我们这些商务代表，找不着自己所代表的公司了。这算是什么事呀。大家商量了一下，又几经周折找到郑木的家。等郑木回家之后，见一屋子的人都等在他家里，他依然显得很镇定，说："今天我请各位吃饭，现在咱们去酒店。"

我们来到酒店，落座后有人提出公司欠经销商一个半月的奖金怎么办，是不是分公司给补发。

郑木边招待我们吃饭边笑着和我们说："大家别着急，开始我也不知道会是这样，我刚刚和总经理通了电话，总经理说公司正在办理转制，也就是改变经营方式，从传销变成店铺销售，等制度定出来以后，你们各地市的代理商仍然不变，公司出资帮你们租店面，在各省电视台打广告，配合你们销售，奖金的事不用急，老总说很快就解决。咱们分公司不得不临时关停几天，等转制后照常运转，你们还照常销售产品，别担心……"

我们被郑木劝了回来。不回来又有什么办法，公司让等那就再等吧。要是按公司的说法也不错，反正以什么形式都是销售化妆品。经过这么久的传销之后，有那么多人用过产品，也知道这个品牌，变成店铺销售，人们到店里去买就行了。不用增加新顾客，就我手下这些下线重复消费，这个店就会很兴隆。到时候，我让妻子辞去工作，全身心经营这个化妆品店。我再去寻找一些新经营项目。实在没什么可做的，我可以开一处歌舞厅。我对这种场所的经营已经很熟悉了。弄一处大些的偏远些的大房子，招一些年轻漂亮的小姐，前厅雇个心腹管理，我在台后指挥，很容易火起来。来这种地方的顾客很多，男人们都喜欢来这种地方消费。宴请领导、招待朋友，都少不了到歌舞厅唱歌找小姐这一项，这叫系列性招待。要是少了这一

项,那就不够规格了。想到这,自己就把心放宽一些了。

在过去,一些经销商并不急于开奖金。有的时候奖金开了好几天也不来领。这时候几乎每个经销商都急于来领奖金。虽然我体系的经销商只差半个月的奖金没有拿到手，而整个体系的销售额才十几万，但这些销售额几乎都是经销商为了拿到下线的差额奖金而自己花钱购买的百元消费。也就是说,上线如果想拿到下线们的差额奖,每月必须消费一百元产品。这就是说有近千人的奖金没开。每人的数额不大,但我明显感到已经有人开始散布说公司和我合伙骗人。

平心而论,我不想背个骗人的骂名。假如我手里有上百万的货款,我不敢保证我不会用第三十六计携款离开这座城市,但我没有。现在只差两万元的奖金了,发给经销商们,我就和经销商两清了。我又一次拿出的仅有不多的存款发给他们。

妻子这下真的发火了,大声和我吵起来:“你是雷锋呀,上个月我不同意你用咱自己的钱发奖金,你说我见识短,结果怎么样,公司没补,这回你又要发,那几十万块钱你买了什么造氧机,一台没卖出去,挣钱多的时候你到处挥霍消费,到头来咱家的存款就那么一点点,再发下去就没有了,这一年多受了多少累，最后落个两手空空。外边的人还以为咱家赚了多少钱,其实呢,狗屁!”

我也发火了,大声和她吵:“你让我怎么办?谁知道国家会做出这个决定,分公司上个月那么说我能不相信吗?不管怎么样,这奖金也得发下去了,我丢不起那人……你和公司的职员用两部电话按着这半个月经销商销售货单，逐个通知来领奖金,如果不要现金的可以多给些产品,只有这一个办法了。”

妻子再一次听从了我的决定，并给所有有业绩的经销商打电话。大多数经销商都来开奖金了，当知道了是我用自己的钱发这个半月的奖金时，他们大多数都要了产品。这是为我减轻负担，还有些经销商知道自己奖金太少，就不要了。

经销商们的这一举动很令我感动。这也许是因为我自己发给了他们上个月的奖金。如果没给发放，我想象不出会发生什么麻烦事情。

普通经销商的事情解决了，而领导一级的经销商们提出了问题。这里涉及到公司承诺他们的出国旅游基金和房车基金。欧阳凤和司马欣从县镇来到市里，找到我家要求发给他们这些资金。我帮他们算了一下，每人也不过一万多元。

我说："你们每个人手里都押着我五六万元的产品，就顶你们的旅游基金了，别的基金你们也没有资格享受，其他剩余的产品给我返回来，我要返给公司，和公司算总账。"

他俩答应了，但一去再也没有回头。我打电话催了几次。

欧阳凤说："我手里没有产品了，我不知道产品都哪去了，可能是你们把帐记错了。"

司马欣的态度就更加生硬，她说："你还向我要货，你骗了我们还向我要货！"我放下电话一句话也说不出来了。我气的在屋里转来转去，我真不明白，他们当初是那么对我毕恭毕敬的，想方设法讨好我，这时候竟然这样。我想象不出一旦有一天再遇见我，他们会多么尴尬。我真生气了，我当即告诉他们所在地的我的朋友们分别去了他们家，要回来了一些产品。但我没想到，洗涤用品的瓶里和香水瓶里都被换上了水。

我感到很委屈，我尽心尽力的帮助他们，让他们赚到了好多钱，而当我处在艰难时期他们竟然一改面孔这样的对我。

我一直没有想通，人怎么能够这样！

这下我实在坐不住了。我去了很远的总公司所在地，我要去和总经理算帐，因为这一切都是公司造成的。但我没有见到总经理。公司业务部经理说老总回美国了。当我质问业务部经理为什么欠我们奖金时，他说："总公司根本不欠什么奖金，你们省的分公司已有好几个月没有往总公司返货款了。"

我一下子明白了，原来郑木这家伙在几个月前就有准备了。他没把我们交到分公司的货款返给总公司，他截留了下来，这么多地市几个月的货款可不是一个小数目。这时我想起了郑木违背公司制度，制定的那个制度就是为这一天准备的。因为那个制度明显有甩货的意思，还有半个月返一次货款，还有先扣留经销商奖金……郑木的手法真是很高。难道他不怕这些商务代表对他报复吗？我还想，不管分公司怎么样，但总公司还在，这事总公司应该接手处理善后的。我说："既然这样，我手里还押着分公司几十万的产品，我给总公司发回来，我不多要总公司的钱，只把欠我们体系经销商一个半月的奖金和领导经销商们的那几笔基金发给我们就行，也就是我手里的产品数额的三分之一，你看怎么样？"

业务部经理说："你手里有货算你走运，还有别的代理商来总公司找我们，那些人手里不但没押公司的货，公司还欠他们交给公司的保证金呢，别找了，能把产品卖出去就算你赚了，这些产品根本就不值什么钱，成本价也就是零售价的百分之二十左右……"

我总算彻底的明白了，原来是这样。这一年多来，传销公司都是在无序的经营着，只是从表面上看不出有什么问题。实际上这里布满了陷阱，一不留神就踏了进去，而无人来拯救。我却是那么的忠诚于公司，每到一处我都口口声声说我销售的是优质产品，公司的经营理念如何诚信务实公平守法。而最终自己落得这样下场……我说："这不行，我就是打官司也得把这事跟公司把帐算清楚！"

业务部经理说："富老兄，我是看在咱们关系不错才对你说这些话的，否则我才不管这闲事，我在公司也是个替人打工的，我干活公司发我薪水，和我有什么关系。你打什么官司？老总都回美国了，这些厂房办公楼都是租的，打赢了从哪拿钱还给你，到头来不还是赔偿产品吗。而你手里的产品远远超过了赔偿你的，说不准还得让你返还一些产品，这是其一。其二，你这一年多来的个人所得税还没交，法院再判你补交个人所得税，你亏不亏……"

2002年夏在内蒙古呼伦贝尔大草原。

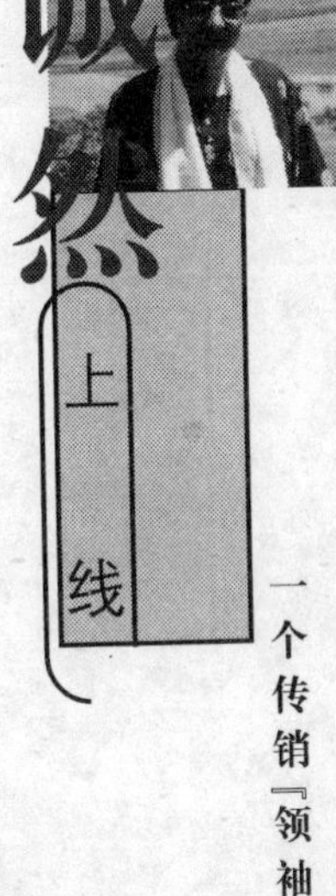

我当即站起来问:“谁欠税,当时公司有明文规定,我们经销商的个人所得税都由公司扣下代缴,而且每个月的工资单上都标明了扣税数额,我补什么税?”

业务部经理说:“要不怎么说你这搞文的想的就是幼稚,关键是公司从没代你们缴过税,而且公司自身还被查出偷税漏税呢,要不公司的产品和设备怎么被查封了呢……”

我再也没有往下说什么,当天返回了省城。在省城我又遇上了各地市来催款的代理商们。我把去总公司的经过告之他们后,他们说这次一定要找到郑木,原来是这小子捣的鬼。

我们又去了郑木的家,他的家已换了住户,他把房子卖掉了。我们又四处打听也没有找到郑木。只是听人说他自己另外买了一户住房,同时花了近百万买了一处店面,在经销其他产品。但没有人知道他具体在什么地方。原来郑木也懂《孙子兵法》,而且真的用了第三十六计。

我们只好各自离开了省城,自己来处理一些善后事宜了。

可我怎么对我的那些下线说呢?我说总公司和分公司是骗子?

那我又是什么?我说公司不是骗子,我也不是骗子,那是谁骗了他们?

在这个时候,我什么都说不清楚了。再说什么都没有用了。我又不能逃走,我还得在这个城市里生活,总不能不给下线们一个交待吧。我狠了狠心,决定和各地的代理人见一面。

我通知各地的代理人来市里开会。但有一半代理人没有来。但会还是开了。我把他们请到一家酒店,把近期来公司发生的事情详细的向他们讲了一遍。他们除了感到公司被取缔有些可惜以外，并没表现出什么。但，我从各地反馈回的情况知道。现在已经没有人再到各地代理人那里购买产品了，而且也没有人再去推销产品了。

我原以为我是个很聪明的人，但现在我却搞不明白了。过去那么多人热衷于这项事业，有那么多的顾客使用这种消费品。为什么一切都停止了呢？

许多天后，我终于想明白了这里的缘由。

当时人们这么狂热的追逐传销公司。首先是因为具有合法性，似乎能成为领导级是一种能力的体现并深感光荣。而今传销被明令禁止了，而我体系里的经销商大都是国家干部，既然被取缔了，再去做就有些像小偷似的弄的见不得人。谁还去做。而那时候的顾客都说产品如何好，这是一种集体无意识。

人们都太愿意随波逐流了，也包括我。

面对着几十万元的产品，我哑然失笑。

我轰轰烈烈的传销生涯就这么沉静而脆弱的收场了。我日思夜想的那顶金灿灿的皇冠最终也没有戴在自己的头上。

24. 绝　　境

说的更准确一点，我的传销生涯还没有结束。

我心里暗想，东方不亮西方亮，没了前方有后方。我还有造氧机呢。

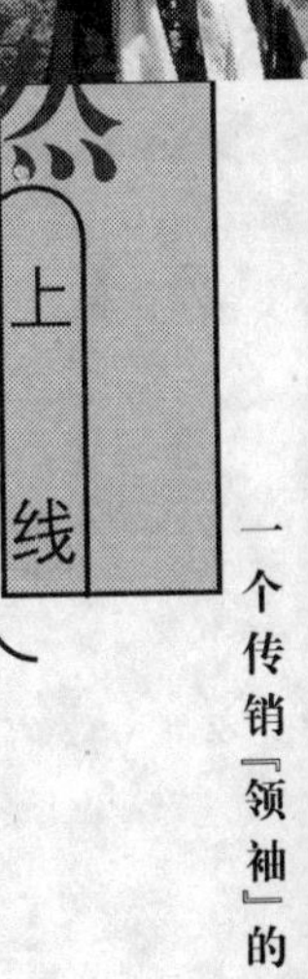

我这回可以把美商东方公司的化妆品先放一放了，反正有产品在，留得青山在，不所没柴烧。人们抹完用完了，还得来买，我那么多下线，就单供应他们用，我这化妆品的销售就不是问题。只不过是时间问题。

我现在可以把心思和精力往造氧机上用一用了。

我开始销售造氧机了。但一开始就出师不利，我找了几个朋友，但他们都不买。说这东西太贵了，用不着。

我就和他们讲，这造氧机如何如何好，氧气对人的生存是多么的重要，这东西如何如何提高生命质量、延年益寿。

他们说，富兄，你是不是糊涂了，咱们市周围有山有森林，这就是天然大氧吧，这森林里造的氧咱们都用不完，还用花一万元钱买这么个东西，咱们这的空气这么新鲜，又没污染，这不是多此一举吗？

我一听，觉得他们说的有些道理，不买就不买吧，你不买，别人还买呢，也不能指这几棵树吊死。

运作了半个月，我才知道，所有的树都吊不死人，这些树根本就不让往上拴绳子。

我正要问那几个和我一起运作的伙伴们运作得怎么样，他们都垂头丧气的到我家来了。见此情景我就鼓励他们。

我说："困难是什么时候都有的，就看你们怎么样面对困难，你们都是高阶层的经销商了，作了这么久的传销，应该知道二八定律的，在十个人中，有八个人是消极的，但还有两个人是积极的……"

他们说："别说找十个人，都找了一百个人了，连一个积极的都没有。"

这五个人当初都不是我做美商东方公司的直接下线，都隔了好几代线，他们当初十分羡慕我那些直接下线们，这回终于有机会做我的下线了，又遇上这种麻烦事。

这时，我也感到了问题的严重性。莫非这种产品真的没有人接受了。难道是产品本身有问题。我当即找来工具。我们几个人在一起将一台造氧机的外壳打开，发现里面真的很简单。是一种机械的动力传动扇叶设备。并没有什么高精的零件。更别说是高科技产品了。

我想，这问题有些严重了。我当着几个合作伙伴的面给冰怡打电话。我对她说，让她找一下销售造氧机公司里的人，把这边的货都退了，她说她前两天去了那家公司，公司都放假休息，过几天上班。我说你多跑几趟，这种产品可能有问题，至少不值一万元。她说，这种产品本来也不是一万元买的，给大家按五千一台，只是销售价按一万元，所以一台赚五千。

又过了几天，我们仍没销售出去。我坐不住了，我亲自去了省城，找到冰怡后，我同她一起去了那家公司。但是，那家公司已经不存在了。那个楼里又换了其他公司的招牌。

我一下子傻了。

我把自己的几十万的全部家当都押在了这上面，还有那几个合作伙伴的钱，共计五十万元，我没有地方退货了。

我对冰怡说："你说怎么办，那几个人整天盯着我让我给他们退货。"

冰怡说："我也有二十万元的货，我怎么办！"

我说："咱们找生产厂家，找到厂家让厂家负责。"

她说："这办法我都想过了，这种产品根本就没有正式生

产厂家,我打听了好多地方才弄明白,这家公司花低价买的电扇厂的积压产品,然后又自己换上的外壳,根本就是私自组装的,上哪去找厂家……”

我没办法了，我和冰怡闹得很不愉快的分手。我回到家里,和那几个合作伙伴说了实情。他们和我闹翻了。要让我包赔损失。

我再三地劝他们,再容我想想办法,同时大家再降价往外销售。就不要卖一万元一台了,七千、八千的就卖吧,哪怕只卖五千,把本钱弄回来就算了。

我们统一了一下价格,决定卖六千元一台。

我首先想到了自己的家人,我让哥哥、弟弟、姐姐、妹妹、还有内弟、大表姐每人买了一台。同时还找了一些十分亲近的朋友让他们买。我说这种产品的销售价是一万元,我六千元卖给你们,你们先自己使用,同时向别人宣传这种产品,你们每卖出一台,我奖励你们一千元。

亲友们买回产品后就开始宣传了。人们听说一万元的产品通过关系可以花六千元买到,果真有一些人来买产品了。

我手里的造氧机销售出了十几台。就在这时,电视和一些新闻媒体开始揭露造氧机的骗局,并且说,这种所谓的造氧机就是台式电风扇,它的实际造价只有一二百元。

这个片子反复的在播,几乎所有的人都看见了。

这下,买造氧机的亲朋好友都找上门来责问。说我太不是东西了，竟然骗到自己亲属头上了，拿几百元的产品卖几千元,加价几十倍,太黑太歹毒了……而且都来退了货。

我整天把自己锁在屋子里,别人敲门我也不开,来电话也不接听。

这天，妻子下班回来，指着我的鼻子大骂："你是个什么东西，你怎么学会骗人了，骗到自家人头上了。你那个什么上线弄得这叫什么造氧机，我看是遭殃机，我说你过去怎么总找借口去找那个什么冰怡，我一直被蒙在鼓里，要不是别人告诉我，我还不知道，你原来和那个不要脸的东西有不正当关系呀，过去我以为你们只是在一起赚钱，没想到早就赚到一起去了，你怎么这么不要脸呢？你还是个人吗……你和她一个人还不够，后来你们搞潜训，搞魔鬼训练，你又和那个总公司的来临，在那个小镇上睡在一个床上，都让经销商看见了。你到底和几个女人发生过男女关系，你口口声声去检查市场，还说去讲课，你原来是到处去搞男女关系，我和你没完，咱们把这事得说清楚……"

面对妻子这一顿急风骤雨般的谩骂，我哭了。我很伤心，我这么拼死拼活的去作，本来是为了她能过得好一些。我也想让自己的妻子过得和别人一样，人家有的，我也让她有，我让她在外人面前风风光光的。我没想到，到头来落得这种结局，在我走投无路的时候，她又杀出来……

我已经泣不成声了。这是我这么多年来第一次痛哭。

妻子不说话了，她呆呆的看着我痛哭。渐渐的，她感觉到了她的话太伤我了。她过去从没见我哭过，由此她开始怀疑别人对她说的那些话可能是太夸张了，她觉得她委屈了我。

她轻轻地推推我说："别哭了，对不起，我说的太重了，我不信她们说的是真的，我只是一时生气控制不住自己，别怪我，我知道你有难处，我也知道你是为了这个家，为了我……"

我和妻子抱在一起痛哭着，我说："我不是人，我对不起你，你骂吧，你别拿我当人……"

妻子说："别说了，我不怪你，那些事是真是假我都不怪你，怨我，我无能，我要是有能力也不用你出去这么犯难……"

痛哭是难受的，痛哭又是畅快的。痛哭过之后，似乎把压抑在心里的一切都释放出去了。

但是，更为麻烦的事情来临了。那几个合作伙伴们已经不是以前的面目出现了。他们一口咬定这件事是我和冰怡策化好之后来欺骗他们的。他们说，明明知道传销就要被取缔了，还拉他们作，而且说我在购买产品时，我都没有亲自到厂家、到公司去考察一下，这不是我的风格。我是一个非常有经验的传销商，根本不可能犯这么低级的错误。结论只有一个，那就是我和冰怡合谋来诱骗他们上钩，而事情出现后，还不积极追回货款。他们还说，我阻止他们去找冰怡，最后让冰怡也跑掉了，连冰怡都找不到了，还说我准知道冰怡躲藏在什么地方，他们要报案通过公安局，要追捕我和冰怡，说这是一种合谋诈骗……

没过几天，当地的公安局果然传讯了我。还查抄了我的那些造氧机。经过侦察，搞清了事实真象。我也是个受害者，而且我遭受的经济损失是那几个合伙伴加在一起的总和。

我被释放出来，公安部门要求我随时听从他们的传唤，而且要全力协助他们来侦破这起诈骗案。

这一下，我再一次成了新闻人物，我被说成被逮捕，被判刑了，还说我花了几百万买通什么人才保外就医……

这样一来，使所有同我一起搞过传销的人都无颜面见人了。人们不知道我是因为传造氧机出的问题,都以为我是因为传化妆品被抓起来了。这样一来,就被认为所有当初和我作传销的人都是坏人了,都是大骗子了。我使他们都无法面对别人。由此,我所有的下线都开始憎恨我。

我不知道自己该怎么办了。

我开始变得沉默寡言了,我还能说什么,我去对谁说?

我可以说,这次参加传销是我有生以来过得最辉煌的时期,也是这个传销对我打击最沉重的一次。我一直以为我是一个无比坚强的人,在几十年的生活中经历了那么多的艰难困苦我都挺过来了。面对现在这样的大起大落我却承受不住了。我从一个受万人敬仰的"传销领袖"变成了一个"骗子",从一个腰缠万贯的富人现在除了拥有一堆产品外又回到了从前的样子。甚至还不如从前,从前只是欠银行一些贷款。而现在欠的要比那时候多得多,下线们不停的打电话或追到家里要退回那些造氧机,而且都扬言要到法院起诉我,要把我的楼房和家里的家具电器顶帐,我四处躲藏着,企盼着能有个什么转机,我盼望着冰怡和经销造氧机的公司能达成退货,但冰怡那边一直也没有消息。生活就这样的和我开了一个玩笑,让我从起点出发,转了一圈之后又回到了起点……

我已经不再讲究什么仪表了,我讲究又给谁看呢。我一头扎进酒店里,坐在那一瓶瓶的喝着那种极普通的啤酒,喝得全身晃动着,走进洗头房里去洗头,去泡脚。在洗头泡脚的时候给洗头小姐鉴定皮肤是干性的还是油性的,然后就顺便推荐哪一种化妆品。我这都是无意的,是无聊是宣泄。然而这些洗头小姐却缠着要买这些洗发液和化妆品,我回到家把这些东

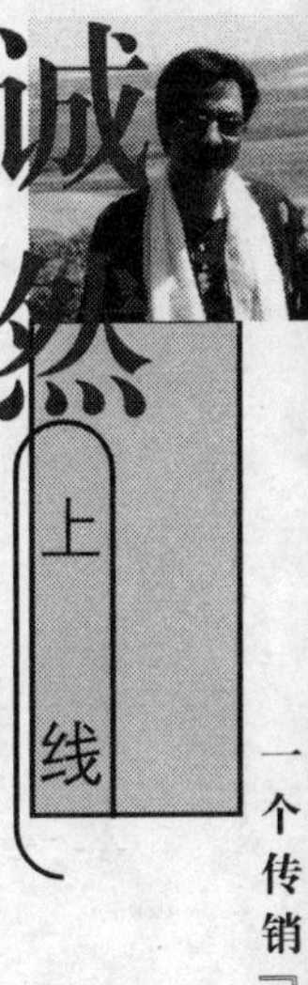

西送去，很便宜的卖掉之后，我又钻进了歌舞厅，我过去从未主动的去过歌舞厅，更不要什么坐台小姐，我觉得那种地方太下溅，泡小姐更有失身份。而这时候我还高贵吗？我还有身份吗？我满身的酒气冲着一帮小姐挑选，我先选胖的，然后再找个瘦的，然后很放荡的和她们做爱，做完爱还是和她们侃美容，侃化妆品。我又把这些东西推销给她们，然后再把这些钱就地花掉。许多日子，我就这样不停的循环着。我想不通所发生的这些事情，我很清楚的知道我得了忧郁症，我几乎不同任何人说话，我觉得所有的人都在我的背后说三道四，我的心理、我的精神出现了障碍。我寻求各种方式来解决这些问题，到处寻欢做乐，只要能让我高兴的事情，我就会不惜一切的去做。而且我总想找点借口和人吵一架，我只想和所有说传销不好的人辩论。我认为说传销不好的人是因为没做过传销，没做过就自然不懂，既然不懂就没资格说三道四。我对一味说传销好得无懈可击的人也不服气，传销难道就尽善尽美吗？传销好怎么被取缔了。我倒觉得，好与不好要看什么传销公司，什么经营理念，人怎么做。所以我对那些不了解传销，没亲自做过传销的人来谈传销我很生气。我甚至想，这种人都是平庸无能之辈，都是马后炮。做传销能够成功，这是一种能力的体现。现在国家把传销取缔了你说这些，当时允许时你怎么没敢去做，为什么做不成呢？

人的嘴脸变化太快。当初有那么多人，好言好语的夸奖我，说我如何有能力，说我如何解救了一些经济上有困难的人，还说我是什么儒商……现在说起话来就很难听了。言外之意就是说我是个骗子，还说我那些钱都不是好道来的，你们有本事怎么不去挣一大笔钱来呢？而说这些风凉话的人又都是了解我当初是怎么运作的所谓的朋友。

在我身边又有人议论我了，忽然有一天，我在办公楼里又遇见了那个漂亮女人，她远远的从对面走过来，我马上有了一种冲动，现在我见到女人很容易产生那种冲动了。尤其是对于已经轻车熟路的女人，我看着她走路的姿势，就想到了我和她在办公室的桌子上，我按住她的那种情景，我好像听到了她发出的呻吟声，她走得离我越近，我这种感觉愈强烈，这时候我极想和她做爱，但当她走到我身边时，她却把头扭到另一边像什么也没看见似的从我身边过去了。我愣了一下，我想喊住她，但我克制住了自己，我什么也没说的走回了办公室。对此，我十分不解，这个女人自我认识就一直用十分崇拜的面目在我面前出现的。我那时不管做了什么事情，哪怕是很荒唐的事情，她知道后都会称赞不已。也许她还在吃冰怡的醋，也许是因为我在相当长一段时间内没有在意过她，或者是没有欣赏过她，所以她才反戈一击的。

就在我的脚刚刚要迈进一间办公室的时候，我听见里面有人说："这还错得了，他骗了好多人的钱呢，还让公安局给抓起来过，是漂亮女人亲口对我说的，她还说其实他根本就不会写什么小说，还到处吹牛，说自己是青年作家……"

我推门进去，人们又不说话了，都趴在桌子上翻看报纸或拿笔随便在信纸上写着什么。我开始讨厌我身边的这些人了，我不愿意再见到他们了。我要离开这里。这些气人有，笑人无的小人。

我去哪里呢，去找冰怡，我不知道她现在在哪里？

不然我去找来临吧，我相信她会留下我，可我有自己的家,还有孩子,我不愿去过人下人的日子。

我也许可以去找小妖,我去干什么呢,公司不存在了,上下线还存在吗？而且在省城里会让我看到和想到很多往日的情景,我不想再想起那些事情,我只想把这些统统忘记……我想着这些事，想着漂亮女人对我前后不一的态度和对别人说的话,我不知道她为什么要这样。她对我这样是因为她曾经投入过我的怀抱,而且又由于我身边有太多太多的女人,而我从未重视过她。准是这个原因。在我辉煌的那些日子里,她除了献媚还能做什么,因为所有的人都在向我献媚。今天我落得这步田地,她不憎恨我又去憎恨谁呢,而且女人恨男人重要一个原因是曾与这个男人发生过什么亲密的关系,于是爱有多少,恨有多少。我下决心以后再也不热爱其他女人了,都保持一定距离,我看她们怎么恨我。她所说的其他方面我都可以不去理会,而她却贬损我的作品。那时候我每发表一篇作品,哪怕很短的她都说写的那么好，甚至大段大段的抄在日记本上反复地读。

第七章

25. 逃避

我想，我不应该计较她说了什么，或许我的作品真的没有写到顶点。想到这，我马上在脑子里闪过一个念头，我去外地读书。我这样可以到外面躲一躲，我不想再见到任何熟悉我的人了。这里还隐藏着另外一种危机。就是我找的那五个和我做造氧机的下线。他们拿出来二十五万交给我，让我进货，弄成这种结果，他们扬言要把我告到法院去，要执行我家的财产来偿还他们的货款。我家的主要财产是那户楼房。这户楼得来的太不容易了，我绝不能失去。我想出了一个办法，我要和我妻子办理假离婚，理由让她说是我在外面有外遇，我把房子、家财还有孩子都归妻子，我清身出户……

办完了离婚手续，我就开始想，我去学什么呢？我原本是搞文学创作的，对，我去读作家班，等我读完了作家班，再写出一些好作品，我送给她读，看她对我这个曾经的上线怎么说。

我真的在北京的一所大学联系好了去参加一个学期半年的作家班。我去了那所大学。在那所大学里,我心里才平静下来。我周围只有老师和同学,再没有让我不愉快的事了。我已经到了另一个天地。谁也不认识谁,什么都从头开始,我除了听课看书之外,什么也不做。也不和别人交流。这种生活持续了一段时间。大家相互越来越熟了,就有人问我的个人情况,我总是含混的应付一下。我说我是一个没有固定工作的人,平时到处打工过活,来读作家班是想学一学写作。那样容易找到工作。

在作家班,我不和任何人谈自己的经历,尤其是传销这段经历。我怕有人找上门来催债。

几天过后,有一个女同学敲开了我宿舍的门,并坐在我的铺上,开口就说:“你这么大个人物怎么总是沉默寡言的,你当初非常风光吧?”

我很害怕,难道真的有人找到了作家班来找我。但我还是装作不在乎。我说:“你在说我吗,你可能认错人了,听你的口音像南方人,而我是北方人,你不可能知道我什么。”

她说:“你可能不认识我,但我绝对知道你,你去年是不是去新马泰旅游了?”我愣了一下没有回答她。

她接着说:“你的照片是不是在一家企业的杂志上登过?你桌子上的化妆品是不是美商东方精细化工有限公司生产的?”

我知道,这个女同学认对了,但我奇怪她是怎么看到那本杂志的。

正在我感到奇怪的时候,她又说:“别瞒了,这又不是什么

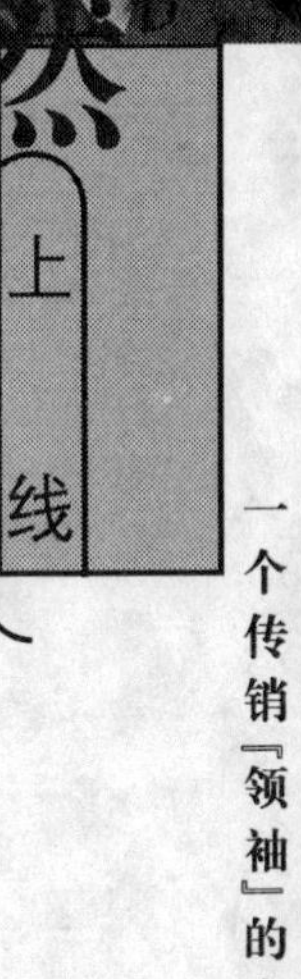

坏事，当初那么多人做传销，有几个像你做的那么成功的。实话告诉你吧，我也是一名东方公司的经销商。我在公司杂志上看到了你的照片还有介绍你成功的文章，因为说你是作家，我才特别留意的，还有后来你们出国旅游人员的合影，没想到在这见到真人了，前几天看见你我还怀疑自己认错人了，一看你使用的产品就知道，又看了杂志的照片确定准是你，看看是不是这本杂志，是九六年创刊号。"

我见她拿着的杂志果然是那本，这是美商东方公司办的企业杂志。起初是打印的，后来也就是登我照片和文章时才彩印创刊。

我听了她的话，开始紧张起来。这个世界太小了，信息又太快了。在这都能遇上知道我的人。人要想把自己隐藏起来太难了。除非自己是平庸得不能再庸的人。那样容易被芸芸众生所淹没。她见我没什么表情，就更加来了精神。

她又说："我念一念你写的感言，我总在想，我没有理由不去全身心地投入东方事业。这是对我个人能力的检验，也是为了回报使我迈进东方大门的上线。我的上线叫冰怡，是我在文学院青年作家班时的同学。是她把东方事业展现在我的面前，使我最终走进了东方。加盟签约时，她无不感慨地说：我可能毁了一个很有希望的作家，但我肯定你会是一个成功的传销商。许多年来，我一直是个活得很'精神'的人，是东方公司把我这个几乎不食人间烟火的人变得能够面对现实而且乐观。其实，传销不会毁灭一个真正的作家，就像任何事物都不能改变人的信念一样。如果说我加盟了传销有什么改变的话，那只能是丰富了我的生活，拓宽了我的创作天地。如果说，文学是把现实变成梦想，那么传销可使梦想成真。我加盟后，只用了一个多月的时间就成为了 LD 领导经销商……”

我说：“别念了，这有什么意思？”

女同学说：“隐瞒自己的过去更没意思……”

女同学一番话，引来同宿舍其他同学的好奇。他们一直看我默不作声，也不愿意和他们交流。而他们之间总是在一起谈自己的工作、家庭，还有都在什么刊物上发表过什么作品，总之谈的都是过五关斩六将的事情。而我什么也不谈，既不谈过五关斩六将，也不谈捡过西瓜皮的事。像个潜伏下来的特务似的神神秘秘的，经这个女同学一说，他们一下子对我那种奇怪的表现找到了答案。他们像发现了什么天大的秘密。也许在他们的眼里，那些事情再神奇不过了。但对于这个主动找上门来的女同学，我暗暗提醒自己，千万要和她保持一定距离，再不能和女人发生那种关系了，我有些害怕女人了，发生关系的时候俩人都挺好的，时间久了，事情就来了，不是说不愿理她，就是说我又别的女人了。总之，怎么做都不好，由爱生恨，要不然以后她也会恨我的。不过这真是怪事，我怎么就这么不幸，怎么爱招女人呢，可烦死我了。

从这天起，同宿舍的几个男同学就想方设法地打听我个人的情况，加之这个女同学不时的过来谈传销，谈东方公司。起初我闭口不谈的，我不想让任何人知道我的身份，更不让他们知道我过去的一切，我只想平平静静的学点东西，过的越普通越平凡越好。但在他们再三的追问下，我只是很轻描淡写地说了我做传销是做着玩，做的很一般，公司奖励我出国旅游是我和总经理私交不错，反正让谁去都是去，我属于借光去的。

因为我把这事业说的挺枯燥，他们也就不再追问了。又平静了几天，我想这下好了，再也没有人打扰我了。

就在我想这些的当天晚上，同班的一个同学给我捎回来一个邮件。我一看是家里寄来的，一个纸包，里面是一本书。我把包打开，见是我的长篇小说，当时我禁不住的说了声，书做的挺好，好不容易出版了。同宿舍的人见是一本书又都围过来看。

正在这时，那个女同学又来敲门了。她是来邀我们参加周末舞会的。都是学生自己搞的，在食堂里大家跳舞。我说我不会跳舞，你们去吧，我看会儿书，女同学见到书，一把抢过去，看着书的封面嘴上还说着："《寻找自己》，这是谁写的，啊！富成著，原来是你老兄写的，不行，先让我看看。"说着就拿着书跑出宿舍。

我想，这吓坏了，我的前半生都写到书里了，这回让她知道个底朝上。

果然，随后的几天，不断有女同学来找我要书，还说要是舍不得赠送就花钱买。我没有办法了，就悄悄的从皮包里掏出手机，溜出宿舍在走廊里给妻子打电话，问了一些家里的情况，并让妻子寄二十本书过来。正在我和妻子通话的时候，又被一个出来上厕所的同学发现了，他没有上厕所而是又返回了宿舍，把我有手机的消息告诉了我同宿舍的另外几个人。当我回到宿舍时，他们一齐走近我说："你这个大款怎么还隐瞒呢，晚上请我们几个吃夜宵，有手机还上外边打电话，是不是怕我们用呀！"

我无法申辩，那时候，手机不像现在这么普遍。那时候手

机比较贵，入网都得花一大笔钱。所以一般的人都消费不起。不像现在，几乎所有的人都在用手机，各家通讯公司相互竞争着，给手机用户优惠条件，弄得一些见利就上的人频频换号，好一派全民使用手机的风光。同学们既然都这么说了，我也没别有的办法，我又不能和他们解释这样做的原由，我就说："你们谁用都可以，我不是那个意思。"这几个同学马上抢过去，分别和他们家里通了电话。我心里有一种说不出来的感觉，我越想把自己隐藏起来，就越是暴露，我索性把手机打开，爱谁打谁打吧。

手机一开，电话就一个个的打过来了。先是来临，接着是女收发员，连小妖也凑热闹似的来了电话。她们都知道了我的下落，更让我不安的是，来临住的那个城市离北京很近，她说这两天就来看我。

这个女同学看完了我的书，笑眯眯的又来到了我的宿舍，她很直接的对我说："富同学，你坦白交待，你原来工农商学兵都经历过，怪不得你城府那么深呢，说说你的过去，也给我们提供一些创作素材。"

我说："你这人怎么这么爱知道别人的隐私，我有什么好说的。"

她说："怎么没有，比如你和某个女人的事情，那个叫什么冰怡的上线，你们是什么关系？"

我就开始后悔让他们发现了我写的书，我更后悔的是在书中写了我和好几个女人的事。当作家真是挺难的，尤其是在写什么的问题上，真是难选择。要是不写男人和女人之间发生的事情吧，引不起读者的阅读兴趣，要是写的不像吧，读者又会认为是作家坐在家里瞎编出来的，写就写得很像真实生活。我写什么都会让人觉得真实，而我又喜欢用第一人称“我”来写东西。几乎所有读过我作品的人，都认为我就是在写自己经历的事情，他们也不想一想，我上哪去弄那么多女人来和我发生两性关系呀，有时候我倒是想那么做，可上哪去找呀。

我说：“你可别胡乱猜想，我这么老实，哪有什么女人，别开玩笑，冰怡只是我的同学，和同学能滥有关系吗。”

一个男生马上说：“他有，我听他的几个电话全是女人打来的。”

看来，他们是认准我会和女人有好多故事了，就连女人给我打电话都成了他们的证据了，那位外国哲学家说的真对，他人既是地狱。这我还没和他们交流什么呢，我要是真的坦白的告诉他们一些什么，他们就得上学校广播室给我去广播去。我难道长的真像那种人吗？怎么都这么看我，看来我硬顶着是不行了，我得跟他们要点谋略，顺着他们的意思来，把他们引到死胡同里去，我还玩不过你们。

我说：“既然你们这么爱听故事，那你们请我吃夜宵，我就豁出去了，我给你们讲讲。”

他们说：“一言为定。”

我先前以为我让他们请客，这么一叫板就把他们叫住了，也就算了。这些同学都是文学痴迷者，所以都很清贫，不然怎么看见手机都大惊小怪的。可他们没被叫住，尤其那个女同学，她说：“这顿我请，下次你们再换班请，怎么样？”他们都表示同意。我只好硬着头皮随他们到了校园里的小吃部。

坐下来我就说我得喝啤酒，不喝啤酒不会讲。他们答应

2002年冬天在加格达奇北山公园尽享冰雪寒冷。

了。我知道自己，喝了酒就犯困，一犯困就回宿舍睡觉就躲过去了。我一口气喝下了一大杯啤酒。自从到学校，我是第一次喝酒，因为我原本想艰苦朴素的生活一回。这回一连喝了几杯，不但没有困意，而且更加来了精神。他们用眼睛盯着我喝了几杯酒，然后表情有些异样。那意思说，你这关子卖的差不多了吧，该亮货了吧。那个女同学说的更直接，她说："你还有什么要求，需不需要我亲你一下你才说话。"

我想这回麻烦了，又遇上了一个胆子大不要命的女人。凭我的经验，要是让这种女人缠上，是很难挣脱的。再坚强的男人也经不住她这么软磨硬泡的，这种女人敢说敢做。再者说，都离家在外，又都是结了婚的人，还在乎什么，就是真和异生发生了关系，就只当过夫妻生活了。况且都是搞文的，也都想亲身体验一些生活，又什么都懂。起先我以为只有北方的女人

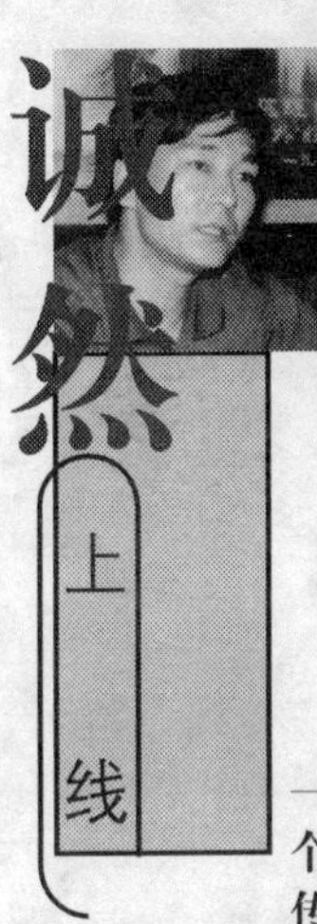

泼辣，而南方的女人含蓄一些，谁知南方也有北方型的女人，我有意借着问她事把话题引开。

我说："不用，不用，你家是哪里的？怎么这么泼辣，一个女孩子这样可容易吃亏呀，怎么一点都不会保护自己呀，"

她笑了，然后怪声怪气的说："你还没看出来？我是湖南辣妹子，当然辣了，我才不怕吃什么亏，还说不上谁吃亏呢，你自己保护好自己就行了，别转移斗争大方向，赶快交待你的隐私。"

我说："你们这是什么事呀，逼着人交待隐私，这也太不像话了，咱们那么多人你们怎么偏逼我呀，再说了，我真没什么好说的，平平淡淡活这几十年，一点出息都没有，都进了不惑之年了，还来上学，传出去都让人笑话，我又没什么可骄傲的事情，真没什么好说的，再说我这几大杯啤酒喝下去之后，头有点晕，这回就饶了我吧，我这么大岁数了，背井离乡的和你们一帮小青年一起学习，我容易吗？"

他们听我这么一说，有些失望的看了看辣妹子。

辣妹子说："你们看我干什么？我今天白请客了，明晚让富同学请。"

我说："好，好，明晚我请。"

事情往往就是这样，越怕的事情就越是发生，我好不容易让他们打消了追问我和女人的故事，一件和这种故事密切相关的事情，马上就发生了。宵夜的第二天上午，还风平浪静的，大家都照常在教室里听课，为了不使他们再提及此事，我有意找了一个边上的座位，老老实实的听课。

就在我们吃夜宵的第二天下午，我正在教室里听课。这是一个大课堂，来听课的除了我们作家班的同学，还有好多中文系的学生也来听课，就像上大课一样，教室的门开着，谁愿来就来，谁愿走就走。

我一抬头，见来临出现在了教室的门口。她可能也知道大学里的规矩，就径直走进来，四周看了看，见到了我，于是坐在了我身边。

我伸出手和她握了一下，小声问她："你怎么真来了，一下子就能找到我。"

她笑笑说："我是谁呀，你走到哪里我都能找到你。"

我说："那咱们出去吧。"

她说："别，不能影响你的读书学习，我也顺便受受教育，长长知识，说不准什么时候我也跟你学着写小说，我当个女作家。"来临说话的声音本来就大，周围一些同学都回头看。

我说："小点声，注意课堂纪律。"

她没说话，随手从包里掏出一盒烟，我用手势制止了她。她朝我做了一个鬼脸，然后就把脸侧着贴在桌子上，面对我看着。

来临的这种举动，立刻引来好些同学的目光。她的出现本来就让大家都看见了，她现在又把脸侧向我趴在桌子上，谁都能看出这种亲密关系。而且来临的年岁又比我小一些。没法让别人相信这是我妻子来看我了。

我小声说："你能不能别这么深情的望着我，这是校园，你以为是伊甸园呢。"

她说："不，我就愿意这么看你，你怎么着吧。"

我说："咱们出去吧，你可别在这出洋相了，你还想不想让

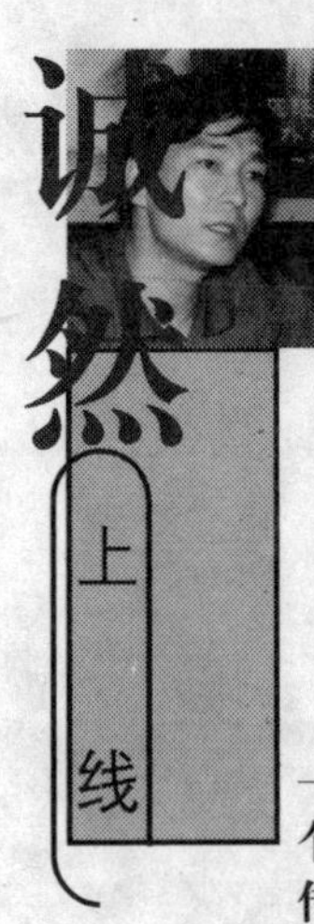

别人听课了。”

我和来临一同走出了教室。我在向外走的时候，能感觉到有好些目光从我背后穿透过来，我的脸有些热。回到宿舍，我把门锁死，然后和她做了那事。和她在床上做那种事的时候，我没有克制自己，弄得床发出很大声响，我没在乎是因为同学们都去听课了，我也不怕别人听见。没多大一会儿，有人狠命的敲门，并大声说：“在楼上住照顾点我们楼下，还让不让人写论文了，咣当咣当的砸什么东西呢……”

我没敢开门，也没出声。等人走后，我和来临忍不住的笑。我说，我咣当咣当的砸人呢。

做完了事，我顿时觉得很累，我说你坐着，我休息一会。

等同学们下课回来，我已经趟在床上睡着了。来临推了推我，我醒过来见那几个同学正冲着我笑。我把来临分别介绍给他们。正在这时，辣妹子火火的推门进来了。进门后一直用眼睛盯着来临看。我又把她俩介绍了一遍，辣妹子说：“原来你们是朋友啊，我还以为是你的夫人呢，你的朋友长的真漂亮！”

我马上说：“我请你们吃饭，我昨天答应过你们，咱们去教工食堂吃。”

来临说：“不，我请客，你现在是个穷学生，我来请而且找一个好酒店，不然就委屈了我们的传销领袖了。”

辣妹子说：“这样不方便吧，你们应该单独在一起，我们就不参加了。”

来临说：“没关系，我们在一起的时间多了，想见面我随时就能来。”

我们在校园外找了一家很豪华的餐厅，坐下来。来临亲自点了一桌好菜。什么口味虾、清蒸蟹，还有清炖鲫鱼什么的。来临问："这几样菜你老人家还满意吗，都是你爱吃的。"

我说："谢谢，这段时间我都快成和尚了，你今天算是让我开了荤了。"

来临听后咯咯的笑了，我知道她笑的意思，有同学在场我也没敢说什么。

来临又说："传销领袖都开始过苦日子了，这也不符合你一贯奢侈的风格呀！"

我说："时过境迁，不提了，人不都说三穷三富过到老吗？我这刚过二穷，以后还得再穷一回才能到老呢，我也不知道那三穷是在什么时候，千万别等到我老了的时候再穷，要穷就早点穷，最好是和这回一起穷了就算了……"

同学们听过后就笑。我说："都别愣着了，快吃吧。"

我们吃起来。在吃饭前我悄声对来临说别提我过去的事情，我不愿让他们知道。可能是来临听了我的话，吃饭时再没说什么。这种场合大家都觉得放不开，所以很快就结束了这顿饭。

同学们都知趣的回去了。

来临问我："你希望我在这住几天吗？"

我说："别了，我刚刚到这里时间很短，我不能陪你去住，要不你先回去，过两天你再来，不然我不回宿舍住，他们都会知道的。"

来临说："你这个人死要面子，你管他别人怎么看怎么说干嘛，你就不能为自己活着……好吧，听你的，晚车我就回去，正好公司明天还有事。"

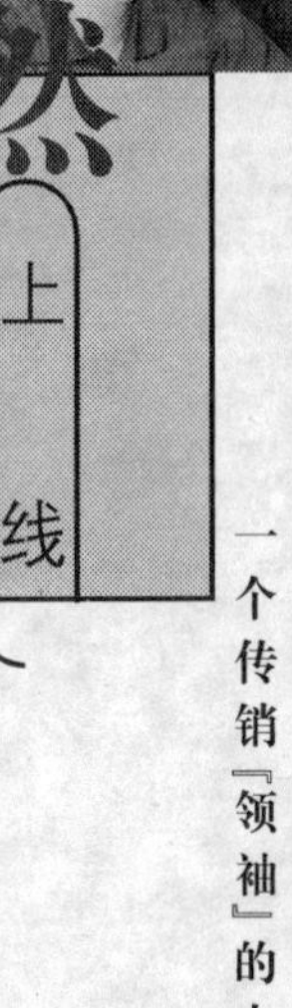

来临没让我送，她自己走了。她临走的时候从包里掏出一叠钱塞给我。我说："别这样，我这人最怕欠别人情。"

来临说："我又不是别人，拿着吧，别太苦自己。"

我说："好吧，就算我借你的，等我第二次富的时候再还你。"

她说："你最好在第三次富的时候再还我一次……"

说完话我们就分手了。我没有马上回到宿舍，现在就连我的宿舍都成了我不愿意回的地方了。我原本是想在一个什么地方躲藏自己的，却偏偏又从这里发生出这么多追问我生平的人。我一个人在较园里转悠着，看着一群一群的年轻学生，不免有些感慨。自己年轻的时候，没能赶上像他们这样的好运气。也没进过正规大学的校门。现在，这只能算是培训或者是进修，都一大把年纪了，还来扯这些。

后来，我还是回来了。

我回到宿舍，我那几个男同学还有辣妹子都在宿舍里坐着，见我进来，就往我身后看。

我说："看什么，我那朋友回去了。"

辣妹子说："这可是你的不对了，人家专程来看你，怎么没住几天就把人打发走了呢。"

我说："她们公司还有事，再说她也没什么事，只是看看我。"

辣妹子说："昨天晚上让你交待你不交待，跟我们蒙混过关，那个冰怡你还没交待，又杀出来一个来临，这回人赃俱在，你还有什么说的，我这眼睛可毒，虽然你沉默寡言的，我一下子就能看穿你。"

我说:“辣妹子同学,你不吹牛口渴啊还是肚子饿呀,把你神的，你还能看穿我，我看了我自己几十年了，我还没看穿呢。”

一个男同学敲边鼓说:“老富,你都这么大年纪了,连辣妹子这点心思还不懂？她看上你了！”

辣妹子听了后，立即转身朝那个说话的男同学的背上敲了一下说:“你胡说什么,你想吓死老富哇。”

我说:“笑话,什么女人我没见过,和我亲密过的女人比你们见过的都多,我会怕？我就不知道什么叫害怕,我只是觉得太累才躲到这来，你们不是想听吗，是听床上的还是听床下的,是听故事梗概还是听细节描写,我要是讲出来黄死你们,所以我不讲了，我怕毒害你们青少年，我要睡觉了，今天真累。”

他们一同发出了笑声,我真的躺在床上睡着了。

这一夜我睡得很沉,直到早晨有人推我,我才醒过来,我睁开眼睛见有人把饭已经帮我买回来了，是对床的同学给买的。

我吃了饭,来到教室,老师还没有来,同学们都冲我笑。他们在下边私语着什么,还不时的朝我这边看。

我知道,这下我又成了被议论的中心人物了。我想逃离人们的视线,课余时间我总是离开校园,自己一个人到一些清静的地方坐着或是散步。就在我百无聊赖的时候,又想起了我的那个文友。

我坐车去了那所文学院,到那里一打听才知道,他早已毕业了。听文学院的老师说,他还经常会去文学院看一看老师。

我说,我就去他的工作单位去找他。那位老师说,他已辞去了工作,在一个很偏远的市郊写畅销书。究竟在那个村子里说不清楚,只知道那个村子离一个帝王的陵墓很近。我告别那个老师,就去找我的文友了。

我是凭着自己的一种感觉才选定了一个帝王陵墓的,我也说不出是什么原因,有那么多相似的地方我却偏偏选择了那个地方。我暗暗在心里对自己说,如果我选的那个地方不对,就说明我和他没有这份缘分,我再也不去找他了。如果碰巧选对了,那是该到了我们弟兄俩相见的时候了。这是上天的安排,天意是不可违的。

我在去那个帝王陵墓的途中,想着文友靠近陵墓写作很有意思。文人写作为什么要远离繁华的都市而去偏远的地方,也许是想借一点古人的灵气。或许是在那种环境中人可以变得沉静一些,用一种出世的目光审视世间人的生存

2001年在《北极光》杂志社与编辑神侃。

状态。

我觉得这样很好，假如有一天我也可能去找这样一个地方，静下心来，写点什么。真是极好的。但我不会选择这样的地方，我要找一个依山傍水又没有人烟的地方。最好是找一个古人居住过的洞穴，比如嘎仙洞，在洞里站在古人的角度，用古人的眼光审视这个十分繁乱的世界和生活着的人的生存状态。那时候，我可能会茅塞顿开，佳作连篇，最终从洞穴走上文坛。但我搞不明白，他为什么要写畅销书。畅销书大多数都是一些纪实性的东西，什么谋杀，什么色情暴力之类。写这类东西会被圈子里的人瞧不起的。但可以畅销。仔细想一想也没什么，写书不就是让大家读的吗?没人读的东西写出来还有什么用。可能文友这么做有他的道理。何况人首先要考虑生存。

就在我想这些事情的时候，我已来到那个帝王陵墓附近。我怀着一种无所谓的心情在这周围的村子里打听我这位文友。很巧的是，我找到了他。

在我出现在他面前时，他着实吃了一惊，开口说的第一句话是："你怎么找到我的？"

我笑笑说："现在还有什么可以找不到的吗？连我都被人发现了，别说是你了。"

他笑了，却令我吃了一惊。他的牙齿已经变得又黑又黄了，准是又吸烟又不刷牙造成的。他的头发很长，而且像乱草一样，胡子也很长。

我说："老兄，你是不是想再回归成野人也走进洞穴吧？"

他不好意思地说："人的仪表和面容都是让别人看的，我整天关在屋子里，也不见人，还修饰什么，再说，出版商催的又

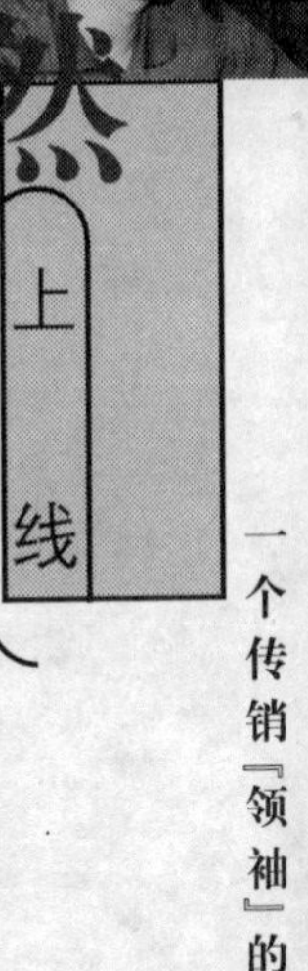

紧，只顾写东西就顾不了那么多了，你这次来干什么，还在做传销吗？”

听他这么说我有些不高兴了。好像我这一生就是为传销才活着似的。什么意思吗？难道我除此之外就不会做别的了。难道他忘了，我是个地地道道的文化人。或者说我是个很有希望的作家。我这种作家连畅销书都不稀得写。我是搞精英文学的，不管能不能吃上饭，我都追求那种很精英的东西。但是，我又不能向他表示出我生气了，他是我的小弟弟，我怎么能生他的气呢，他这话也没什么恶意，只是上次见到我，我在搞传销，所以他才这么问的。如果他上次见到我时，我是在倒卖狗，那他见到我的第一句话肯定会问，你还在卖狗吗？我平和了一下。

我说：“早就不让做了，我这回读一个作家班，过几年要是不出来接受点新东西就落伍了。”

他说：“不错，我以为你再也不会写东西了，光顾了赚钱。”

我说：“那都是没办法的事，其实我最向往的还是你现在这种生活，远离尘世，冷静的思考一些事情，过的沉静一些，比什么都好。”

他给我泡了一碗茶，递给我一支烟。我边抽着烟，边环视着他住的屋子。一张床，一个写字桌，一堆书和稿子。

我问他：“你来了多久了？”

他说：“有半年了吧！”

我又问：“书写得怎么样啦？”

他说：“快完稿了。”

我问：“写什么内容的？”

他一摇头说:“新奇的,热闹,好看。”

我知道他不愿谈他的书稿,就再没问下去。就是不问,我也知道他在写什么。有的时候,人在江湖是身不由己的。现在不是写方市场,而是出版方的市场。不是你喜欢写什么就写什么,而是要看出版社想要什么,读者想要什么。出版社里的人也得吃饭,也得考虑出版效益。就这种逼人的形势,谁也没有办法。我没有问他,是怕他感到尴尬。过一会儿他像是想起了什么,很歉意的说:“那件事没帮你办好,那个讲师到文学院去了,我约了些同学想听她讲讲,可她说有些话挺难让人接受的,同学们有些不愿意听,事情就没做成。”

我说:“没关系,人追求的东西不一样,所以看问题的角度自然不同,我能想象出,她当时表现的可能太商业化了。她前些日子还到作家班去看我,她请客的时候还说,你们都是穷学生,我请你们,有的同学就不愿意听这种话。她那人说话很直白,心地挺好的。她可能没有多想就随便说了。我知道其中的原因。因为不同的人对于贫穷和富有,有着不同的理解……”

他说:“真让你猜对了。”

我说:“我能猜不到吗,怎么说我也属于文人之列的。”

他说:“你能理解就行了,不然我总觉得对不起你。这样吧,我陪你去帝王陵转转,这么大老远来一回也不能白来。”

我说:“我去看过,就不去了,你继续写吧,我还返回学校,等你完稿之后,有时间了咱俩再到各处转转。”

他坚持让我留下来,我还是走了,因为我知道人在搞创作的时候,最不希望有人来打扰,有的思路刚一想好,别人一句话就可能一下子给打断了。再也想不起来了。所以写东西的人最烦别人打扰。我就是这样，当我正想写东西的时候，不管是谁来我都不高兴。即使是个天仙似的女人来到身边我都烦。我怎么会有这等闲心想别的。要是有闲心的话，那就什么东西也写不出来了，整天和女人在一起闲心玩吧。我说我马上走，还有事情呢，我离开了那个帝王陵墓边上的小村子，回到了学校。

这时家里寄的书到了。我把书分给同宿舍的每人一本，还给了几个老师请他们指正。

有一个老师，是个先锋派作家，他真的指正我的书了。

有一天晚饭后，他通知大家到教室去，说开一个作品研讨会。等研讨会一开我才知道是研讨我的《寻找自己》。

我很紧张。因为我一点心理准备都没有。研讨这种事情也是很让人难受的。就像是一群人看着自己剥光的身子，在那探讨着各个部位的好坏。现在我只能光着身子等他们评判了。老师说："有些同学也可能读了富成的《寻找自己》，过一会大家可以就这个文本进行研讨。我先说一下自己的看法。我之所以决定研讨这本书是因为这本书彻底打破了自传体小说的传统常规写作方法。通常的自传体小说从名字上看大都是我的路，我的前半生，我过去的日子，我的什么什么，是一种回忆性的记叙自身生活的东西，而富成的《寻找自己》就这个选题很别致，而且叙述内容和寻找的东西更特别。他从记事写起，上小学、中学、高中，下乡、当兵、当工人、当干部这些生活，但他所要追问的绝不是表面这些生活，看过他的书你们就会发现一些很独到的东西。比如写童年和下乡那两章，他没有仅就再现那些生活，而是提出了对自己的寻找。生活在那个年代的童

年，根本没有真正的童年，生活在上山下乡时的青年也不是他真正青年，他们根本没有自我，找不到自我，或者说迷失了自我。这些年他都没有为自己活着，为父母，为老师，为生产队，为部队首长，为公司经理，为单位领导。总是以他们的意志为意志，以他们思想为思想，那他自己在哪里呢？这就是这篇小说的独到之处……一个写作者，如果不写出自己独到的那不叫创作，我建意你们好好读一读他的小说，会对你们有好处，下面大家自由发言。”

接下来，同学们结合我的性格，结合我的生活经历以及其他各方面阐述了我的作品。有人说我是用嬉皮士的语言方式在解构我童年时的苦难，虽在写苦难但却在调侃苦难，把苦难放置在一个放大镜下，寻找一些鸡毛蒜皮带有笑料的东西，并用这些细小的东西陪衬那种苦难的历程，由此产生出了喜剧的效果。

有人说，我写知青生活的那一段，是带着一种对过去那段神圣生活的颠覆、嘲弄。避开轰轰烈烈的事件而专去寻找、捕捉夜间发生的一些小事情。比如知青们收工回来后坐在煤油灯下唱知青之歌，比如男知青夜班回来走错了宿舍，在女宿舍里睡觉等等。并不展现大的场面，从而更加丰富了知青文学作品，又一次呈现出知青生活的另一面。

我也谈了自己想创作这部长篇的初衷。我说我是想用另一种叙述语言对逝去的历史重新算账。也就是想翻出那些并没有什么价值的东西给人看，并在人们观照的同时，加一些解说词，而且强调追问为什么是这样的而不是那样的……

辣妹子不无调侃地说：“他能写出好作品，肯定与一些漂亮女人有关。”我知道他是指来临。大家就都笑了。

我没想到我的作品会被人看成这么好。而老师说真的挺好。还说要写书评，在大报上发一发。我说要发最好在我们省的评论刊物上发。他说那容易。

很快，老师评论我作品的文章发出来了，题目是《一本哲思自传体小说带给我们的思考》。这篇评论是在一家很权威评论刊物上发表的。同时，这位老师又变换了一下视角，写了一篇《奇特的个人经历与独特的自传体小说》，在我们省作协办的一个《作家通讯》上发表了。第一篇评论仅就《寻找自己》这个文本来品评的，而后一篇则结合我的生活经历来评论作品的。

这两篇评论的发表，在文学界引起了一些轰动。

我知道这并不完全因为我的小说达到了一个这样的高度。而是这些年来，长篇小说创作，尤其是自传小说的创作一直延续着一种固有的很陈旧的样式，甚至没有一点创新。出现

2001 年初在省作协合同制驻地作家聘任会上。

了这样一种另类作品就自然引发出一些诸如自传体小说应该是什么样子？这本小说算不算是自传体小说或者说是不是小说之类的争论。

我就是这样被文学界所认识的，尤其我们省内文学界就更加关注这些。因为毕竟是自己省里的作者引发争论，无论大家争论结果怎样，对于沉寂的文坛都是件好事。至少有“我思故我在”的积极意义。

我在省里是一名普通作协会员，像我这种会员全省有几千人，几乎是不被人知的。这样一来，至少这些会员们都知道了我，因为《作家通讯》是印发给每个省作协会员的。省作协也抓住这一时机，组织一些作家和教授学者们在一起进行了一次带有学术性质的研讨，并邀请我到会。在这个研讨会上，我再一次被剥光了衣服，接受来自各种目光的审视与评判。我发誓再也不允许别人给我开什么作品研讨会，我用不着别人研讨。我发现人的嘴是很有意思的。如果人对此持肯定态度，就会把人捧上天。如果是否定，就又把人踩在地下。

在让我谈观点的时候，我借用莫泊桑在《一生》中结尾的那句话，不要把人想象得那么好，也不要把人想象得那么坏。我说我这样写的初衷并没想这么复杂，我当时想我的人生经历不如伟人那么轰轰烈烈，也比不上各行业的巨头们的生活那么传奇。说白了我只是一个普通人。一个普通人写自传是会让人笑话的。因为个人经历大家都有，就像你去对别人讲我吃了饭就不饿了一样。我之所以这样写是有些心虚。如果说真的有什么可取之处，那也是我没有太明确的意识到的，至少当时在写作时是这样。我只是觉得那么多自传体小说都千篇一律

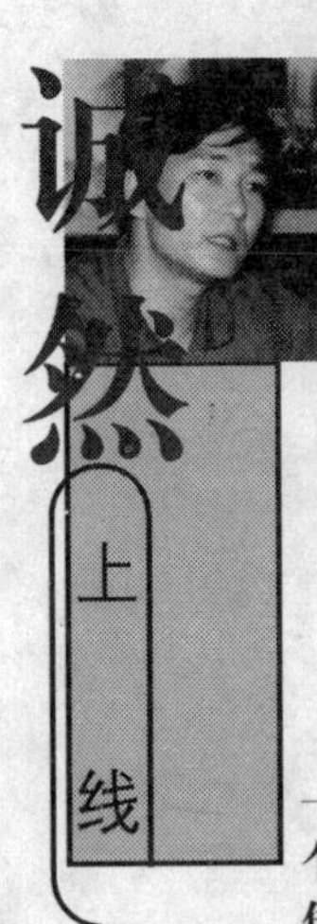

的，谈起来太没意思。写自己过“五关”斩“六将”，奋发进取，奋斗成功的表面的浮华的东西太多。而没有对于人本身或人性本身进行追问。所以我想改变一下，就这么写了。

有些人听后很吃惊，也有人对此很失望。我知道他们吃惊是因为我有这么深层的思考，他们失望是因为动机竟如此单纯。

不管怎样，这对于我是件好事。因为我被大家认识了。这就像有些写东西的人故意惹众人愤怒，宁愿被人批评打骂而自己躲在一个角落里捂着嘴偷偷乐一样。可能这些愤怒谩骂的人还不知道原本就是一个圈套一样。因为在这么若大一个国度里，要想让众人记住一个人的名字太难了。何况写作人最终目的并不是让人记住作品内容，而是记住署名。

我就是带着着种似乎有些阴暗的心理在参加了那个研讨会后又回到作家班的。

这时候我很清醒的知道我处于了一种什么状况，所以我开始把自己关在一个屋子里拼命的写作。因为我十分清醒，也更加了解中国文坛。在文坛上如果没有什么名气，就是每天都向外投稿，最终也很难发表多少作品。但是，一旦因某部作品打响了，各家报刊和出版社都会追着约稿。道理很简单，这是想用名人效应扩大自己的影响。这种事情取决于中国人相同的思维方式和喜欢跟风的习惯。

我知道这些，我当然要借机多创作一些作品出来，以备约稿。免得来约稿时没有东西给人家，弄得人家灰心丧气。再说，这时候的创作不会太精细，但可以随心所欲的写，写得越怪，越超常越好。说不定写的不像小说之后，评论家还会评论说，这是新的历史时期的新的小说文体模式。要是错过了这个热潮，很有可能再也没谁记得曾经有这样一个人，作品也会无处去发。

这一段时间我几乎把自己的各种生活都写进了小说里。把下乡、当兵、当工人，上学、经商等各种生活都写成小说。还有一些很隐私的生活都写出来了。当切身体验的东西差不多都写光的时候，又开始写自己心灵体验过的东西。这一批作品写出来后，很容易的在一些不大不小的刊物上发表出来。也引起了一些评论和争鸣。

我又成了班里的中心人物。

我来读这个作家班原本是想摆脱众人的目光，想让自己淹没在人流中。而今我又浮出水面，成了周围人关注的焦点。这种生活是很不自在的。我在做传销时有过这种体会，是传销领袖就得处处显示自己领袖风范。整天像个神仙似的，不食人间烟火。现在我又生活在了这种氛围中了。虽然一个作家班里的人不多，但我被指任为班长，这无形中给我增加了许多麻烦事情。老师又不住在宿舍楼里，什么事情都来找我解决。我能解决什么呀，无非是跑一跑腿，学一学舌，增加一些活动量罢了。而我每时都得装作和常人很不同。从而我体味出了那些公众人物的不容易。公众人物一般都是给别人活的，衣装要整洁大方，精神要斗志昂扬，说话要八面玲珑，这还是个人吗?

就在我很春风得意的时候，我那个写纪实文学的文友已完成了他那部书稿，他对我说："你应该搞影视创作。"

我说："我只会写小说，不会写剧本，再说我几乎不看电视剧。"

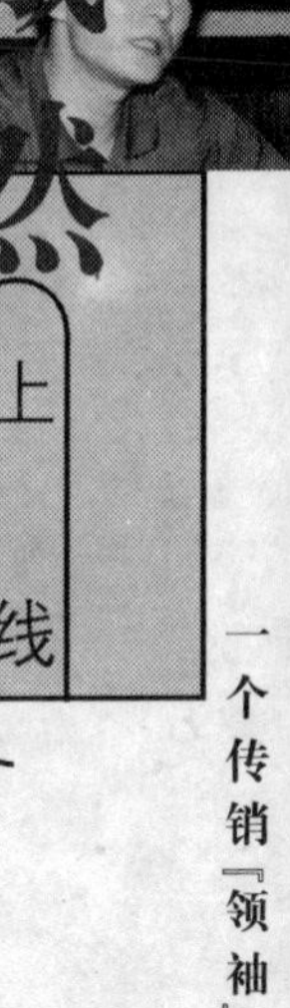

他说："我知道你说的意思，你可能觉得那东西太俗，总想搞点精英的流传千古，但你想过没有，世界上有几部只有著作没有作者姓名的作品？大多数是由于作者的名气才使人认识作品的……你想想看，这一段时间这么多人评论，研讨你的作品，你又发表那么多的作品，你到大街上问一千个人，看有没有人知道你。再说就是一千个人里面现在还有几个人看这些正儿八经的小说。如果你搞影视作品，如果一千个人里有一个人看，那是多大数字而且电视剧本的稿酬很高。想明白了吗兄弟，快跟我搞本子吧。"

我想了想，文友说的果然有道理，就问："我除了有些生活，可不会实际操作。"

他说："你提供素材就行，我执笔，咱俩都署名。"

我说："就这么办吧。"

实际上他对于我做传销的那段经历很感兴趣。在那几年中，有千百万人卷入了传销的热潮之中，这些人中有由此而富有的，有由此而贫困，有的断送了生命……但没有人去写，去反映那段复杂的生活。

政府虽取缔了传销，也把再继续做的定论为非法，但却没有一个人从一个民族，一个国家，一个时代以及价值取向去分析，去追问，这是一种什么样的现象，怎样从文化中去将这种深层的东西做一个诠释。他这样做是对民众有好处的，也是需要有人站出来告诉世人这其中内幕。

我说："这种题材不太好把握，又容易引起争议。这是一个很尴尬的题材。"

他说："我们就是要从这种两难境地中寻求一种东西，其目的是为了展示其内在的东西，也是解答有这么多人热衷于传销是为什么。”

我说:“好吧,我从头给你讲,你觉得那些有用,你就用。”

于是我就从我的上线冰怡讲起。讲了小妖和来临,讲了郑木和漂亮女人,也讲了端木木、欧阳凤、上官兰、司马欣。

他听后说:“咱俩就根据你生活中与冰怡、漂亮女人、小妖、来临这几个女人的关系挖掘展开。要把这几个女人都写成与你有亲密接触,这样比较招人看,而且热闹。”

我说:“为什么写这几个女人呢?”

他说:“我不是说了吗,好看。”

我说:“这就把我写乱套了,好像我是一个色狼……”

他问:“你对女人怎么看?”

我说:“女人就像是一块玉,美轮美奂,而不同的男人对女人表现得都不一样,有人雕琢,有人贩卖,有人珍藏,有人把玩……”

他问:“你

2002 年夏在丹东“抗美援朝纪念塔”前。

呢？”

我说：“我属于鉴赏，想鉴赏当然需要找一些做对比……”

他说：“还是一只色狼！就写你。”

我说：“由着你吧，我只管看热闹。”

实际上这几个女人的我真的都有关系，只是程度不同，有的是那种关系，有的是这种关系。但她们在我过去的传销生活中都很重要。我只是不好意思告诉我这个同学。我怎么能和别人讲，我和某某女人有那种关系，那我得病成什么样了。

当他把剧本完成后，我发现完全改变了生活中的真实情况。而且我觉得里面根本写的就不是我。我由此也并不关心这个电视剧本最终能不能拍。我想，也许有一天，我还是自己把这段生活写出来。但是，我也不敢保证我自己写出来后是什么样子的，是增加了一些内容，还是删去了一些情节。总之，我是会写的，我要把我那段生活记录下来，告诉别人。至于别人会怎么看，怎么说，我不会在意。那终归是我亲身经历过的很独特又很传奇的生活。

在作家班里，日子过得很快。半年的时间过去了，我的作家班生活结束了。在这段生活中，我没有再和任何女人发生什么故事。就是那个常去让我坦白隐私的辣妹子，我也没敢靠近她。以至于后来当我想起那时自己的洁身自傲还有些感慨，我觉得我能在那么长的时间里不犯生活错误，真是很不容易。

26. 徘　徊

作家班结束以后，我又回到了我生活的这座城市。

我回到机关上班了。就在这个时候，行政机关人员精简分流工作开始了。首先我工作的这个科室撤消了，把这项工作合并到了其他科室。在定人员的时候，采取了群众投票、评议和组织考核的办法减人。我被精简下来了。我知道我被精简下来的原因，不是因为机构合并。这是市委的一个领导一手操作而成的，我得罪了这个领导。那是一年前，市委常委会研究抽调一批人下基层去挂职锻炼，时间为一年半，到期后这些人都能被提拔重用。我当时被安排到最北部一个县的乡里。组织部门找我谈话通知我此事后，我有些生气。因为凭工作能力和按提职时间，我早就该升格了，但又来这么一手。我很不客气地说，我不去下乡挂职锻什么炼，凭我的工作能力，我用不着再锻炼了。找我谈话的人不知所措，他万万没想到我会拒绝下乡。我不下乡的另外一个原因是，当时我的体系发展正处在高峰，每个月有丰厚的经济收入。那个找我谈话的人说，组织上还决定让你在动员大会上代表这批下乡的干部作大会发言呢。我说，发个屁言，我坚决不去。

他说这事是常委会决定的，不去恐怕不行。

我说你不用管了，我去和市委领导说。

我找到市委领导说明了我的态度，市委领导以为我在和他开玩笑就说："富成，组织上对你是很负责任的，你年龄并不大，但提职时间很长了，你又很有工作能力，下乡干一段时间，哪怕是干半年回来，组织上也好提拔重用你……"

我说："你真说错了，我一点工作能力和水平都没有，我连狗屁都不是，不然这么多年，我怎么还在原来那个位置上。"

他说："怎么能这么说话，别耍小孩子脾气……"

我说："我真不去，原因是我不懂农业，又不能带领农民发家致富奔小康，市里又不给什么政策，我下乡不但不能帮助农民做什么，反而还会给农民增加负担，你想想，我是市里派下去的，他们整天还得给我杀猪宰羊的，这不是造孽吗？"

他说："反正也不给你们下硬指标，干一段时间就让你回来，也不是说你下去必须把那个乡治理得怎么好。"

我说："那市里走这形式干什么？"

他说："我不和你谈了，你怎么这样呢，你回去好好想一想吧……"

接下来，市里就派了一个工作组来，审查我这个组的人员是由机关工委、监察局和纪检委的人组成的。

这个审查组分别找我们处室的人员谈话，以期找到我的什么问题。但我这个人根本也没什么问题，在政治上我始终从思想上和党中央保持一致，在经济上我又不管财经，由于是清水衙门，又不搞贪污授贿，就是利用业余时间搞点传销，也是响应党的号召，使自己先富起来。在生活作风上，也就亲吻过女收发员一次，和漂亮女人搞过两次两性关系，又是她主动送上门来的，再说也没人知道。

审查组审查了一圈，均没查出可以处理我的什么事情，回

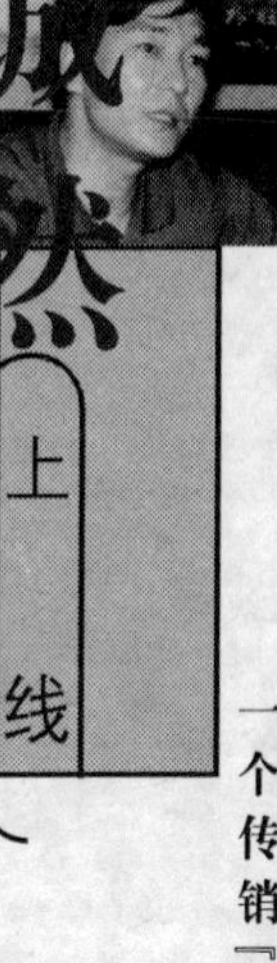

去汇报后，那个领导仍不死心，于是又为我的事专门开了一次市委常委会。不料想，大多数常委们都说，这个人工作能力强，过去工作表现一直不错，组织上过去对这个同志关怀不够，一直也没再提拔重用，就别进行处理了。

在开这个常委会之前，那个领导在一些会议上和其他场合对我表示出极大的愤怒，并扬言一定要处理我。有一些好朋友私下里来劝我，让我赶快去给领导赔礼道歉，不然因为这点小事受到什么处分划不来。

而我的态度十分坚决，我绝不低头。我在想，我一个光脚的难道还怕穿鞋的，我现在要钱有钱，要人一呼百应，谁要是胆敢处分我，我就让他好看。大不了开除我公职，我也不在乎这么个工作。我再做两年传销有钱、有车有房的，我说不上就搬到一个沿海城市去住了，就凭我的才能，找个工作还不容易，我可能连工作都懒得去找，我自己办个什么公司，也很容易。

常委会之后，我更加趾高气扬起来，而那些机关干部们也都举大拇指说，你小子厉害，这么闹就是没人敢收拾你。我当时还吹牛说，我怕谁呀，这叫无欲则刚。

一年以后，这个领导终于找到了机会，就这样很顺理成章的把我减了下来。

从此我的人事档案移交到了“人才交流中心”。

这种结果几乎是我预料到的。这事除了和领导有关外，一起工作的同事也起了不好的作用。他们想，大家都在机关里工作，惟独我做着与工作无关的事情，而且被传言赚了大笔的钱，这在这种“不患寡，而患不均”的传统思潮中，是不能让人

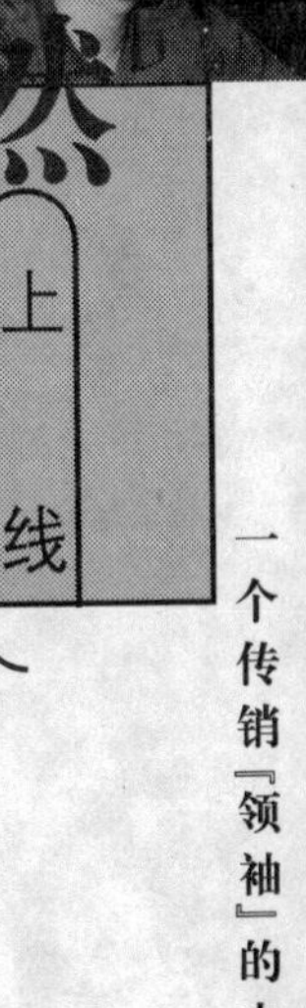

容忍的。大家都长着一个脑袋两条腿，你凭什么比别人过得好？

我回到家对妻子说："我的档案被移交到'人才交流中心'去啦！"

妻子问："为什么？"

我说："准是领导和同志们觉得我是个人才，就把我打发到人才交流中心去了。"

妻子说："都到这步天地了还有心情开玩笑……"

我笑了笑没说什么。这时候我已不在意什么工作不工作了，这回我终于可以超脱了。我甚至想，我原本就不该这么拼死拼活的钻进机关里来。我现在自由了，我经常在街上或其他场所遇见我过去的下线，但他们像根本未曾认识过我。我发现，人是很容易健忘的，过去那种被争先恐后的追逐与讨好的状况像过眼云烟且一去不返。他们那样做可能是不愿意再由于我而回顾那段狂热的日子，更不愿自己的精神被长久的控制。我当然明白这一切是为什么。所以我很少主动的再和人谈起传销。这时候，女收发员还不时的往我手机打电话，问一问我的情况，我每次的回答总是说挺好的。女收发员也下岗了，但她对于自己的下岗好像无怨无悔，她曾说过，她本来就不应该在机关上班，她说她和那些机关干部不是一路人。

但我总觉得，女收发员的下岗与我有关，可能是我害了她，让她把自己很不错的工作丢掉了。为了她，也为了安抚我自己的良心，我悄悄的送给她好多产品，她如果能卖出去，一年之内的生活费就不用发愁了。

我一直以为女收发员是个好人，她不同于她的姐姐司马欣。司马欣基本上没有什么良心,这是后话了。

她有一次很动情地说:“我想奖励你一下!”

我笑笑说:“开什么玩笑,我又没立什么功,我可不敢接受!”

她说:“我知道那个漂亮的女人不理你了,你很苦闷……”

我说:“别胡说,我现在过得非常开心……”

但总会有人对我说,你那时候可赚了不少钱。也有人说,那时候你可骗了不少人。对此我只是莞尔一笑。除此之外我不想再多说什么。

又过了一些日子,开始有陌生人通过各种关系找到我,让我再加盟一些公司。还不停的和我 OPP,我听完公司的经营运作方式,都笑着拒绝了。

因为我知道传销公司的实质是什么,不管这些公司以什么样的形式出现,传销的实质是无法改变的。也有人找到我直

2001 年春节与妻子女儿合影。

接向我摊牌，说只要我出山，可以直接享受我原公司皇冠级待遇，并以优厚的经济待遇为代价，让我重新启动我的体系，重新张开庞大的销售网。我笑笑说，我怎么听着像是要启动国民党当年潜伏下来的特务似的……我现在已经没有当初那种号召力了，而且再也不想卷入那种是是非非之中了，我只想生活的平静一些，不管是清贫还是富有。

上官兰也找到我说："上线，咱们再做一回吧，你还当我的上线，你不出山他们都不听我领导，只要你出山，什么端木木，欧阳凤、司马欣他们还会跟你干。"

我说："我与他们一些人有些不愉快。"

她说："后来他们想明白了，说你当初对大家那么好，宁可自己吃亏。这要是换了自私一点的总上线，那下线们可就惨了……其他传销公司没少发生上线把下线钱骗到手，下线找不到人的事情。再说了，他们自己得了便宜心里还没数。"

我没有做，而且劝她："别做，现在弄成非法的了，就更没有保障了。"

她还对我说："有一家公司只要花钱加盟什么也不用做，每个月都有回馈，三个月之后不但回本，而且以后月月有奖金。"

我说："那家公司的老板可能是疯了。"

她说："你不信，有人上个月加盟这个月真给返回加盟费的百分之三十。"

我说："不会到三个月，这家公司就会消失了。你千万别参加，加入了就得上当受骗。"

果然，还没到两个月，这家公司就消失了。

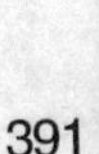

我很奇怪,这么长时间都没有人来要产品。那些下线们既然都使用美商东方公司的产品,他们用完后还应该再购买的。我想可能由于不便到家里来买。我在一个临街租了一间铺面,贴出打折销售东方公司的产品的广告。但仍没有人来。

我开始有意识的走访一些化妆品商店,看那些商店的销售情况,看其他产品的品质价位。

我的店虽然没有人买货,但我仍坚持每天打开店门,迎接顾客。这一天,我坐在店门前,见女收发员背着大背包在大街上拉住一个行人,我听见她说,我叫司马然,我是美商东方公司的经销商,传销是一个人性化的感恩的事业,我们东方公司的经营理念是诚信、务实、公平、守法,我们有正确的经营理念,有优质的产品,有良好的售后服务,我们的产品是建立在家庭消费基础之上的,反正你平时也得买,在哪买不是买呢?我包里有,你买吧……

那个行人恶狠狠的对她说,你他妈有神经病呀!你不知道传销是违法的……旁边的人都在笑她,她愣了一下,又转过身拉住另外一个行人……

我看着她的身影,不知不觉眼泪流了下来,看着她这样我心里很难受,她说的那番话是我过去教她的……到今天我也没有帮她完成去一趟省城的愿望。

我喊了一声:"司马然,你过来。"

这是我第一次喊她的名字,她乐哈哈的走过来。

我说:"别去推销了,就在我店里干吧!"

她说:"不用,我不会卖东西,我会影响你店里的生意的,我还有挺多产品呢,我得推销出去。"

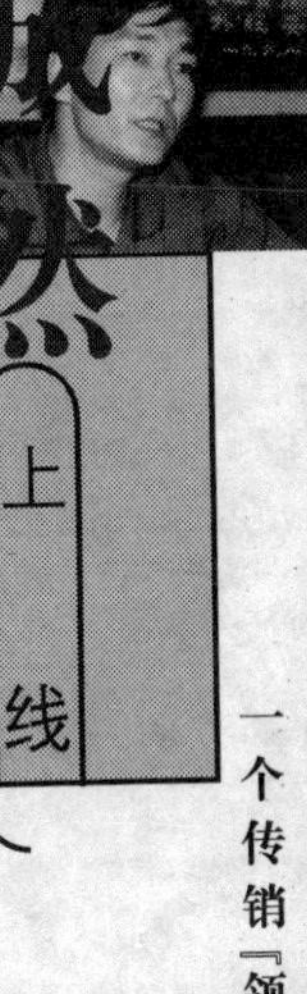

说着话，她走了，我不明白她怎么变得这样了。她是个不合时宜的人。我当初传授给她的，谎言重复一万遍，也能成为真理的那段话，她真的重复了一万遍，或许是十万遍，但终未成为真理，却成为了人们的笑谈。这是她的悲哀，也是我的悲哀！

我心想，我就不信，这么好的产品会没有人买。东方公司的产品在我心目中是最好的产品了，也是我一开始使用化妆品就使用这种产品。对于这个产品的好处是我在讲课中不断重复的。首先这产品原料是天然的，而且是委托法国一家非常有名的公司加工生产的，甚至国内都无法有这么好的设备和工艺来加工，所以只能大包装运到国内然后进行分装。我看了有关部门对东方公司产品的检验报告。还有被评为“优质产品”、“顾客最满意产品”等等称号。而且看到无数个下线使用本产品后皮肤有明显变化。那时候大家都说这个产品好。为什么现在没人使用了呢？

这时我猛然想起。当初和冰怡一起运作时，我和她单独在一起的时候，她早晨化妆却用别的公司产品。我发现她的化妆包里没有东方公司的产品。我记得我还问过她为什么没使用自己公司的产品。她好像是说，过去的产品还没用完。后来还听冰怡说，化妆品这东西成本最低，就看谁广告宣传能跟得上销售……

现在想来，这里必有奥妙，只不过她当时不便和我直说。否定自己曾肯定的东西是很痛苦的。就像我当时不相信公司会代扣经销商的税并没有交纳而公司自身也偷税一样。

我为了弄清东方公司产品的品质，免费赠送一些人使用，同时和一些相同价位的产品对比。后来证明,东方公司产品并没有我过去认为的那么好。至少过去有些夜郎自大。但东方公司奇迹般的存在下来了。对此我很不理解。当初既然取缔了,为什么又允许恢复呢。为了弄清这究竟是怎么回事,我四处打听才得知,公司的性质变了。现在已变成传统生产连锁销售公司了。因为是美资公司,还享受到了很多优惠政策。而我们这些与过去的公司有一些债务的还无法再去追还了。因为公司的性质与名称都已换了。我本想去和老总算账的。但我手里压着公司几十万元的产品,这时候几乎被我都送没了。假如双方互相追究,我却拿不出产品归还。

没多久,总公司就开始与我们联系了。

我进一步证实东方公司又进行生产销售是接到了总公司给我发来的通讯材料和总经理写给各高级经销商的信。总经理又从美国回来了,他不停的给原来的经销商写信,想重新恢复过去的销售网络。这些材料都是印刷的。每半个月就寄了一份。通报公司的生产经营情况,也介绍一些省市销售业绩好的代理商和专卖店。

但每份通讯都重申一次加盟连锁销售的优惠政策。

公司的信件不停的寄来,而我店中的产品仍没减少。我不想再把这个店开下去了,把产品又搬回了家里。

我把一套套的产品装进化装包里，选一些非常要好的朋友,送给他们。也偶尔作为结婚礼品送人。

后来不管是男朋友还是女朋友,只要是朋友,就送一套化妆品。

也许别人并不在乎这些，但几十万元的产品被我送光了。

竟然在我自己使用断档时，我还花钱从公司邮购。有时候我觉得我这种精神很可嘉很高尚也很发傻。不知道为什么，随着时光的流逝，我变的越来越沉静了。

就在这个时候，有了一个好消息。那个传造氧机的诈骗案已经告破，但货款被罪犯挥霍去了一大半，我和几个伙伴被诈骗的货款只追回了一半，这虽是个好消息，这证明了我的清白又刚好够还给那几个伙伴的钱。但我并没有感到有什么高兴。

拿着退回来的那些钱，我苦笑着。是钱让我窘困过，也是钱让我头脑发热甚至疯狂过。钱给我带来过荣耀，也给我带来过屈辱。钱给我带来了太多太多说不清的东西。

我对妻子说："退回来这些钱，刚好够那几个伙伴的货款，就都给他们吧！"

妻子说："应该给他们一半，因为只退回来一半，咱那一半

1997年在马来西亚看菲律宾女郎表演节目。

不应该都给他们补上,风险是共担的……这要是赚到了钱,他们也不会给你……”

我说:“话是这么说,咱欠谁的钱都得不到安宁,这几年咱们就当什么也没做,还了他们就不欠了,在这个世界上,除了我父母我谁也不欠了……”

妻子看看我说:“你这是怎么啦?”

我说:“我没怎么,可能还欠你点什么,要是细想想,这样也算可以了,我把楼给你买到手了,你自己又有工作,生活上不会有什么问题……”

妻子说:“听你这话,我有点害怕……”

我说:“没什么,随便说说。”

妻子说:“不管怎么说,这钱追回来一半也是好事,起码咱不欠别人的了,没钱咱以后再赚呗!”

我说:“钱是追回来了,可有好些东西再也追不回来了!”

妻子并没有理解我的话,愣愣的看着我,妻子是个随遇而安的人,平时并不想这些事情,但我必须去想,因为我是男人,而且我的骨子里是不安分的。这时候我也不知道自己该做些什么,我没有了主见,我犹豫不决。

27. 尴尬的相会

时间是流动的,光阴总会改变人们。

我有的时候真不得不佩服我的远见。我记得那一年去最北那个县里的小镇上去搞魔鬼训练。我曾和来临说过一句话，我说，这地方将来会变成旅游的好地方呢。不，我想起来了，我当时对来临说，这地方风光还是不错的，将来要是搞旅游开发什么的准能不错。

这件事被我言中了。这里果真搞起了旅游开发。而且还要在夏至那天搞一个“北部风光观赏节”。

夏至快到了，这个北部的县花了大本钱，在全国各大媒体宣传这个首届“北部风光观赏节”。

我想，到了这个节的时候，我要去观赏一下。对于我，也许不仅仅是观赏。我会想起发生在那里的一些逝去的故事。

也许任何让人重新拾起的故事都会产生一些新的故事。

就在我想这些的时候，小妖打电话来了。

小妖说：“哥呀！你说话还算不算话啦？”

我说：“你又搞什么鬼名堂，我什么时候和你说话又不算话了，好久没通电话了吧！”

她说：“你忘了，我说过，几年前你说，等以后欢迎我去我们那边最北的县去旅游。”

我说：“这没错呀，我是说过，你随时可以来。”

她说：“不对，你不是诚心欢迎我。”

我说：“你就歪曲我吧，我怎么不诚心了。”

她说：“我看见电视里介绍那个‘北部风光观赏节’了，还是首届，我要是不在电视里看见，你是不会主动邀请我的。”

我说：“我现在就请你来，没想到那个县搞的声势这么大，连我们的小妖都知道了。”

她说：“你是不是邀请冰怡和来临了，就是没想到我。”

我说:“我谁也没邀请,我倒是有那个心思,可我敢邀请她们俩吗?我和她们犯罪的情况被你嫂子掌握了,那时候和我大闹过一场,我再邀她们,我不是找病吗?”

她说:“活该,谁让你不老实来着,现在难受了吧。”

我说:“你岁数小,懂什么,有些事你不明白,谁摊上谁知道。”

她说:“好吧,我也没时间探讨你们那些事,反正我也不懂,你看我什么时候去?”

我说:“离观赏节没几天了,你马上就来吧,听说这回邀请了好多名人演员的,就那么个小镇,去晚了肯定没地方住。”

小妖来到了我家里,和我妻子女儿亲热了一番。小妖主要是和我女儿亲热,像姐妹似的在一起玩。

我对妻子说:“这回你也陪小妖一起去看观赏节吧。”

妻子说:“我才不去呢,遭那罪,不就是山林大河吗,这些东西我都看腻了,再说女儿还上学,你陪小虹去吧。”

我和那个叫小虹小妖坐上火车去那个县镇了。一到了那里才知道问题严重了,那个几千人的小镇要来上万人,所有的招待所和小旅店都预先订出去了,连老百姓家里都订满了。

我找到镇里的领导,说明了自己的身份。镇领导见我是市里来的,就想方设法帮我挤房间。因为这次的嘉宾不光是市里的,连省里、港澳台都有人来,最后勉强挤出了一个双人床的小房间。

我再也没好意思提别的要求,能挤出这么上小房间也算是人家镇里做了最大的努力。

我说:“小妖,你看这双人床怎么住,你是住里边呢,还是住外边……反正我不脱衣服睡不着觉。”

小妖鬼笑了一声说：“我不怕，反正你是我哥哥，就算是亲哥哥，你好意思在你妹妹面前脱了睡？”

我说：“你这么一说，我还真觉得不好意思了，到时候晚上多在外边玩一玩，要是谁困了，躺一会闭一会眼睛就靠过去了……”

正在我和小妖说话的时候，我的手机响了。我一接听就听到里面一个女人说：“你这家伙也太不够意思了，你忘了当初许的愿了，许愿不还你不怕肚子疼呀，你这种人不挨骂是不是就把别人忘了……”

这一顿连珠炮是来临发出的，等她一口气发完了牢骚。

我问：“我又怎么了，我怎么老挨批评呀，那个小妖说了我一顿，说我没邀请她参加我们这的观赏节。今天你又来了，你不会是也为这事吧。”

来临说：“要是进人民大会堂，我还用找你？还真让你猜着了，我就是为这事。”

我说：“你那么远的路程，往这来已经来不及了，观赏节明天就开幕了。”

她说：“要是等你请我，什么都凉了，我已经到地方了，我还以为小地方没谁来呢，我想等我到了旅店，安顿好了再打电话告诉你，可我一下车，根本就没有落脚的地方，我现在在这个小镇上像个游魂似的游呢，你快和镇上打个招呼，让谁帮我找个住的地方，你以最快的速度赶过来……”

我问：“你在什么位置，我现在就去接你，我也在这镇上。”

我知道了她等的地方，关掉手机，对小妖说：“你猜谁来

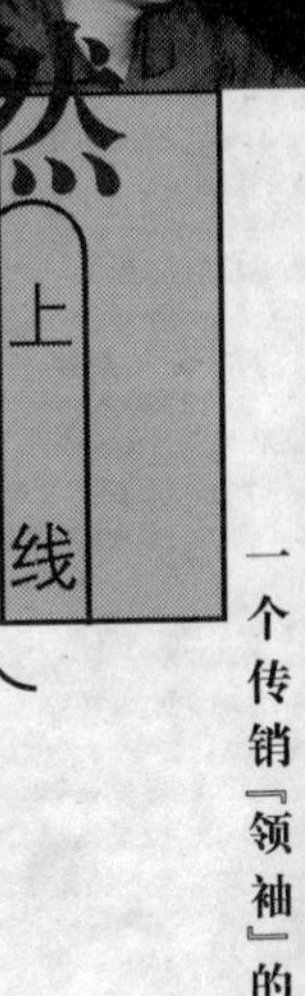

了？”

她说：“猜不着，你那么多相好的我上哪猜去，告诉我又是哪个嫂子？”

我说：“是来临，她在大街上等着呢，咱俩现在就去接她。”

小妖说：“我去方便吗？别影响你们亲热，万一想拥抱什么的，我在旁边不方便。”

我说：“你就别废话了，咱们快去吧，那家伙脾气爆，去晚了又该大喊大叫了。”

我和小妖在大街上很快找到了来临。来临见到我和小妖，眼睛一亮，开口说：“我说怎么不邀请我呢，原来有情况……”

我说：“别胡说八道了，你们应该认识，就不介绍了。”

她俩说，认识。我就带着她们来到了招待所。

一进房间，见只有一个双人床来临又说了句：“这一看，我就更多余了，我真不该给你打电话。”

我说：“小妖是我妹妹，别胡说。”

来临说：“我也没说是你别的什么呀！”

小妖说：“又是哥又是姐的，你们别闹了，我倒是觉得多余了，姐我也不怕你生气，我知道你和我哥好，我也高兴，我这个哥真得有你这么厉害的人收拾他，不然可不得了……”

小妖一番话，使这种尴尬的气氛有了些缓解，同时小妖话里的暗示，也让来临解了些心疑。

接下来，我们三个人就开始讨论，这一张双人床三个人怎么个睡法。

我说：“我睡中间，你俩睡两边。”

小妖说：“我不同意。”

1997 年在马来西亚吉隆坡的宾馆。

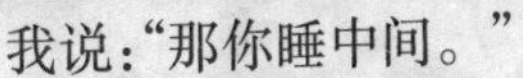

我说："那你睡中间。"

小妖说："我更不同意。"

我问："你说怎么睡？"

小妖说："我来临姐睡中间。"

我说："好，就这么定了，咱们别老是猫在这小屋子里，这地方人比较封建，别以为咱们男男女女的在做什么，咱们出去转转吧，找个小店吃点东西。"

她俩就随我走出了房间。

小妖快走了两步，走在我和来临前面，来临扭过头朝我笑了笑。

就在这时，小妖一下子停住了脚步，回头对我说："你看，那是谁？"

我抬头一看，吓了一跳。冰怡就在前边几步远的招待所登记室的窗口，正和工作人员商量要房间。

我不知道怎么办了,小妖叫了声:“冰怡,你怎么来了?”

冰怡一侧脸,就看见了我们。她也愣了一下。

我说:“你也来了,这没房间了,别问了,快到我们房间来吧,把背包放下再说。”

我们又回到房间。冰怡看了看那张双人床,又看了看小妖和来临。

我给她介绍了来临。她又认真的看了看来临,说了句:“你就是来临呀,听说过。”

来临知道了面前这位就是冰怡,又冲我笑了笑。一时间,这个房间里的气氛变得异常复杂起来。

看来,这个小镇真是和我过意不去,让我处在这几个女人之中不知如何是好。

冰怡由于过早的退出了美商东方公司,我的上线就自然的过渡成了小妖。记得冰怡半真半假的开过我和小妖的玩笑,并且听说了我和来临的事情。

来临一直坚信我和冰怡有关系,这下大家遇到了一起。

从冰怡那种不解的目光中,我只能硬着头皮进行解释。

我说:“开始,我是和小妖来的,只弄到这么一个房间,这时候来临又来了,我们刚讨论完三个人怎么在这张床上住,你又来了。”

冰怡冷冷地说:“我是最不该来的,所以我并没有找你,老天爷可真会安排……”

我硬着头皮说:“都坐下吧,坐还是够坐的。”

我说着话,不由自主的掏出一盒烟,抽出一叼在嘴上,但手里的打火机总是打不着火。小妖掏出打火机,帮我点上说:

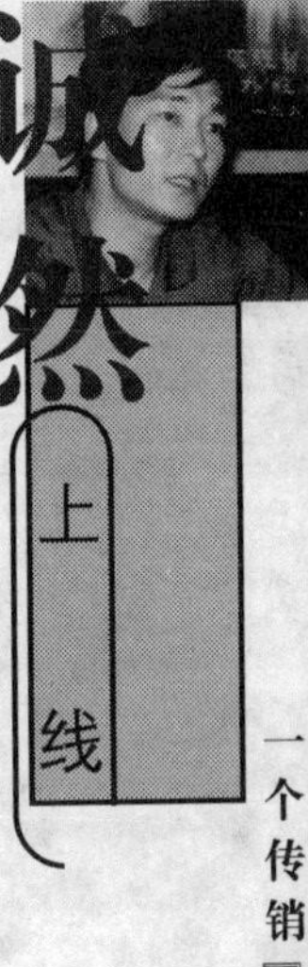

“哥,你给我根烟。”

我给小妖拿了支烟,又一想,冰怡和来临都会抽烟。我又分给她俩烟,我们四个人同时在吸着烟。

看着她们三个人在吸烟,我有些忍不住想笑。我曾经说过,我喜欢看女人吸烟,我认识的女朋友都吸烟。这几个吸烟的女朋友竟然都凑在了一起吸烟。

渐渐的,屋子里被浓重的烟雾完全笼罩了,大家相互都看不清对方的脸了。

我无论如何没想到,这几个会吸烟的女人会凑在一起吸我的烟。

后来我实在忍不住了。我说:“咱们快出去吧,我实在受不了了,这样会呛死的。”

我们找到了一家最大的酒店,其实最大的酒店也没有几张桌子。我觉得这个酒店有些眼熟。刚坐下来,来临就说:“这个酒店我来过。”

我一下子想起,当时来临就是在这家酒店开发的我的潜能。

冰怡也看了看说:“这地方我也来过,可能还比你来的早。”

小妖说:“好好,你们都来过,就我没来过。”

冰怡说:“你富哥这回不就带你自己来了吗?”

我见小妖的脸有些红,我怕她说出令人不愉快的话来,就马上打岔说:“这都哪跟哪呀!你们点菜,你们能到这来是看得起我,我无德无能,什么都不是,承蒙你们看得起……过去也好,现在也好,你们都尽心尽力的帮过我,我欠你们所有人的人情。当时,我拿到追回来的货款分给下线时我还说,这回除了欠我父母的之外,谁也不欠了,我今天才明白,我哪是谁也不欠呀,我还欠你们三个人的……"

说着话,我把一大杯白酒一口干掉,我又给自己倒上一杯。

小妖有些害怕地说:"哥,你喝不了酒,这么喝干什么,不要命了?"

我说:"命是什么东西,要不要的很重要吗?我什么都获得过,我也什么都失去过,我还怕什么吗?"

我说着又端起杯,刚喝了一大口,就被冰怡抢下了杯子。冰怡有些生气地说:"你真能显,自己能喝多少酒还不知道!"

来临说:"他能喝着呢,那次把潜能开发出来了。"

小妖和冰怡同时白了来临一眼。我怕又要发生争执,就说:"我不喝可以,但你们都得给我吃菜。"

来临伸出手对冰怡说:"把酒给我,我替富哥把酒喝了。"说完话后就端起杯把酒一口喝干了。

我有些醉了,我说:"好!总公司来的就是不一样,再倒上,我敬美容师一杯。"

小妖白了白眼睛说:"你敬哪个美容师呀,我们可全是美容师。"

我一看,又笑了,我说:"真的呀!今天巧了,都是美容师,又都会抽烟,难得一聚,难得一聚,来,抽我的烟,我这可是好烟。"

我们四个人又一起抽烟,包间里又满是烟雾了。

我们都默不作声的抽着烟,我就想,这要是都不会抽烟,

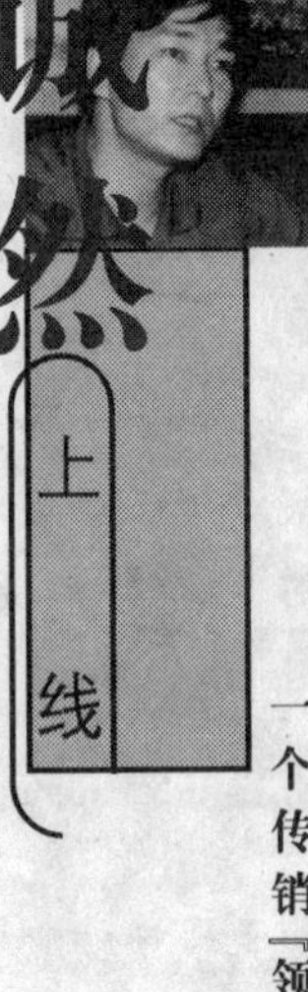

可怎么打发这时间。

这时候,小妖站起来说话了。

她说:“在这里,我最小,你们都是我的哥哥姐姐,我觉得咱们能认识,又在同一天凑到这个在地图上都没有标记的小地方,可真是缘分呀,人得珍惜缘分,缘分过了可就再也没有了……今天我就倚小卖小了,都听我的,少喝酒,多吃菜,烟吗,咱们出了屋再抽,四个人同时抽真受不了,怎么样?哥姐们?”

我一举手说:“就按小妖既定的方针办,我得再来一杯……”

来临一把抢过酒瓶子放在远处。

我说:“我以为你要给我倒酒呢,拿走瓶子干什么,酒瓶子招你惹你了?”

来临没理我。

我又说:“来临,够哥们意思,给我少倒点,大家一人倒一点,一起喝怎么样?”

小妖用手捂着自己的酒杯不让倒,我和冰怡、来临把酒倒上。

冰怡说:“今天也算幸运,遇上你们,不然我还不知道上哪呆着去呢。”

来临也说:“我也是。”

小妖看了看她俩说:“你俩都是,你俩就喝吧,我也不是,我也喝不了。”

我端起杯:“好,都喝,我这里替小妖喝,我大点口。”

她们三人几乎是同时指着我说,小点口。

我又乐了,我觉得真的很好玩。跟三个女人一起,真是有苦也有乐。

她们三个人都不让我再喝酒了,我只好陪她们一起吃饭。吃饱饭后我说:“咱们上外边转转吧,这地方有山有水的,天又黑的晚……”

来临马上说:“关键是有人又爱山又爱水呀。”

我说:“你别闹了,咱们一起去爱山爱水吧。”

走出酒店时,我悄悄地把剩下的白酒揣起来。

我们慢慢地走着。我登上了山坡,又来到河边,我们几乎什么也没说。我们不知道应该说什么,只是默默地走着,我有意落在她们的后面,偷偷的把酒都喝干了。一阵轻风吹来,我的头晕了。我有些站不住了,我慢慢的躺在了草丛中……

等我醒来的时候,已是第二天早晨了。我很佩服我有这种绝活,一到了关键时刻,我就醉了,就昏睡过去了。这要免去许多的麻烦。我猛然想到有的动物一遇上危险就装死,看来人和动物也有许多地方都是相通的。

我一醒来,又禁不住的乐了。我很夸张的躺在那,她们三个却都歪坐在床边,在那睡美人呢。

我乐过之后坐起身,故意大声咳了一声。她们三个人都揉揉眼睛相互看着。

我大声问:“你们三个人干什么呢?”

她们都愣愣的看着我,片刻之后都清醒了。她们一齐站起来,冲着我怒目圆睁。

小妖先跳了起来,大声说:“老富,你太不讲究了!”

我问:“我不是你哥吗,怎么,什么时候又变成老富了?”

来临说:“天底下就没有你这号人!这老天爷也不整治整治。”

冰怡说:“这回你们知道他了吧,最不是东西的就是他了。”

我说:“你们都吃错药了还是喝多了,怎么都冲我一人来了!”

来临首先向我扑过来,接着是冰怡和小妖也都冲过来,她们三个人同时按住我,狠狠的揉搓了我一顿之后,全坐在那喘粗气。

小妖说:“我们三个人侍候了你一晚上,你又是吐又是喊叫的,说你在这个地方和两个女人睡过觉……还说当初有个什么领导让你在这个地方挂职锻炼,你就是不来,还说老子就是不来,能怎么着,你还破口大骂……”

我说:“不能吧,你别瞎编了,我从来不骂人。”

小妖说:“你问我俩姐是不是真的。”

我不用问,知道这是真的,但昨晚上我闹人的事我都忘了。但我心里暗暗得意,看你们还为不为我争风吃醋了,也让你们知道知道,我这盏灯也挺费油。

我说:“这样倒挺好,反正咱们四个人也没法睡,与其大家挤着都休息不好,还不如让我一个人舒服一宿,谁叫我是稀罕物呢……别闹了,咱们出去找地方吃饭去,吃完饭好去看开幕式演出,但是,咱不去那家酒店了,我一进那家酒店就唱醉酒……”

小妖说:“这叫酒不醉人人自醉!”

我没理她,就带着她们找地方吃饭去了。我们找了几家小饭馆，但都人满为患了，满大街也都是来参观的人。我们只好买了点糕点随便吃了一口就去广场看演出了。

这个观赏节的开幕式很热闹，由于人多，我们只好站在离舞台很远的地方。看不清演员的脸，只能听见声音。

我听到了一个熟悉的声音，这是漂亮女人在台上主持节目。漂亮女人在市里很得宠，听说和市委的一个领导打的火热，市机关里有各种各样的传言。那个市领导就是企图要处分我，后来又把我精简下来的那个人。

我知道在我被减的这件事上，漂亮女人起到了很大的副作用。这是因为她总是背地里对我说三道四，有一次我遇见了她，让我把她骂得狗血喷头。她肯定对我恨之入骨，所以她不会在那个领导面前说我什么好话。这也不能怪人家领导，领导也是人呀，谁叫我顶撞人家了呢，谁遇上这种事能不生气，他能不听从他心爱的女人的意见吗……

1997 年在异国民房前。

小妖还要往前

挤，我说："算了吧，就在这听一会，反正那几个演员平时在电视上也见过，没什么看头。"

我说这话是怕让漂亮女人看见我。也是怕认识我的人看见我领着三个女人来看节目。这要是被人传扬出去，又成了一大新闻。

站累了，我就带她们回到了招待所。除了小妖以外，冰怡和来临对节目好像并不感兴趣，我说回来，她们就随我回来了。

回到招待所，我把鞋子一脱就窜到床上，很舒服的躺在那笑。她们三个人相互示意了一下，猛的扑向我，把我从床上拽起来，把我推出房间，把我的鞋子扔出来就锁上了房间的门。无论我怎么敲门，她们就是不开。她们可能躺在床上要睡觉了。我无奈，就一个人走出了招待所。我没再去看演出，在一条空落落的街上漫无目的地走着。这时候我很孤独，有一种无家可归的感觉。

我边走边想，我待会回招待所怎么办，我怎么处理她们之间的关系。装疯卖傻是不行了。要不我再去找个小酒馆把自己喝醉，我一没办法就把自己喝醉。正在我想这些的时候，我的手机响了，冰怡在电话里说，你回来吧，我们都睡醒了。

我回到招待所，又躺在床上，我说："你们睡够了，我该睡一会儿了，在外边走了这么长时间，可把我累坏了。"

冰怡说："你自己在这睡吧，我们回家了。"

我发现她们都把东西收拾好了。我忙爬起来说："你们别走哇，这么远来一趟多不容易，再说，开幕式结束后，游客们都分别去各处观光去了，招待所就能空出房间了，我去找他们…

…"

但她们坚持要走。

我问小妖:"你也走啊?"

小妖说:"我不走在这干什么,没意思。"

我随着她们上了返回的火车。火车到达我市的时候,我劝她们下车在这玩几天,她们谁也没有下车。

我说:"我也留不住你们,愿意走就走吧。"

她们都没有任何反应,火车很快开走了。我与她们三个人的相聚,就这样的划上了一个并不圆满的句号。

28. 无言的结局

季节还是这么春夏秋冬的过着,而我似乎感觉不到季节的变化。

我已经没有其他更多的渴望,只想这么静静的读书和写作。我发表了好多小说,心里很满足。

让我没想到的是,一年以后,我和我那个文友合写的电视剧本,我那个文友根据我的意图把剧本给了我省电视台制作中心,并由省电视剧制作中心拍摄出来了。当时也在几家电视台播放,但反响并不大。肯定是因为全国各家电视台播放的电视剧太多了,多得人们都无法将一整部电视剧看完,就又去看别的电视剧去了。所以不可能有什么大的反响。再说,电视剧要想让人关注,首先要提前很长时间进行宣传炒作。要先入为

主。只有这样才会有人注意。而我们的电视剧导演是一个国外求学回来的人，只把精力放在了拍摄和后期制作上了，虽然生产了精品，但却没人知道。但好的作品早晚都会浮出水面。又过了半年，这部电视剧竟然获得了省里的电视精品奖。

我和那个文友被邀请去省里领编剧奖。我和文友如期到达省城去领奖了。

那次颁奖场面不是特别大，但为我们颁奖的是省委的一个领导。我看见有好些记者都参加了那个颁奖会，而且又是拍照又是录像的。领了奖文友就回北京了，晚上我找了一家小旅店住下，我想第二天一早就离开省城。

就在我要躺下休息的时候，我的手机响了。我按了一下接听键，里面传来了郑木的声音：“是富先生吗？富哥你好，我是郑木，祝贺你！”说完就挂断了电话。

我查了来电号码，拨回去，我说：“请帮我找一下郑木。”

接电话的人说：“哪里有什么郑木。”

我说：“我不是找他算账，只想和他聊聊。”

那人说：“聊什么，那人走了。这里是公用电话亭。”

我感到奇怪，郑木已经消失很久了，这是从哪里又冒了出来，而且还给我打了电话。看来人真是有感情的，虽说有过不愉快，可心里相互还是挂念着。因为有过去那一段那么友好的相处。谁都不会那么容易忘记过去的那些事情。我们无数次的出去消费，出去喝酒唱歌，那也是一段很快乐、很美好的往事了。但我不知道郑木突然给我打电话是什么意思，郑木祝贺我什么，祝贺我得奖？他怎么知道？正在我百思不得其解的时候，我的手机又响了。

2002 年夏在父亲抗美援朝走过的丹东鸭绿江断桥上。

我接听后听出是小妖的声音，她说："富哥，你猜我是谁。"

我说："小妖吧。"

她说："算你耳朵灵，你在哪里呀？"

我说："我在家里。"我不知道为什么自己却谎称在家里，可能是不想再给她添麻烦。我每次来省城，她都请我吃饭。

她在电话里笑着说："你撒谎！"

我说："你怎么知道我在省城？"

她说："我刚看完新闻，省台和市台都播放了，领导给你发什么奖。有好几个你的镜头呢。"

我说："对不起，和你开个玩笑，我这房间连个电视都没有。"

她说："你住哪，什么宾馆，连个电视都没有，住这种店，不是你的风格呀！噢，对啦，没有别的女人吧，要是方便就告诉我地址，我明天去看你。"我告诉了她我住的旅店，又聊了一会

儿。

我刚挂断手机，手机铃声又响了。我不知道怎么了，怎么一来电话就接二连三的。我一接听，原来是冰怡打来的，我问："你看新闻了？"

她说："不看怎么知道你来了，又不打个招呼，刚才和谁通话呢，这么长时间。"

我说："是小妖打来的电话。"

她问了句："你们俩没住一间双人床房间呀……她现在做什么呢？"

我说："你就让我背黑锅吧，好像我和她怎么回事似的……你们住一个城市还不知道？她在一家化妆品公司当业务经理呢。"

冰怡没有接话说小妖，对我说："明天上午九点钟你到市三百门前来，我等你。"

我说："我以为你永远也不想见我了呢，快两年没见了吧，那好吧。"

这天晚上我一直没能入睡。我想起了和冰怡过去的那些日子。我也能想象出她对我的误解，因为我曾和她好过，她就总想我也会和别人那样，这就是女人，我很想她，我一遍遍的想象着我和她相隔这么久之后的会面是一种什么情景，我甚至设计出好多种与她见面时地问候话语和表示亲密的动作。这么久没见了，她会不会抱着我大哭……记得我和她在那座城市里一起办公司的时候，分别几天相见，她都含着泪紧紧的抱着我说："想死我了，我再也不让你离开了，我让你永远和我在一起……"

我甚至想，她可能会领着一个孩子问我：“看这孩子长的多像你！”然后又对孩子说：“这就是你爸爸，快叫一声爸爸！”如果是这样，我又该怎么办呢？

我转念一想，这么久过去了，她的模样可能完全变了，我所说的模样变化不是人自身的变化，而是在城市里女人们总是不断改变着自己的外形。比如第一天见到时头发还很短，第二天再见时头发已经长得很长了。这头发难道可以上化肥加生长素吗，怎么一天的时间就变得这么长了呢？后来，经过认真研究才明白，头发是假的，是马尾巴做的，更奇怪的是，原本头发都是黑的，可总是变换颜色，黄的、红的、灰的、棕的、白的。真是五颜六色。弄得让人认不出来。有一次我就认错过人，我妻子的头发本来就是黄色的，她皮肤白，而且发式也很固定，几乎没谁梳她那种发式。有一天，我正在街上走，一抬头见前边几步远的地方我妻子在走路，我快走两步，在肩上拍了一下说：“你瞎逛什么呢？”

那人一回头我傻了，她根本不是我妻子。好在她还有些熟悉我，一笑就过去了。她经常和我妻子在一个美发店作头发，所以就学着我妻子的发型作了。

我回来和我妻子一学，她边笑边说：“真烦人，她们什么都学我，我穿件挺普通的衣服在大街上走，总有人过来问我在什么地方买的……”

我是说冰怡会不会也披了一堆马尾巴，要是那样我可能连认都认不出来她了。我又想她可能又有了丈夫，不然她今天晚上会来到我住的这家旅店。我从外地大老远来到省城，按理说，她既然知道我来了，应该来看望我的，来了也不一定非得

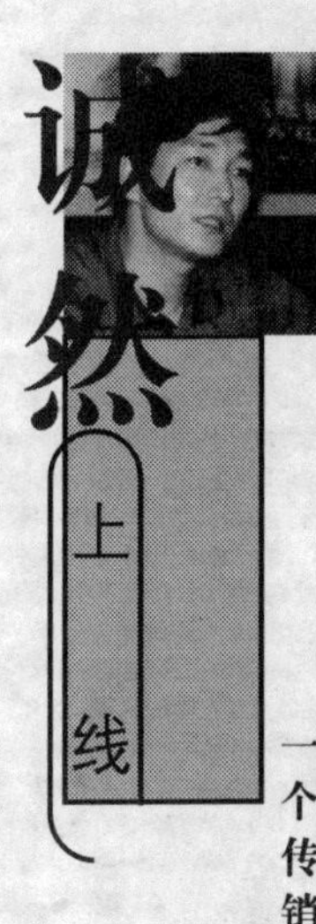

做爱,哪怕晚上坐在床上聊一儿天,这也是很正常的。她没出来,可能是不方便。也可能是被人软禁起来了。有好多做丈夫的喜欢软禁妻子。生怕自己的妻子在外边和别的男人有越轨行为。其实这都是没有用的,也是没有必要的。女人想怎么样是有她们自己的道理的,该发生的事情总会发生,不该发生的事情永远都不会发生。

我弄不懂的是她和小妖又怎么了，女人之间的事情连女人自己都说不清，一会儿好的搂脖子抱腰的，一会儿又生气了。再过一会儿,俩人又抱在一起哭起来了,对这种品种真是不了解。真是隔品种如隔山一样。可她和小妖怎么了,小妖是她的上线,过去她们俩的关系一直挺好的。是不是她们也在一起传造氧机产生矛盾了。

第二天我按时来到了冰怡约我的地方,我见到了她。我发现冰怡表现得出奇的冷静。过去的那种热情已荡然无存了。一种预感告诉我,女人一旦变成这个样子,肯定是经历过了什么磨难。磨难会使女人冷静起来。她能经受什么磨难呢?生活的磨难,女人都能挺过来,但女人却经不起感情上的磨难,谁让女人是一种感情的动物呢,人家本来就是为了感情活着的,谁要是把人家的感情磨一下,难一下,怎么让人受得了呢。就像一个耍猴卖艺的人,本来是靠那只猴子吃饭生活的,你偏把人家猴子给偷跑了,这不是断人家生路吗。让女人在感情上受磨难,就是断女人的生路。所有男人们都给我记住了,以后谁也不许惹女人感情,不然我和他没完。又一想,还说别人呢,把自己管住了就行了。她见到我甚至没有和我握一下手。我一下子不知怎么办了,事先想好的话和想象出的动作都忘了。我不明白，人和人之间怎么这么容易陌生。那次观光节没亲热是因为有别人，可现在只剩下我们俩了，却依然这样，她变了。过去那种激情，那种爱恋怎么会消失了呢？

她只是简洁的问了句："你什么时候来的？"

我说："前天早上，我也不知道你现在的住址和电话，也就没有通知你……"

她似乎并不在意我是否找她，我们都变得沉默了，我们不知道接下来应该做什么，我们只是在街上走着，这时有人扛着摄像机一下对准了我和冰怡，另外一个女记者举着话筒上前问："您好，我打扰您二位一下，我们是省电视台'生活'栏目的，请问一下你们夫妻，国庆节假日怎么安排的，有出行计划吗？"

我本能地往旁边躲了一下，冰怡也有些紧张的回答了记者两个问题。

记者走后她说："那记者什么眼神，愣把咱俩看成夫妻了。"

我说："也许在别人的眼里咱们俩真的很像夫妻。"

冰怡没说什么，我们又沿着街道往前走。走到一家汉堡包店门前，她说："你早晨还没吃饭吧，咱们进去吃点东西。"

我和她进到里面吃着东西，我问："你和小妖没有联系了？你们过去不是很好吗？"

她含乎的说："业务上的事，我不想见她，见到她别说我在这条街上开专卖店。"

我没有问她什么，我们没有再谈起美商东方公司，也没有说起造氧机的事，默默的吃完饭，我们就分手了。

等我回到旅店,小妖正在房间里等我,小妖说:“你跟谁约会去了,让我在这等了那么久。”

我说:“没有,我自己到处走了走。”

小妖不相信的看着我笑了笑说:“不对吧……咱们出去逛逛街吧,你不是喜欢采购吗?中午我请你吃饭。”

我心想,我已经没有了采购商品的习惯了,采购是需要钱的。

小妖带我去的又是我和冰怡走的那条街。当走到冰怡那个专卖店附近时,我有些紧张。虽然冰怡那个专卖店在那条街对面,但如果故意看还是能看见的。说来也怪,小妖就真的朝街里看了一眼,而且一眼就看见了那个专卖店的牌匾。妖眼可真毒。

小妖马上说:“怎么,冰怡化妆品专卖店,去看看,该不是她的吧。”

我想,麻烦了。没办法,硬着头皮跟她走了过去,这时候冰怡恰恰巧从店里出来。俩人见面相互很不自

1997 年在吉隆坡英雄广场。

然的对视了一下。我想,冰怡肯定怪我了,她肯定以为是我告诉小妖的。

小妖说:“真是你开的,我以为是重名呢……”

冰怡用眼睛注视了我一下,我知道她在想什么。说了几句话，我们一齐去了一家餐厅。我们几个人在一起吃饭比较省事。不像不熟悉的人坐一起,互相谦让着让对方点菜。我们相互都知道饮食习惯。她们俩曾经和我开玩笑说,我是属猫的,因为我愿意吃所有带腥味的东西,比如很腥的海鱼,别人做时都加一些祛腥的调料,而我就不加,而且只放些盐,用水煮着吃。我就喜欢那种很原始的味道。要是把腥味弄没了,就不是鱼了,那还不如吃肉了。

她们俩都知道我喜欢吃什么，都没有商量就一同走进了一家海鲜火锅自助餐厅。

吃饭间她们俩似乎没说什么话。我就故意的东扯西扯的说着些无聊的话。我突然说:“最近日本又死人了。”

她俩莫名其妙的看了我一眼,我又重复一遍,最近日本又死人了。

小妖问:“谁死了?”

我就哈哈的笑,我说这是个典故。我原来单位有一个人的外号就叫最近日本又死人了。这个人是个愿意发布消息的人,不管什么消息,有没有价值他每天上班都要发布一条。有一次他在家休病假,这期间日本一个首相逝世了。事情过去了十几天了,而且大家也都在电视新闻中知道了。这个人上班来了,他可能在家里没发现什么消息，但不发布点什么又觉得有失他特长。于是他很神秘地说,日本又死人了。他说过后,在场的

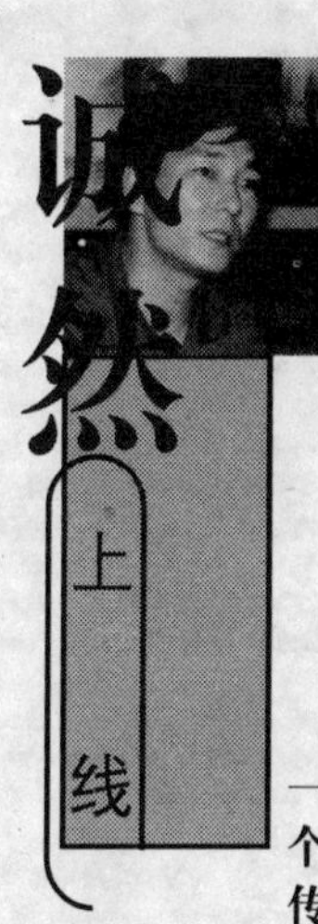

人都哈哈大笑。大家就给他起了个外号,叫日本又死人了。大家笑是他来上班时,有几个人打赌,有人说他会发布,有人说他没什么可发布的,但他还是发布了。

她俩听我讲完,也都忍不住笑了。她俩都说,这人真有病。我说这还不算有病。他另一个绰号叫牛皮。因为他什么都装懂、装会。没有一件事能难住他的。有一次,有人拿了一把笛子,他要过去,吹了几个调,实际上也就勉强吹出声来,旁边有一个爱开玩笑的人说,日本又死人了挺厉害呀,还能吹响呢,真不愧叫牛皮。他见有人表扬就来了吹牛皮的劲了,他说他会拉二胡,会弹钢琴,而主要是吹奏的管乐器,是他最拿手的。他最后说,这么说吧,凡是有眼的我都能吹出调来,那个爱开玩笑的人说,你又吹,我说一样带眼的你就吹不响。他问,是啥,那人说猪屁眼,你去给我吹出调来我看看……那人傻眼了。

大家笑过就陷入了沉默,而这种沉默让人很难受。我不知道她俩究竟为什么,我也不想知道。冰怡用一种当年小妖看我和冰怡同样的目光在看我和小妖。

饭吃完了,冰怡说:“店里还有好多事,我就不陪你们俩了。”

说完就走了。小妖朝着冰怡的背影看了看,又冲我做了一个鬼脸。

我说:“回旅店吧!”我和小妖回到旅店,我们坐在那抽着烟,我不知该和她说什么,小妖对我说:“你今天干嘛喝这么多的酒?”我看了看她,她的脸也喝红了。

我说:“面对着你和冰怡,我除了喝酒,还能怎么办?我只希望自己喝醉了,就什么都不想了。”

她说:“这和我有什么关系,你和冰怡俩个人好,又没跟我好。”

我停顿一下说:“冰怡一直以为我和你还有另一种关系。”

小妖说:“真是笑话,我要是真有这种想法……”

我说:“我心里真希望咱们俩有点什么,可又怕真的发生了什么会把一切美好都打碎,如果打碎了,我可能就永远的失去了你。”

她说:“你又瞎想什么呢,咱俩这样不挺好吗?”

我说:“挺好,是挺好,可你该找个男朋友了,一个人生活太孤单,上帝造人的时候就是希望男人和女人在一起生活,为什么要违背上帝的旨意呢。”

她微微地笑了一下,这时候她变得异常的平静,坐在那抽着烟。

我说:“你还从来没给我做过皮肤护理呢。”

她说:“你带产品了吗?”

我说:“我一直都带着。”

她说:“那好吧,我给你做一次护理。”说完就给我做了护理。

她边做边说:“我现在这家化妆品公司也可以,你要是愿意代理,可以代理一下。”

我说:“我真想再和你合作一次,可我现在还能去做销售了吗,温情也好,冷陌也好,我都没有了当年的那种销售勇气,我已经不会做了。”

那天,我离开了省城,冰怡没有来送我。小妖一直把我送到了火车站,火车开动了,小妖仍站在月台上,望着火车开走的方向。

坐在火车里我在想,冰怡此刻在做什么,她心里会不会想着我。我回忆着我和她的开始和结束。我设想着,假如我和她只是纯粹的情人关系,假如我和她没在一起做传销,没有任何利害关系,我们也许会相处得更好。而现在,这些利害关系没有了,我们的任何情意也都消失了。

我想,我不会再找她了……

而小妖和来临呢?

我和小妖仍保持着兄妹关系,这挺好,我深信小妖仍会很聪明的生活着,我不知道聪明对于她是好事还是坏事。

来临自从离开那个北部小镇之后, 恐怕以后很难再来这里了。但她会按着自己的方式生活。我不希望她总是炒着各种公司和老板,她不应再继续的漂泊。她该安定下来,过平常人的生活。

1998 年冬
在自家沉思。

……

回到家里,一些熟人见到我说看了省台新闻了,你得了一个什么奖,还是省领导亲手为你颁发的。开始我还解释一下,是什么奖。后来人问多了,我也不做解释,只是笑笑。

就在我总是听到别人说我得了什么奖还上了电视的时候。市电视台的记者也找到了我家。并且在我家里对我进行了采访,而且制作了一个专题片,在市台播放了。这个专题片主要是宣传我这几年文学创作成果。我发现,经宣传之后的我是很了不起的,似乎这座城市里从前从来没有出现过这么有成就的作家。

随后,市电台,市报社也开始凑热闹在宣传报道我。

我似乎是在一夜之间变成一个知名作家。

在这座城市里,我本来认识的人很多,几乎所有认识我的人都看到了我那个专题片和报纸上的报道。甚至在我去一家商场去买东西,当场被几个人同时认出,那个售货的人还打折把东西卖给我。他们很敬重的向我问了好些稀奇古怪的问题。好像在他们心里早就没有什么作家了,我突然冒出来,很让他们感到新奇。

就在这时,一件令我意想不到的事情发生了。

那个远在湖南的作家班女同学辣妹子突然来到了我家里。我见到她时几乎愣住了。因为她来之前一点消息也没有,而且她从那么遥远的路途来这里,一点理由都没有。我想不出她来干什么。我把她让进屋里,请她坐下。

我问:“你,你怎么来啦?”

她笑哈哈的说:“怎么?不欢迎吗?我没事先告诉你是想给

你一个惊喜！”

我马上给妻子介绍说：“这是我作家班的同学辣妹子，这是我妻子。”

妻子没说话，苦笑了一下然后就借故去了另外一个房间。

辣妹子小声说：“嫂子是不是生气了？”

我心里明白，妻子肯定是生气了，她生气的时候就不说话了。妻子很忌讳作家班的同学。按她的理解，搞文的人，男人女人都太疯，太开放。而且容易发生男女不正当的关系。她会想，从湖南这么远来一个女同学看我，那一定是有问题，而且说不准在作家班的时候，我和她还有另外的关系呢。

我说：“没有，她不爱说话……真太突然了，我都不知道和你说什么啦……你这次来做什么？”

她说：“来看看你，也看看你们北方的风景。”她说话声音很大，而且是一种欢天喜地的神情讲述着她这一路的见闻。妻子在另一间屋子始终没有出来。我隐约感到了问题的严重性。

我走进妻子呆的屋子说：“不早了，快准备晚饭吧。”

妻子怪怪的看了看我说：“家里没什么好东西可以吃，你和她去外边吃去吧。”

我说：“咱们一起出去吃吧。”

妻子说：“我不去，我还等孩子放学，你们去吧。”

我又回到客厅，对辣妹子说：“咱俩到外边吃饭吧。”

辣妹子说：“嫂子为什么不去？”

我说：“她还等孩子，不管她了，咱们走吧。”

我和辣妹子来到一个餐馆坐下来，点了几样辣味的菜，我们吃了起来。

辣妹子说："老富挺知道照顾人的吗，知道我喜欢吃辣的，你怎么办？"

我说："你不用管我，我不饿，我喝酒陪你。"

她又说："还那么喜欢喝酒，酒要少喝，你一喝完酒就睡觉，这样对身体不好，吃点菜。"

我喝着酒，想着妻子反常的情绪。记得当年冰怡第一次来看我的时候，妻子也不十分高兴，但从脸上看不出什么。她和我陪着冰怡吃饭，逛商场，而这一次见到辣妹子，竟然连招呼都没打。这是从来没有过的。她这样做，肯定有很充分的理由的，不然妻子不可能这么生硬。她平时十分温柔而且善解人意。这是怎么了，难道她知道了我什么事情。她要是真知道什么，应该会在平时说话中流露出来的。她要不知道我什么事情，没有必要这么做的……

辣妹子说："想什么呢老富，我怎么觉得你也不太高兴呀？"

我说："没有，没有，我怎么能不高兴呢，这么漂亮个辣妹子千里迢迢来看我，我得多荣幸啊！"

她说："好，为了咱们的再次相聚，我陪你喝一杯。"说着她一口喝掉了那杯啤酒。

我说："你今天怎么敢喝酒了，你不是不喝酒吗？"

她说："入乡随俗吗，再说见到你也特别高兴，我再和你干一杯。"

我不好说什么，只好又给她满了一杯。她端起杯说："咱俩有两层关系，一层是同学吧，你知道第二层关系是什么吗？”

我听后有些紧张，因为我知道她是什么都敢说的，但我心里有数。我从来未和她有过什么暧昧关系，仅仅是同学而已。

见我猜不出来，她说：“咱俩是上下线关系，对不对？”

我说：“对什么对，咱俩虽然曾在一家公司做过，但不是一个体系，怎么是上下线关系，充其量算是旁线。”

她问：“从公司往下算你是第几层线？”我说：“我上边有两个上线，我属第三层线。”

她说：“那就对了，我是第十三层线，你不就是我的上线吗？亏你当过兵，你难道见了别的部队的比你职务高的首长不叫首长吗？你就是我的上线，再说你已经做到了高级领导那层，来上线，我敬你一杯！”她说完了就又干了杯里的酒。我只好陪她喝干了酒。我看了看她，很想问一问她做传销的情况。

我说：“你做传销做得怎么样？”

她说：“我做的晚，我加入后推荐了几个人加入，他们还没来得及推荐人加入，传销就被取缔了……我把买化妆品和加入的钱收回来了，就等于白用了一套化妆品。”

我问：“你们那里做传销的人多吗？”

她说：“做的人不少，但没看谁作成功，咱们继续喝酒。”

我顿了顿说：“辣妹子，你喝不了那么多酒，少喝点吧。”

她说：“怎么这么小气，怕付钱吗？你在作家班的时候可是最大方的。我那时候就佩服你有男人气魄，怎么变得婆婆妈妈的了？”

我说：“怕你喝多难受”

她说：“难什么受，今儿咱老百姓就是高兴，再倒上。”

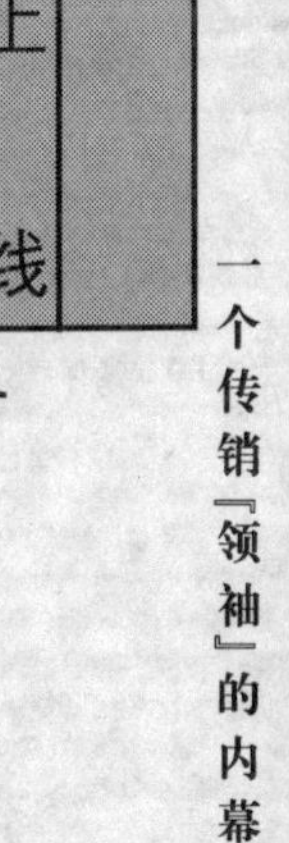

我真服了，她怎么跟个男人似的。我怎么净结交这种像男人的女人，好在她不吸烟。就在这时她对我说："给我支烟抽。"我心想女人们都怎么了……后来，她见我坚持不喝了，就只好收场了。但她已经有些醉了。

我说："不早了，我把你送到旅店休息吧。"

她说："不，我要看看你们市夜景。"

我说："看什么夜景，外面挺黑的，没什么好看的。"

她说："那好吧，咱们去旅店。"

来到旅店，我帮她办理完住宿手续，我就想离开。

她说："你别走，陪我聊一会，我在家夜生活到很晚的，你让我一个人在这多难熬，你要走就太不够'哥们'了"

我说："你可愁死我了，我过去说的话你都还记着，好，我陪你聊一会。"

她说："这就够'哥们'了。"

我说："你可别闹人了，弄得我心里乱七八糟的，回家晚了我怕我妻子有想法。"

她说："有什么想法，有想法怎么啦？我又没抢她丈夫！"

我说："打住！咱说点别的。"

她突然说："你这人怎么这样，你活的有多累……在作家班的时候整天封锁自己，谁也无法去靠近你，现在怎么还是那个老样子，一点也不近女色，你有问题吧？"

我真是不知道该怎么对她说好，不说又怕她误会，就硬着头皮说："我犯过错误，所以不敢再接近女人。"

她说："这有什么，真是笑话，歌里不是唱吗，人生本来苦难就多，再多一次又如何？你看你，我一个女生这么愿意和你

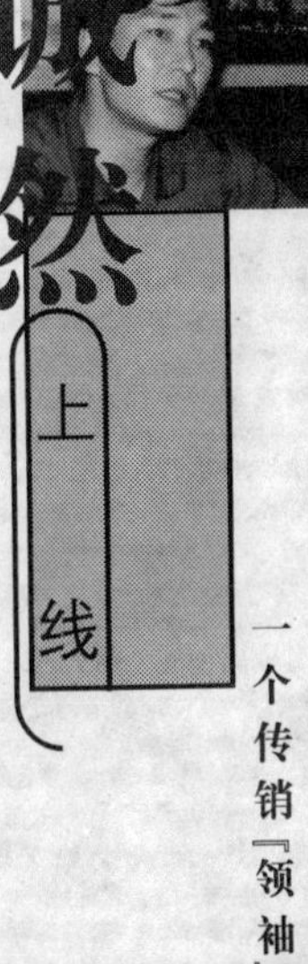

在一起，你怎么不能像我这个样子，是不是有点太不近人情了,好让我伤心,我要落泪啦……”

我说:“辣妹子你不知道,我这人……”

还没等我把话说完,她就打断了我的话:“我不知道什么，我什么都知道，我看了你那本书我有什么不知道的，无所谓，一日被蛇咬，十年怕井绳，这多影响你的创造力，人的生命动力还是来源于爱的嘛？”

我说:“不行,我得马上回去了,明天我再来陪你到外面玩一玩,你休息吧,再见。”

我像一个逃犯似的离开了那家旅店。走在路上,我心里一直很紧张。我不知道她来我这里的目的是什么。我清楚她不会是来和我谈婚论嫁的,因为我和她没有那个过程。但她这种举动,肯定会使我妻子产生错觉。

我回到家,已经很晚了。妻子还没有睡,见我进屋就扭头去我女儿的房间睡下了。

第二天早晨,我对妻子说:“咱俩陪我同学出去转转吧。”

妻子头也不抬地说:“你自己陪她转去吧,我没时间。”

我说:“你看,我自己陪多不好。”

妻子说:“有什么不好的,你昨晚不也陪了吗？”

我说:“你别瞎想，我和她只是普通同学，她那人直性子，说话不注意。”

妻子说:“你不用和我解释,我瞎想什么啦?她怎么样和我无关,你不用心虚。”

我说:“你这是什么话？”

妻子说:“你赶快走,人家还等你呢,别让人等急了！”

我不想再解释什么了。我来到旅店,辣妹子还没有起床。她穿着睡衣,懒懒的躺在床上。我转身要出去。她说:“别急,我马上起床。”

她洗漱完后,我陪她简单的吃了早点,我就同她一起到周围的山上和河边游玩了一天。写东西的人都喜欢游山玩水,也是想从中找一点感觉。这山山水水的一转,时间过的尤其快。后来我觉得不好,就催她回来了。不然的话,她还想在山上看太阳落山后才回来。但回来也有些晚了。

晚上回来的时候,她对我说:“你能陪我去你们的省城去玩几天吗?我来的时候火车经过我没有下车,那里我没有熟人,挺陌生的。”

我说:“可能我脱不开身,我可以让省城的朋友接待你。”

她说:“你怕你妻子不同意吧,我帮你请假。”

我说:“我看看再说,咱俩出去吃点东西,你早点休息吧,这一天够累的。”

我和她吃完晚饭,我就回到家里。

我对妻子说:“辣妹子想让我陪她去省城。”

妻子说:“又是俩人合作办公司吧?”

我说:“这好像是在说冰怡。”

妻子说:“我说的不对吗?总有女同学找你办公司,找你合作,这世界上除了你再没有男人了是吧,你要是不主动,人家干什么无缘无故地来找你,你以为你是谁呀?”

我说:“你怎么这样跟我说话?”

妻子说:“这是你逼的,我本想不说这些事,可是你一次次没完了,你以为我什么都不知道呢?那次‘北部风景观赏节’你

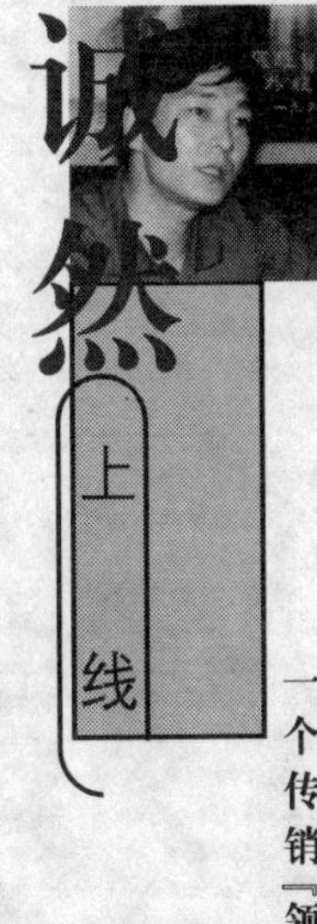

和三个女的一起喝酒，还住在一个房间里，除了小妖，那两个是谁？上次你去省城又去找冰怡了，还说好几年没联系了，你骗谁呢？你和她成双成对的在大街上走，电视台把你们当成夫妻采访，还问有没有出行计划，你们去渡蜜月吧，这回又来个什么辣妹子，还有多少？好啦，咱什么也不说了，我实在忍受不了，你走吧，咱们从此分手了，反正离婚手续早就办过了，就按那个来吧，我再也不愿意过这样的日子啦……”

我再三和妻子解释，都无济于事。看来我和妻子的婚姻真的走到了尽头。

我没有把这些话告诉辣妹子，我也没有陪她去省城，我把她送上了火车，她就离开了。

我自己呆呆的想着这几年发生的一些事情。

我又想到了美商东方精细化工有限公司，想到了那个造氧机的公司，想到了我的上线和下线们以及当时与我传销有关系的所有的人。

我知道，我的那些下线们准也在电视上看到他们过去的上线。也一定看到他们的上线和他们上线的上线像夫妻似的走在大街上接受临时采访。他们看后会说什么、会想什么呢？

他们也许会想，一个成功者做什么都会成功的。他们也许会说，那个做传销的骗子又用什么骗术成为作家了……

实际上，这时候我已经不太在意别人会怎么看我了，因为我已经一无所有了，妻子、女儿、房子、工作、存款都没有了，就像我当年来到这个世上的时候一样，全身光光的。

于是，在一个繁星满天的夜晚，我什么都没带，也没有告诉任何人，一个人悄悄的离开了这座城市。

我要去一个完全陌生的地方，最好是没有人烟的地方。我要把过去那些的爱与恨，荣与辱连同自己和姓名全部忘掉，让一切的一切从头再来。

2001 年初　初稿于大兴安岭
2002 年夏日改毕于北京